From Dagmar
Xmas 2001

Rainer Horbelt · Sonja Spindler

Tante Linas Nachkriegsküche

Rainer Horbelt • Sonja Spindler

Tante Linas Nachkriegsküche

Weitere Erlebnisse und Kochrezepte
einer ungewöhnlichen Frau
in Geschichten und Dokumenten

Bechtermünz Verlag

Wir danken allen, die uns bei diesem Buch geholfen haben,
besonders den Mitarbeitern des Archivs der Stadt Gelsenkirchen,
dem Stadtarchiv Bochum, dem Hauptstaatsarchiv Düsseldorf,
dem Museum der Stadt Rüsselsheim, den Willi Meisel Verlagen,
Hanns D. Ahrens, Reiner Laarmann, der Fa. Dr. August Oetker und Kay Lorentz.

Genehmigte Lizenzausgabe für Weltbild Verlag GmbH, Augsburg 2000

Umschlaggestaltung: Mario Lehmann, Augsburg
Bildbearbeitung: Wolfgang Stumpf
Satz: RH + Aspectra ®
Druck: Offizin Andersen Nexö – Interdruck Graphischer Großbetrieb GmbH
Printed in Germany
ISBN 3 - 8289 - 1077 - 7

Inhaltsverzeichnis

Vorwort

Ich weiß es noch genau. Ich weiß noch, wie Tante Lina mit ihrem Stockschirm auf die Theke ihrer Stammkneipe geschlagen hat, wie die Gläser auf den Filzen gesprungen sind, wie sie laut und deutlich »Lüge, alles Lüge!« gesagt hat und wie die Biertischstrategen in der Ecke unter jedem ihrer Schläge zusammengezuckt sind.

Das war im Jahre des Heils 1975, als man sich an das Ende des Zweiten Weltkrieges und damit auch an die Zeit danach erinnerte wie an ein Jubiläum.

»Was wollt ihr gemacht haben?« So hat Tante Lina zum Stammtisch hinübergerufen, wo die »Vertreter der älteren Generation« einigen Abiturienten klar zu machen versuchten, wie schwer sie es nach dem Kriege gehabt hatten und dass alles anders gekommen wäre, wenn... Und eigentlich hätte man den Krieg ja gewinnen können, ein rein logistisches Problem und so weiter.

»Ihr wollt Deutschland wieder aufgebaut haben? Dass ich nicht lache!«

Und Tante Lina hat sich einem grauhaarigen Oberstudiendirektor zugewandt:

»Hast du vergessen, dass du dir die Hose vollgeschissen hast vor Angst, als die Engländer dich abholten, weil du ein so schlimmer Nazi warst? Selbst den Pfarrer hast du um einen Persilschein angebettelt! Hast du das vergessen?«

Und zu der einzigen Frau am Tisch:

»Bist du nicht eine von jenen ›deutschen Müttern‹ gewesen, die ihre Söhne mit Begeisterung dem Führer ›geopfert‹ und in den Tod haben rennen lassen? Was hast du denn gegen die deutsche Wiederbewaffnung getan?«

Und zu einem Dicken mit Glatze:

»Und du, Toni? Hast du nicht nach dem Krieg prima Schwarzmarktgeschäfte gemacht? Hast deine Schuhe im Keller gehortet, bis die Währungsreform kam, während die Leute hier mit Pappsohlen über die Straße laufen mussten? Ihr wollt Deutschland wiederaufgebaut haben unter ›so schwierigen‹ Umständen? Euch ist es nicht schlecht gegangen! E u c h nicht!«

Ich weiß es noch, als wäre es gestern gewesen, wie Tante Lina an einem Volkstrauertag den auf dem Hauptfriedhof versammelten ehemaligen SS-Männern ihre Naziorden von der Brust gerissen hat mit den Worten:

»Wie viele Menschen habt ihr dafür ermordet?«

Was hätte sie wohl zu den Reden gesagt, die anlässlich des 8. Mai zum Gedenken an das Ende des Zweiten Weltkrieges Jahr für Jahr gehalten werden?

Was war dieser 8. Mai 1945 gewesen? Der Tag des Zusammenbruchs? Was brach da zusammen? Oder eine Katastrophe? Für wen? Der Tag der deutschen Kapitulation oder der Tag der Befreiung vom Hitlerfaschismus? Wer wurde da befreit? Oder eine »Stunde Null«?

»Wie wenig 1945 eine ›Stunde Null‹ gewesen ist, das beweist schon der hysterische Antikommunismus, der in den ›Neubeginn‹ hinüber gerettet wurde«, sagte Heinrich Albertz einmal, der ehemalige Regierende Bürgermeister von West-Berlin und Pastor. Und Tante Lina hätte es wohl ähnlich gesehen.

Tante Lina ist tot. Sie starb an einem nebligen Novembermorgen vor vielen Jahren. Als wir nach ihrem Tod begannen, ihren Nachlass zu sichten, fiel mir aus einer alten Holzschatulle ein dickes, sauber gebundenes Rechenheft entgegen: ein eigentümliches Sammelsurium von ausgeschnittenen und eingeklebten Zeitungsartikeln und Kochrezepten, handschriftlichen Notizen, von Tagebucheintragungen, alten Fotos und vielem mehr. Alles Dokumente aus dem Zweiten Weltkrieg. Das war Tante Linas Vermächtnis. Auf den Umschlag hatte Tante Lina in ihrer steilen Sütterlinschrift meinen Namen geschrieben und: »Mach ein Buch daraus!«

Wir haben ein Buch daraus gemacht. Wir haben aus Archiven Tante Linas Dokumente und Rezepte ergänzt. Wir haben bei Familienmitgliedern und Bekannten ihre Erlebnisse recherchiert. Wir haben »Tante Linas Kriegskochbuch« geschrieben.

Die vielen Reaktionen, die auf unser Buch erfolgten, die Briefe, die Telefonanrufe, die Gespräche, die möglich wurden, haben gezeigt, dass mehr daraus geworden ist als nur ein Kochbuch. Dass wir gleichzeitig mit Tante Linas Erlebnissen, mit Rezepten und Dokumenten zur Ernährungslage ein Stück Geschichte der Generation von Frauen erzählt haben, die zwei Kriege miterleben mussten. Ein Stück Geschichte, das der Fortsetzung bedarf, will man würdigen, was diese Frauen eigentlich geleistet haben. Denn es waren vor allem Frauen, die den Alltag des Krieges und der Nachkriegszeit zu bestehen hatten, dessen immer wiederkehrende Mühsal, dessen Absurdität.

Von ihren Freundschaften und ihrer Angst, von Momenten des Glücks und Tagen voller Verzweiflung, von Hoffnungen und Enttäuschungen wollen wir auch in diesem Buch erzählen.

Wir wollen davon erzählen, wie sie in den schlimmen Jahren zwischen Kriegsende und der Währungsreform überleben konnten, wie sie sich mit Brennmaterial, Kleidern und Lebensmitteln versorgt, was und wie sie gekocht, was sie gegessen haben in dieser Zeit. Wir wollen von ihren Alltagssorgen erzählen.

Es sind keine spektakulären Ereignisse, über die wir berichten werden, Ereignisse, die etwa Eingang in unsere Geschichtsbücher gefunden haben. Es sind Menschen-Geschichten, Geschichten von »kleinen Leuten«, Geschichten, von denen wir glauben, dass sie in ihrer Summe Geschichte ausmachen, Geschichte, die auch immer Küchengeschichte ist.

Und wir wollen zeigen, wie die »große« Politik unmittelbar eingewirkt hat auf das Alltagsleben dieser Menschen. Auch wenn wir wissen, dass dies Stückwerk bleiben muss, episodenhaft.

Wir wollen dabei dem Lebensweg einer Frau folgen, die den Krieg im Ruhrgebiet, in Gelsenkirchen, überstanden hat, eben unserer Tante Lina. Vielleicht kann dabei ein wenig von dieser Nachkriegszeit wieder lebendig werden für die, die sie selbst haben miterleben müssen, aber auch für die, die sie nur aus Erzählungen ihrer Eltern und Großeltern kennen, eine Zeit, von der wir hoffen, dass sie niemals wiederkehrt.

In »Tante Linas Kriegskochbuch« haben wir unsere Tante durch die furchtbare Zeit des Krieges begleitet, haben berichtet, wie sie sich für den Krieg auf ihre Weise rüstete, als alle noch an den Frieden glaubten, wie sie Tabak anbaute, schwarz schlachtete und selbst Schnaps herstellte, wie sie Widerstand leistete dem, was sie zu unterdrücken suchte, wie sie feierte und trauerte, wie sie Menschenleben rettete.

Wir haben von ihrer Verwandtschaft berichtet, die auch die meine ist. Von ihrem Bruder Bruno, meinem Großvater, einem strammen Nazi, der als Oberbaurat und Luftschutzberater bei der Gelsenkirchener Stadtverwaltung für den Bunkerbau zuständig war. Von seiner Frau, der stillen Mimi. Von Ottomar, meinem Vater, der, da von der »Vorsehung« mit Gardemaß ausgestattet, Mitglied bei der Elite der Elitetruppen war, der »SS-Leibstandarte Adolf Hitler«, Verbrecher, die bis heute von sich behaupten, sie wären »*nur*« Soldaten gewesen und hätten »*in hervorragender Weise dafür gesorgt, dass die Russen nicht bis an den Rhein hätten vordringen können*«. Obwohl es jeder, der sich mit der Geschichte dieser Truppe auch nur ein wenig beschäftigt, besser weiß. Und von Brunhilde, Ottomars Schwester, die mit dem Gauleiter Reichsstatthalter Dr. Meyer aus dem Lipper Land eng befreundet gewesen war. Eine Familie, zu der sich Tante Lina nur wenig hingezogen fühlte, Menschen, zu denen sie nur Kontakt suchte, wenn es sich gar nicht umgehen ließ.

Tante Lina bewohnte in Gelsenkirchen ein Zweifamilienhaus, das sie geerbt hatte und von dessen Mieteinnahmen sie einen Teil ihres Lebensunterhaltes bestreiten musste. In der Parterre-Wohnung lebte sie selbst, die Mansarde bewohnte der Bergmann Johann Kuszmierz, den Tante Lina 1944 pro forma geheiratet hatte, als bekannt geworden war, dass die Nazis ihren (und Kuszmierz') Freund Walter Kaminski ermordet hatten. Gleich nach Kriegsende ließ sich Tante Lina wieder von ihm scheiden, aus prinzipiellen Gründen, lebte aber weiterhin mit ihm zusammen.

Der erste Stock war an die Familie Kabitz-Varenholt vermietet. Martha Varenholt und ihren Kindern war 1943 mitgeteilt worden, dass ihr Mann »gefallen« sei, und sie hatte wieder geheiratet, den Kabitz, einen von Kuszmierz' Kollegen.

Und dann war da noch Uwe, ein Waisenkind, das Tante Lina während des Krieges bei sich aufgenommen hatte.

Bis auf einige wenige Reisen war Tante Lina während des Krieges im Ruhrgebiet geblieben.

Und wir wollen da beginnen, wo wir sie verlassen haben: in Gelsenkirchen im Frühjahr 1945.

Der Winter, das Frühjahr 1945 – das waren die zum Inferno gesteigerten Bombenangriffe auf die Städte an der Ruhr, das war der Ruhrkessel, in dem ein letztes Aufgebot von Flaksoldaten und Volkssturmmännern, insgesamt 130.000 Soldaten aller Waffengattungen, die »Waffenschmiede des Reiches« gegen die alliierten Truppen verteidigen sollten.

Auch in Gelsenkirchen wurde gekämpft, wurde geschossen, wurde gestorben.

Es war an einem Apriltag, als es dann seltsam still wurde in der Stadt. Tante Lina verließ den Keller ihres Hauses, in dem sie mit den übrigen Hausbewohnern während der Kämpfe Zuflucht gesucht hatte, und ging nach draußen auf die Straße. Sie hatte sich nicht getäuscht. Es wurde nicht mehr geschossen. Nur noch von Ferne war das Grollen des Geschützdonners zu hören. Ihr Haus war heil geblieben.

Es waren kaum Menschen auf den Straßen. Von einem Lautsprecherwagen wurden der Bevölkerung erste Anweisungen des alliierten Oberkommandos bekannt gegeben, wurde Plünderern die Todesstrafe angedroht.

Da wusste Tante Lina, dass der Krieg vorbei war, dass Frieden sein würde und dass das Ende der Herrschaft der Nazi-Verbrecher gekommen war. Ich habe sie später einmal gefragt, was sie empfunden habe in diesem ersten Augenblick der Freiheit. Sie hat lange gezögert mit ihrer Antwort.

»Eigentlich nichts«, hat sie dann gesagt, »vielleicht so etwas wie Leere, wie Erleichterung. Aber glücklich war ich wohl nicht. Nach all dem, was geschehen war, konnte man wohl Glück nicht mehr empfinden...«

Ich kann nicht sagen, welche Hoffnungen Tante Lina an das Kriegsende knüpfte. Sicher – mit dem Untergang der Hitler-Diktatur konnten nicht von einem Tag auf den anderen auch alle Nazis verschwunden sein, die vielen Millionen, die noch 1945 an den Endsieg geglaubt hatten. Das wird sie gewusst haben. Man konnte nicht alle Nazis von ihren Posten entfernen, ganze Landstriche hätten dann keine Beamten, keine Lehrer, keine Ärzte mehr gehabt. Aber wie schnell dann doch so viele ihr aus braunen Tagen wohlbekannte Gesichter wieder auftauchten, wie Menschen, die nur ihr Parteiabzeichen gewechselt hatten, die eigentlich hinter Schloss und Riegel gehört hätten, wieder ihr Unwesen treiben konnten, das muss etwas in Tante Lina zerbrochen haben. Das muss sie hart und unversöhnlich denen gegenüber gemacht haben, die sich nun auf einmal für schuldlos hielten an dem, was zwölf Jahre lang geschehen konnte.

Es soll sie mit Genugtuung erfüllt haben, als sie hörte, dass die Briten meinen Vater verhaftet und interniert hatten. Und als meine Mutter mit mir im Kinderwagen ins Ruhrgebiet kam, soll sie ihr (nicht mir) sehr distanziert begegnet sein. Und sie soll vor Wut getobt haben, als sie erfuhr, dass ihr Bruder Bruno, einst SA-Untergruppenführer, unbestraft in Pension gehen und unbehelligt Häuser wieder aufbauen durfte, die er zuvor mitgeholfen hatte zu zerstören.

Ja, nach allem, was wir in Erfahrung bringen konnten, muss sich Tante Lina verändert haben damals. Sie wurde sogar intolerant Meinungen gegenüber, die sie für gefährlich hielt. Als die erste Fronleichnamsprozession nach dem Kriege auch an ihrem Haus vorbei durch die Stadt ziehen sollte, stürzte sie wie eine Furie ins Freie, riss die gelb-weißen Kirchenfahnen aus dem Boden, mit denen die Straße geschmückt war, und schrie:

»Vor meinem Haus wird nicht mehr geflaggt, für nichts und von niemandem!«

Und als die Menschen dann an ihr vorbeizogen, soll sie lachend am Straßenrand gestanden und mit dem Finger auf die vielen Antichristen gezeigt haben, die da zu Gott flehten um Hilfe, jene, die noch Jahre zuvor ihre Religion verleugnet und »gottgläubig« in ihren Ausweis hatten setzen lassen.

Aber die Normalität des Alltags, die Sorgen, die Probleme, der Trotz, der sie erfüllte, das alles mag ihr doch schließlich über vieles hinweg geholfen haben, was sie an Enttäuschungen zu tragen hatte.

Kurz nach Kriegsende bekam Tante Lina Einquartierungen in ihr Haus, das der Krieg ja unzerstört gelassen hatte. In Holzschuhen, ihre Habseligkeiten auf einem Handwagen hinter sich her ziehend, standen eines Tages die beiden Schwestern Hellwig mit ihren Kindern vor der Tür. Zu Fuß waren sie den weiten Weg von Ostpreußen ins Ruhrgebiet gekommen in der Hoffnung, in Gelsenkirchen Verwandte zu treffen, doch die waren bei den letzten schweren Bombenangriffen gestorben. Der Tante Lina zeigten sie eine Einweisung vom Wohnungsamt vor, aber der behördlichen Verfügung hätte es gar nicht bedurft. Wie sie da so abgerissen und traurig in der Sonne standen, hätte Tante Lina ohnedies ihre Wohnung mit ihnen geteilt.

Einen anderen Gast holte sich Tante Lina selbst ins Haus. Den hatte sie bei einem ihrer Streifzüge durch die Stadt entdeckt. Ein feiner Herr in dunkelblauem Anzug, schutzlos einem Gewitterregen ausgesetzt, vor der zerstörten Gelsenkirchener Stadthalle, die bis zum September 1944 als Theater gedient hatte. Klar, dass Tante Lina den unter ihren Schirm nahm, auch symbolisch. Klar, dass der ihr gestand, Schauspieler zu sein von Beruf und Berufung, und dass er gehofft hatte, nach einer ihm genügend lang erscheinenden Zeit als Soldat (»drei Monate«) in Gelsenkirchen wieder Theater spielen zu können (»Und nun das!«). Klar, dass er keine Wohnung besaß (»Da ist die ganze Straße nur noch Schutt und Asche!«) und Tante Lina ihn bei sich aufnahm, wohl, weil sie glaubte, den Deutschen und damit auch den Gelsenkirchenern könnte nach langer Entbehrung Kultur wieder gut tun. Kuszmierz musste seine Mansarde mit ihm teilen (»Gestatten Sie, dass ich mich vorstelle, Fabrizius ist mein Name«).

Ende 1945, Anfang 1946 muss es gewesen sein, da bekam Tante Lina einen Befehl des britischen Stadtkommandanten zugestellt. Ihr Haus würde, so hieß es, für die Einquartierung von Soldaten der Besatzungstruppen benötigt. Sie und ihre Mieter hätten das Haus umgehend unter Zurücklassung des Mobiliars zu räumen. Doch dazu kam es nicht.

Als ein britischer Offizier das Haus inspizieren wollte, wurde er von Tante Lina in die Küche gebeten. Zwei Stunden lang sollen sich die beiden dort unterhalten haben. Was da besprochen wurde, wird ewig das Geheimnis von Tante Lina und Hillary, so hieß der Offizier, bleiben. Erfolgreich jedoch ist dieses Gespräch in jedem Falle verlaufen, denn Tante Lina und ihre zahlreichen Mieter durften wohnen bleiben, ja sie bekamen sogar noch »Zuwachs«: Hillary bezog ein Zimmer im ersten Stock, das von der Wohnung Kabitz-Varenholt abgetrennt wurde. Und er war, von den zahlreichen Damenbesuchen einmal abgesehen, die er trotz der Kontaktsperregesetze empfing, ein angenehmer Hausbewohner.

Damit ist erzählt, was vorweg erzählt werden musste. Erwähnen wollen wir noch, dass die in diesem Buch aufgeführten Rezepte von uns ausprobiert wurden und somit »nachgekocht« werden können. Wenn nicht anders angegeben, sind sie in ihren Mengenangaben für vier Personen berechnet.

Natürlich wurden viele Gerichte, vieles von dem, was wir in »Tante Linas Kriegskochbuch« beschrieben haben, auch in der Nachkriegszeit gegessen. Das haben wir hier nicht wiederholt.

Gesagt sei auch noch, dass wir um der besseren Lesbarkeit willen auf Anmerkungen und eine Bibliographie verzichtet haben. Für dieses Buch wurden einige tausend Quellen verarbeitet. Diese alle anzuführen, würde den Rahmen von »Tante Linas Nachkriegsküche« bei weitem überschreiten.

Aber nun genug der Vorreden. Lassen Sie uns gemeinsam den Versuch unternehmen, uns einige Jahrzehnte zurück zu versetzen, uns zu erinnern.

1945

Ich General Dwight D. Eisenhower, Oberster Befehlshaber der Alliierten Streitkräfte, gebe hiermit Folgendes bekannt.
Die Alliierten Streitkräfte, die unter meinem Oberbefehl stehen, haben jetzt deutschen Boden betreten. Wir kommen als siegreiches Heer; jedoch nicht als Unterdrücker. In dem deutschen Gebiet, das von Streitkräften unter meinem Oberbefehl besetzt ist, werden wir den Nationalsozialismus und den deutschen Militarismus vernichten, die Herrschaft der Nationalsozialistischen Arbeiterpartei beseitigen, die NSDAP auflösen sowie die grausamen, harten und ungerechten Rechtssätze und Einrichtungen, die von der NSDAP geschaffen worden sind, aufheben. Den deutschen Militarismus, der so oft den Frieden der Welt gestört hat, werden wir endgültig beseitigen. Führer der Wehrmacht und der NSDAP, Mitglieder der geheimen Staats-Polizei und andere Personen, die verdächtig sind, Verbrechen und Grausamkeiten begangen zu haben, werden gerichtlich angeklagt und, falls für schuldig befunden, ihrer gerechten Bestrafung zugeführt.

Am 8. Mai 1945 war nach der Kapitulation der deutschen Wehrmacht und mit Einstellung aller Kampfhandlungen der Zweite Weltkrieg zu Ende, zumindest in Europa.

Unzählige Menschen waren zu Krüppeln geworden, waren heimatlos, lebten in Kriegsgefangenen- und Internierungslagern. Riesige Flüchtlingsströme zogen durch Europa und Asien. Und später einmal würden die Statistiker feststellen, dass der Zweite Weltkrieg mehr als 55 Millionen Menschen das Leben gekostet hatte, dass in den Konzentrationslagern der Nazis mehr als sechs Millionen jüdische und mindestens eine halbe Million nichtjüdische Häftlinge ermordet worden waren. Zahlen, die kaum begreifbar sind. Zahlen, hinter denen sich unsagbares menschliches Elend verbirgt, Schrecknisse, Leid... Daten, die mehr sind als die kalendarische Einordnung geschichtlicher Ereignisse.

Wie schon in »Tante Linas Kriegskochbuch« wollen wir da, wo es notwendig wird, an solche Daten erinnern, geschichtliche Fakten ins Gedächtnis zurückrufen, soweit sie die Umstände verdeutlichen, unter denen die Menschen nach diesem 8. Mai 1945, in der Zeit nach Ende des Zweiten Weltkrieges, in Deutschland leben mussten.

Noch über den 8. Mai 1945 hinaus blieb die von dem Selbstmörder Hitler eingesetzte deutsche Regierung unter dem Großadmiral Karl Dönitz im Amt. Bis zum 23. Mai 1945. Am 5. Juni 1945 unterzeichneten Eisenhower, Schukow, Montgomery und Lattre de Tassigny im Namen der Siegermächte eine Proklamation zur Übernahme der Regierungsgewalt in Deutschland.

Deutschland wurde, wie bereits auf der Konferenz von Jalta beschlossen, in vier Zonen, Berlin in vier Sektoren aufgeteilt. Ein alliierter Kontrollrat wurde als oberste Leitungsinstanz eingesetzt.

Auf der Konferenz von Potsdam, die vom 17. Juli bis 2. August 1945 dauerte, wurden die Einzelheiten der politischen Zukunft Deutschlands festgelegt. Der Brite Attlee, der US-Amerikaner Truman und Josef Stalin signierten ein Abkommen, das die Entmilitarisierung und Entnazifizierung Deutschlands vorsah und die von Deutschland zu leistenden Reparationszahlungen regelte. Darin hieß es:

»Es ist nicht die Absicht der Alliierten, das deutsche Volk zu vernichten oder zu versklaven. Die Alliierten wollen dem deutschen Volk die Möglichkeit geben, sich vorzubereiten, sein Leben auf einer demokratischen und friedlichen Grundlage von neuem wieder aufzubauen.«

Zu diesem Zweck erließ der Kontrollrat der Alliierten zahlreiche Gesetze und Verordnungen, die eine »Umerziehung« der Deutschen bewirken sollten: die »Aufhebung von Nazigesetzen«, »Grundsätze für die Umgestaltung der Rechtspflege«, ein »Kriegsverbrechergesetz« und vieles mehr. Auch um Letztgenanntes in die Tat

Militärregierung

Ausgangsbeschränkung

1. Die Stunden der Ausgangsbeschränkung sind laut untenstehender Bekanntmachung.

2. Während der Ausgangsbeschränkungsstunden:

a) ist es allen Personen verboten, außerhalb ihrer Häuser zu sein. Ausgenommen sind nur Personen, die im Besitz eines gültigen Erlaubnisscheines der Militärregierung sind.

b) sind Angehörige der Alliierten Streitkräfte ermächtigt, auf jedermann zu schießen, der sich außerhalb seines Hauses befindet und Versuche macht, sich zu verbergen oder der Vernehmung zu entziehen.

3. Wer dieser Bekanntmachung zuwiderhandelt, wird verhaftet und militärgerichtlich verfolgt.

Im Auftrage der Militärregierung.

Ausgangsbeschränkungsstunden

Periode	von	bis
1. Juli bis 14. Juli	22,15	04,45
15. Juli bis 28. Juli	21,00	03,45
29. Juli bis 11. August	20,45	04,15
12. August bis 25. August	20,30	04,30
26. August bis 7. September	20,00	05,00

umzusetzen, begann im November 1945 in Nürnberg vor einem internationalen Militärgerichtshof der Prozess gegen die ersten 24 deutschen Hauptkriegsverbrecher: ein Tribunal, das allen Deutschen ihre Schuld an den Geschehnissen der Vergangenheit vor Augen führen sollte.

Noch vor Kriegsende wurde in den von der deutschen Wehrmacht geräumten Gebieten von Lautsprecherwagen aus, die durch die Straßen der Städte fuhren, von den Alliierten eine Ausgangssperre über die deutsche Bevölkerung verhängt. Diese Maßnahme wurde nach dem 8. Mai auf ganz Deutschland ausgedehnt. Ein Sirenenton, der so genannte »Curfew-Alarm«, verkündete Anfang und Ende der Ausgangsbeschränkung. Wer sich während der Ausgangssperre erwischen ließ, wurde zu Geld- oder Gefängnisstrafen verurteilt.

Die Städte, in denen die Ausgangsbeschränkungen galten, waren zerbombt. Auf den Straßen lagen meterhoch die Trümmer. Die Gas-, Wasser- und Stromversorgung war an vielen Stellen zusammengebrochen. Die Kanalisationsnetze waren zerstört. Es gab keine Müllabfuhr, keine Post, kaum Telefonverbindungen. Das gesamte Verkehrs- und Transportsystem war lahm gelegt, Eisenbahnstrecken, Brücken, Schiffahrtswege und Straßen waren weitgehend nicht benutzbar. Und in den Wohnungen, in denen Leben noch möglich war, hausten vier- oder fünfmal soviel Menschen wie vor dem Krieg.

Nur langsam »normalisierte« sich das Leben in Deutschland wieder. Die ersten Zeitungen erschienen, lizensiert von den Militärbehörden. Die Menschen mussten ihre Mitteilungen nicht mehr auf Mauerreste schreiben, mussten nicht mehr Wandzeitungen benutzen.

Die Banken öffneten ihre Schalter wieder. Kinos nahmen ihren Betrieb auf. Gezeigt wurden ältere deutsche Unterhaltungsfilme, verlogen in ihrer Tendenz, voller Banalitäten, lediglich einer vordergründigen Zerstreuung dienend.

Ab 1. Juli 1945 war in der britischen Besatzungszone ein räumlich eingeschränkter Postverkehr wieder möglich. Vorerst Bedingung: »*nur Postkarten für den Zivilverkehr*«. Vom Gelsenkirchener Hauptbahnhof verkehrten erste Züge nach Essen, Duisburg und Hamm. Im November freilich wurde der Eisenbahnverkehr bereits wieder eingeschränkt. »*Kohlenmangel und der Vorrang des Transportwesens lebenswichtiger Güter haben diese Beschränkungen notwendig gemacht*«, hieß es. Gemeint war die Beförderung von Reparationskohle für Großbritannien zu den Nordseehäfen.

In Gelsenkirchen nahmen auch die Straßenbahnen den Verkehr wieder auf. Zunächst waren es nur zwei Linien. Die zerstörten Kanalbrücken und der dadurch notwendige Fährbetrieb schafften Probleme im innerstädtischen Verkehr zwischen Gelsenkirchen und Buer.

Wer ein Auto fahren wollte, bedurfte dazu einer Genehmigung und musste ein Fahrtenbuch führen. Ab 1. November 1945 war auf Grund der Treibstoffknappheit das Fahren von Pkw zwischen Samstagabend und Montagmorgen verboten.

Am 10. Juni 1945 verkündeten die Alliierten die Arbeitspflicht für alle Deutschen. Dies wurde 1946 durch einen weiteren Be-

Beschäftigungs-Nachweis für Arbeitnehmer
(gemäß Kontrollrat-Befehl Nr. 3 vom 17. Januar 1946)
Meldekarte A Nr. ....

Name: Schmuck Vorname: Max Leonhard
geb.: 23.3.11 Wohnort: Rüsselsheim
Waldstr. Nr. 43 Familienstand: verh.
Staatsangehörigkeit: R.D. Beruf: Friseurmstr.
Derzeitige Beschäftigung: Damen - Herrenfriseur
Berufskennziffer: M 15a Arbeitsbuchnummer: 66049
...., den ....
Ort

Aussteller:

Stempel des Arbeitsamts Unterschrift und Stempel

Eigenhändige Unterschrift des
Arbeitnehmers: Max Leonhard Schmuck
Vorname Zuname

fehl in Einzelheiten neu geregelt. Beschäftigungsnachweise mussten geführt werden. Nur wer »*ununterbrochen und ordnungsgemäß*« arbeitete, erhielt Lebensmittelkarten. Wer der Arbeit fern blieb, wurde bestraft. So verurteilte das Einfache Militärgericht in Gelsenkirchen 1945 einen »*Müßiggänger*« wegen »*unentschuldigten Arbeitsversäumnisses*« zu 28 Tagen Gefängnis.

Am 11. August 1945 verkündete der britische Feldmarschall Montgomery in einem Aufruf an die Bevölkerung der Besatzungszone:

»*Deutschlands Wiederaufbau in seiner ersten Phase ist im Gange. Ich werde jetzt zur zweiten Phase der alliierten Politik übergehen. In dieser Phase werde ich euch die Freiheiten geben, die ihr braucht, um zu Eurer eigenen Lebensart zurückzugelangen... Nach und nach werde ich die zur Zeit gültigen Beschränkungen der Pressefreiheit mildern. Die Alliierten beabsichtigen, die Bildung freier Gewerkschaften in Deutschland zu fördern. Ferner ... die Bildung demokratischer politischer Parteien..., die die Grundlage einer geordneten und friedlichen deutschen Gesellschaft bilden. Wir werden in Deutschland die lokale Selbstverwaltung auf demokratischer Grundlage wieder aufbauen... Ihr könnt öffentliche Versammlungen und öffentliche Debatten abhalten... Ich habe die Bestimmungen des Fraternisierungsverbotes gemildert. Britische Soldaten dürfen jetzt mit den Deutschen auf der Straße und in der Öffentlichkeit sprechen; dadurch werden wir mit ihnen Kontakt halten können und ihre Probleme leichter verstehen.*«

Was ist sonst noch in einer Stadt wie Gelsenkirchen Bemerkenswertes geschehen in diesen ersten Monaten nach dem Kriegsende? Die Bevölkerung wurde zur Rückgabe von Grubenlampen aufgefordert, welche die Zechen »*anlässlich der Strom- und Lichtunterbrechungen in Folge von Kriegseinwirkungen*« den Bürgern leihweise zur Verfügung gestellt hatten.

Ich muss zu Tante Linas Schande gestehen, dass sie dieser Aufforderung nicht nachkam, zumal Gas und Elektrizität mit dem Gesetz Nr. 7 des alliierten Kontrollrates vom 30. November 1945 rationiert wurden.

Im August 1945 wurde eine Holzsammelaktion angeordnet. Da Kohle für den kommenden Winter nicht »*in ausreichendem Maße gefördert werden*« konnte, sollte Holz aus »*Trümmern und Anlagen*« der Bevölkerung ohne Bezahlung als Hausbrand zur Verfügung gestellt werden. An die Gelsenkirchener Haushaltungen wurden zur Hausbrandversorgung außerdem je zwei Zentner Abfallkohle abgegeben, das ist Schlammkohle, so genannte »Feinkohle« oder Koksgrus.

Für den Bedarf der Kriegsgefangenen und der zwangsverschleppten Fremdarbeiter, die 1945 im Ruhrgebiet noch als DPs (Displaced Persons) in Ausländerlagern lebten, wurden im Mai

An die Bevölkerung der Stadt Münster

Die Militärregierung hat die Genehmigung zur Neugründung der Sozialdemokratischen Partei Deutschlands erteilt. Die Partei erhält damit die Erlaubnis zur verantwortungsvollen, für die Rettung unseres Landes notwendigen politischen Arbeit.

Nach 12jährigem brutalen Terror, der vor allem auch gegen die Anhänger unserer Organisationen wütete, können wir die ersten Schritte tun zur Wiedererrichtung einer freien, sozialistischen Arbeiterbewegung, die durch die Arbeit ihrer politischen, gewerkschaftlichen und kulturellen Organisationen einmal zum bestimmenden Faktor des öffentlichen Lebens wird in einem freien, demokratischen und – wie wir glauben – sozialistischen Deutschland.

Bürger der Provinzialhauptstadt!

In dieser geschichtlichen Stunde appellieren wir an Eure politische Vernunft und an Eure Entschlossenheit. Das nationalsozialistische Regime ist zusammengebrochen. Verantwortungsloser, zynischer und verabscheuungswürdiger ist noch niemals ein Volk in den Abgrund geführt worden. Die Führer und Helden von gestern sind als gemeine Verbrecher entlarvt. Wer wagt es, im Anblick unserer zerstörten Stadt auch nur ein Wort des Verständnisses und der Verteidigung für diese Verbrecher zu sagen? Wer wollte bestreiten, daß auch und gerade für unsere, in Jahrhunderten gewachsene, einstmals schöne Stadt der Nationalsozialismus der sinnloseste und grauenvollste Umweg war?

Und dennoch dürfen wir in diesen Wochen tiefster Depression den Mut nicht verlieren und nicht die Besinnung, in der Überzeugung, daß es uns gelingt, den Weg zu räumen, der aus dem Elend und aus der Wirrnis führt.

Wir rufen Euch zur verantwortungsvollen Arbeit. Nur wer gewillt ist, ernstlich mitzuarbeiten, hat ein Recht, bei der Neugestaltung unseres politischen, sozialen und wirtschaftlichen Lebens mitzusprechen.

Dieser Kampf für eine schönere und bessere Zukunft, der mit den Waffen der Demokratie ausgefochten wird, duldet keinen Aufschub. Darum rufen wir alle Schaffenden, alle, die sich verantwortlich fühlen für die Zukunft unserer Stadt, unserer Provinz, unseres Landes, zur aktiven Mitarbeit.

Arbeiter, Angestellte, Beamte und Gewerbetreibende!

Reiht Euch ein in unsere Front!
Wir rufen die Jugend!
Wir rufen die geistigen Arbeiter!
Wir rufen alle, die guten Willens sind!

Helft uns bei dieser schwersten Arbeit, die jemals Menschen übernommen haben. Arbeitet mit an der Schaffung einer besseren Zukunft für uns und unsere Kinder. Arbeitet mit an der Errichtung einer freien, demokratischen und sozialen Republik.

Sozialdemokratische Partei Deutschlands

Hemsath Geringhoff Kops Dr. Lettmann

und im Oktober Kleidersammlungen durchgeführt. Die Gelsenkirchener Bevölkerung musste neben einigen tausend vollständigen Männer-, Frauen- und Kinderkleidern 18.152 Decken, 3.135 Bett-Tücher, 1.183 Kopfkissen, 2.351 Kopfkissenbezüge und 7.068 Handtücher aufbringen.

Zum Gedenken der Toten beider Weltkriege wurden am Sonntag, dem 11. November 1945, »*zwei Minuten des Schweigens festgesetzt*«. Der Verkehr musste ruhen. »*Personen, die sich auf der Straße aufhalten, müssen stehenbleiben. Männer haben ihre Kopfbedeckung abzunehmen.*«

Für ganz Deutschland wurde eine einheitliche Uhrzeit eingeführt, die so genannte »A-Zeit«, eine Stunde vor Greenwich-Normalzeit. 1946 würde eine Sommerzeit, später gar eine »doppelte« Sommerzeit gelten. Der Buß- und Bettag 1945 war auf Anordnung der Militärs kein Feiertag.

Ab 1. Dezember 1945 galt ein Trageverbot für deutsche Uniformen und militärische Kopfbedeckungen. »*Es sei denn, dass sie durch Umfärben nicht mehr Ähnlichkeit mit einer früheren deutschen Uniform*« haben. Am 18. Dezember fand eine Parade des 6. Bataillons der britischen Camerionians durch Gelsenkirchen statt: »*Beim Vorbeitragen der Fahne hat das männliche Zivilpublikum den Hut abzunehmen.*«

Nachdem der Krieg vorbei war, hofften viele Menschen im Ruhrgebiet, nun würde sich vor allem auch die Lebensmittellage verbessern. Sie sollten sich täuschen. Die Not in Deutschland würde die Bevölkerung noch mehr in Mitleidenschaft ziehen als in der Kriegszeit. Der Mangel an Lebensmitteln wurde größer, weil es nicht mehr möglich war, die »Hilfsquellen« der von Deutschen besetzten Gebiete zur Ernährung heran zu ziehen. Die Sowjetunion, die Niederlande, Jugoslawien und andere Länder waren ausgeplündert worden, die dort »gewonnenen« Lebensmittel waren ins Gebiet des Deutschen Reiches transportiert worden. Nur weil Millionen Menschen in der Sowjetunion, in Belgien, in Frankreich hungerten und viele an Unterernährung starben, hatte das deutsche Volk während des Zweiten Weltkrieges – sieht man einmal von den letzten Kriegsjahren ab – ausreichend zu essen, wenn auch bisweilen Versorgungsengpässe auftraten.

In der 75. Lebensmittelzuteilungsperiode, die vom 30. April bis zum 27. Mai 1945 dauerte, gab es für den »Normalverbraucher« 475 Gramm Fleisch und Fett, 6.800 Gramm Brot und zehn Kilogramm Kartoffeln.

Von da an wurde die Versorgung mit Nahrungsmitteln immer schlechter. Es gab kaum Schlachtvieh, es gab zu wenig Kartoffeln. Diese Situation war vorauszusehen. Bereits im Juni 1945 hieß es in einer »Anweisung zur deutschen Ernährungslage« der britischen Besatzungsbehörde:

»Folgende Tatsachen sind von größter Bedeutung für die Bevölkerung der britischen Besatzungszone:
1. *Die Nahrungsmittelreserve ist sehr gering.*
2. *Alles anbaufähige Land, und wenn es auch nur ein Schrebergarten ist, muss bestellt werden.*
3. *Vor allem sind diejenigen Gemüsearten anzubauen, die für den Winter aufbewahrt werden können, wie z. B. Kartoffeln, Steckrüben und Bohnen.*
4. *Wenn diese Arbeit nicht mit größter Energie angepackt wird, droht eine Hungersnot...«*

Auf der Konferenz von Potsdam hatten die Alliierten für die Lebensmittelbewirtschaftung in Deutschland folgende Richtlinie beschlossen:

»Der ... Lebensstandard in Deutschland darf nicht höher sein als der Durchschnitt aller europäischen Länder ausschließlich Großbritannien und der Sowjetunion, aber einschließlich der süd- und osteuropäischen Länder.«

Die Deutschen sollten für ihre »*und die aller Umgesiedelten Ernährung*« selbst verantwortlich sein.

»Das Militär muss das Verfahren des deutschen Versorgungssystems überwachen und sich einmischen..., wenn es aus Schutzgründen notwendig ist... Die Ausländer müssen die doppelte Menge an Nahrungsmitteln erhalten, die die deutsche Zivilbevöl-

Behebung der Wohnungsnot

I. Durchführungsverordnung zu Ziffer 10 der Verordnung zur Behebung der Wohnungsnot in der Stadt Gelsenkirchen vom 15. 6. 45

Zur Durchführung der Verordnung vom 15. 6. 1945 betr. Behebung der Wohnungsnot in der Stadt Gelsenkirchen fordere ich alle, die im Bezirk der Stadt Gelsenkirchen ein Gebäude besitzen oder innehaben, das bisher Wohnzwecken diente und nicht totalgeschädigt ist, hiermit auf, bis zum 5. Juli 1945, für jedes Gebäude getrennt,

a) die Namen der Mieter,

b) den Beruf,

c) die Art des Mietverhältnisses,

d) den Zustand der Wohnung,

e) die Zahl der bewohnten Räume,

f) die Anzahl der Familienmitglieder über und unter 12 Jahren,

g) die Anzahl der anwesenden Personen über und unter 12 Jahren

anzugeben sowie mitzuteilen, ob der Mieter Inhaber oder Besitzer einer Doppelwohnung oder eines Behelfsheimes ist.

Gelsenkirchen, den 27. Juni 1945.

Der k. Oberbürgermeister: Zimmermann.

aus: Mitteilungsblatt der Stadt Gelsenkirchen, Nr. 3, v. 6. Juli 1945

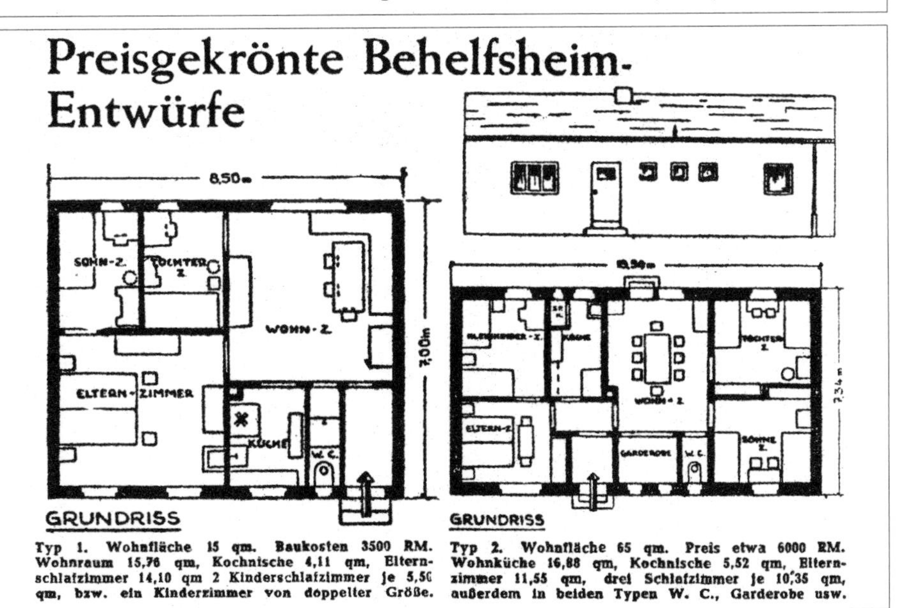

Preisgekrönte Behelfsheim-Entwürfe

Typ 1. Wohnfläche 15 qm. Baukosten 3500 RM. Wohnraum 15,76 qm, Kochnische 4,11 qm, Elternschlafzimmer 14,10 qm 2 Kinderschlafzimmer je 5,50 qm, bzw. ein Kinderzimmer von doppelter Größe.

Typ 2. Wohnfläche 65 qm. Preis etwa 6000 RM. Wohnküche 16,88 qm, Kochnische 5,52 qm, Elternzimmer 11,55 qm, drei Schlafzimmer je 10,35 qm, außerdem in beiden Typen W. C., Garderobe usw.

kerung erhält, aber niemals weniger als 2.000 Kalorien pro Person und pro Tag...«

Das System der deutschen Ernährungsverwaltung und Lebensmittelbewirtschaftung, das sich in der »*Zeit des Krieges bewährt*« hatte, wurde von den Alliierten im Großen und Ganzen übernommen.

In den Tageszeitungen und den amtlichen Bekanntmachungen erschienen jede Woche Tabellen mit den »aufgerufenen« Lebensmittelkartenabschnitten. Und es ist eine Wissenschaft, diese zu entschlüsseln. Es wurden neue Lebensmittelkarten gedruckt, oder die Hakenkreuz-Embleme auf den alten Marken wurden überdruckt. Insofern blieb also alles beim Alten, nur die Rationen wurden immer kleiner.

Im Winter 1945 sanken die Zuteilungen auf täglich 1.000 Kalorien: klitschiges Brot, angefrorene Kartoffeln, gepanschte Milch... Und es gab zahlreiche Ratschläge, wie man mit der Mangelsituation würde fertig werden können, Ratschläge, die aus Kriegszeiten schon »sattsam« bekannt waren: Kartoffeln sollten »*sachgemäß*« eingekellert und vor dem Verderb geschützt werden. Man sollte Gemüse »*restlos verwerten*« und die Küchenabfälle als Viehfutter zur Verfügung stellen. Man sollte Eicheln sammeln und Preiselbeeren, Sojabohnen anbauen, die Kochkiste zur Nahrungszubereitung benutzen.

Wie man mit den »rationierten« Rationen zurecht kam, verrieten Wochenspeisepläne, die in den Tageszeitungen abgedruckt wurden. Und man machte allerlei Versprechungen. Gegen Kohlenlieferungen sollten Fische ins Ruhrgebiet kommen. Westfalens Oberpräsident versprach im Oktober 1945 gleichbleibende Rationen für den bevorstehenden Winter: »*Keiner soll im Winter hungern!*« Er konnte sein Versprechen nicht halten. Im Oktober 1945 erkannte auch der britische Feldmarschall Montgomery, dass es so nicht weitergehen kann:

»Mein vorläufiges Ziel ist eine Zuteilung an die deutsche Bevölkerung von 1.500 Kalorien pro Tag, aber selbst diese Menge kann wegen Verteilungsschwierigkeiten nicht überall ausge-

geben werden. Die Lage wird noch dadurch verschlimmert, dass die diesjährige Ernte ungewöhnlich schlecht ist. Es gibt nur eine Lösung: Lebensmittel nach Deutschland einzuführen.«

112.500 Tonnen Weizen sollten nach Deutschland geliefert werden. Und die sollten vor allem Bergleuten zugute kommen, die eh' schon höhere Rationen erhielten:

»Es ist eine Selbstverständlichkeit, dass den Lebensmittelzulagen des schwer arbeitenden Bergmannes vor allem der Vorrang gebührt.«

Besser ging es auch der Landbevölkerung, den Bauern, zu denen die Städter in Scharen anreisten, um im Tauschhandel gegen Schmuck oder Teppiche ein paar Eier oder Speck zu ergattern. Aus dem, was man eingetauscht, gehamstert hatte, was man für viel Geld auf dem Schwarzen Markt gekauft hatte, wofür man stundenlang angestanden hatte, daraus wurde dann etwas gekocht. Und es gab Kochbücher, die Rezepte für diese Notzeiten propagierten. Das waren übrigens die ersten Bücher der Nachkriegszeit.

Lebensmittel-Zuteilung

für die Woche vom 26. November bis 2. Dezember
(3. Woche der 82. Zuteilungsperiode).

Das Landesernährungsamt Unna ruft außer den mit Mengenwert und Warenart versehenen Abschnitten noch folgende mit Nummern versehenen Abschnitte der 3. Woche auf:

Gruppen	Brot je 500 g	Fleisch 50 g	Margarine 62,5 g	Nährmittel 125 g	Vollmilch	
E	3 E	9 E	12 E	15 E	—	—
Jgd	3+4 Jgd	9 Jgd	12 Jgd	15 Jgd	—	—
Klk	—	9 Klk	12 K k	15 Klk	1/2 Liter täglich	—
Klstk	—	—	12 Klstk	15 Klstk		—

1945
Heft 1
Wiederaufbau
der deutschen Ernährung
Gute Soßen
und
Brotaufstriche
mit wenig Fett
Herausgegeben
vom
Institut für Ernährung und Verpflegungs-
Wissenschaft
Berlin-Dahlem

Soßen
Tunken
Beigüsse

Das erste Kochbuch, das nach dem Kriegsende in Deutschland erscheinen durfte, war ein dünnes Heftchen. Es wurde vom Institut für Ernährung und Verpflegungswissenschaft in Berlin-Dahlem als Heft 1 einer Reihe zum »Wiederaufbau der deutschen Ernährung« herausgegeben, lizensiert von den alliierten Militärbehörden, und trug den Titel »Gute Soßen und Brotaufstriche mit wenig Fett«.

Was auffiel, war neben dem Ereignis, dass da überhaupt etwas in einem deutschen Verlag erscheinen durfte, die Schrift. Die kleine Broschüre war nicht mehr in einer so genannten »deutschen« Schrift gesetzt und gedruckt, sondern in einer Antiqua-Schrift. Da war also offensichtlich ein Wandel vollzogen worden. Und beim Essen? Was sollte sich da wandeln?

Es wurde auch nach Kriegsende gehungert. Und es waren jetzt vor allem jene, die Not und Elend verursacht hatten, die hungern mussten.

Kann ein Kochbuch die Not lindern? Wohl kaum. Aber es sollte wohl doch geholfen werden, die Not ertragbar zu machen. In dem Vorwort des kleinen Kochbuches schrieb der Institutsdirektor:

»Jetzt, in Zeiten einer besonderen Ernährungsnot, hat die Soße eine noch viel größere Bedeutung als bisher. Sie muss über manchen Mangel bei Tisch hinweg helfen... Die zahlreichen Rezepte dieses Büchleins zeigen..., wie sich selbst mit den beschränktesten Mitteln wirklich schmackhafte Soßen in mannigfaltiger Abwechslung bereiten lassen... Kartoffeln und Brot sind gegenwärtig die Grundlagen unserer Ernährung.«

Kartoffeln und Brot. Brotaufstriche und Soßen. Die Soße sollte helfen, die Eintönigkeit deutscher Speisezettel zu durchbrechen, sollte mit geringen Mitteln unterschiedliche Geschmacksbedürfnisse befriedigen. Statt Fleisch eine Fleischsoße oder eine Soße, die zumindest nach Fleisch schmeckte.

In Übergangszeiten oder im Winter, in Zeiten, da es nicht ausreichend Gemüse zu kaufen geben würde, sollte die Gemüsesoße »*in Aktion treten*« und »*Ersatz schaffen mit konzentriertem Geschmack*«.

Wir haben einige Soßenrezepte zusammengetragen, um einen Eindruck dieser Geschmackvarianten zu vermitteln.

Sauerampfersoße

Zutaten: eine Zwiebel, zwei Tassen Sauerampferblätter, ein Esslöffel Öl, ¼ l Gemüsebrühe, ein Esslöffel Mehl, Salz.

Die Zwiebel wird klein, die Sauerampferblätter werden streifig geschnitten.

Fett erhitzen. Zwiebel darin leicht anlaufen lassen, Sauerampfer dazu geben, mit Brühe auffüllen und zugedeckt etwa 20 Minuten kochen lassen.

Das Mehl ohne Fett bräunen. Zwiebeln und Sauerampfer durch ein Sieb passieren. Zu dem gebräunten Mehl geben. Brühe wieder daran gießen. Mit Salz abschmecken. Noch einmal zehn Minuten kochen lassen.

Löwenzahnsoße

Zutaten: ein Esslöffel Mehl, etwas Fett, eine Tasse Milch, eine Handvoll Löwenzahnblätter, Salz.

Mehl in etwas Fett anrösten. Mit Milch sämig kochen. Junge Löwenzahnblätter waschen und sehr fein hacken. Zugeben. Salzen. Ziehen lassen.

Soßen aus Spitzwegerich oder Vogelmiere werden nach dem gleichen Verfahren hergestellt.

Grüne Soße

Zutaten: 20 g gemahlene Gerstengrütze, ½ l Gemüsebrühe, eine kleine Salzgurke, zwei Tassen Spinatblätter, ein Esslöffel gehackte Petersilie, Salz, 5 g Hefe.

Die Gerstengrütze wird in der Brühe weich gekocht. Wer will, kann sie in Wasser vorquellen lassen. Die klein gehackte Gurke, den fein geschnittenen Spinat und die Petersilie unterrühren. Salzen. Kurz aufkochen, dann fünf Minuten quellen lassen. Die Hefe in ein wenig Brühe auflösen. Zugeben. Umrühren.

Lauchsoße

Zutaten: zwei kleine Stangen Porree, ¼ l Wasser, ein Esslöffel Öl, ein Esslöffel Mehl, Salz, ein Teelöffel Senf, ein Esslöffel Essig.

Den Lauch putzen, waschen und in dünne Ringe schneiden. In heißem Öl anbräunen. Mehl darüber stäuben und auch etwas bräunen. Mit Wasser ablöschen. Zehn Minuten kochen lassen. Abschmecken mit Salz, Senf und Essig. Ziehen lassen.

Selleriesoße

Zutaten: eine kleine Sellerieknolle, eine Kartoffel, ein Teelöffel Öl oder Fett, eine halbe Knoblauchzehe, ein Lorbeerblatt, ½ l Gemüsebrühe, Selleriegrün, Kümmel, Salz, ein Teelöffel Mehl.

Sellerieknolle und Kartoffel schälen, waschen, klein schneiden und in heißem Fett oder Öl anbräunen. Knoblauch und Lorbeerblatt dazu geben. Mit Gemüsebrühe ablöschen. Alles weich kochen lassen. Durch ein Sieb streichen, mit einigen fein gewiegten, zarten Sellerieblättern, Kümmel und Salz würzen.

Zum Andicken das Mehl mit wenig Wasser verrühren. An die Soße gießen. Etwa 20 Minuten leicht köcheln lassen.

Hagebuttensoße

Zutaten: eine Tasse getrocknete Hagebutten, ½ l Wasser, eine Nelke, eine Prise Zimt, Salz, einige Tropfen Zitronenaroma, ein Esslöffel Mehl.

Die Hagebutten unter einem Tuch mit einem Hammer oder Stößel zerklopfen.

Mit der Gewürznelke zusammen im Wasser 20 Minuten kochen lassen.

Mehl leicht anbräunen. Die Brühe durch ein Sieb streichen und mit der Einbrenne verrühren. Mit Salz, Zimt und Zitronenaroma abschmecken.

Zehn Minuten ziehen lassen.

Wer sich nicht an das Rezept aus den »schlimmen« Jahren halten will, sollte statt des Wassers Weißwein, statt des Aromastoffes Zitronensaft nehmen. Diese Soße schmeckt dann zum Beispiel zu Kaninchenbraten.

Steckrübensoße

Zutaten: zwei Tassen klein gewürfelte Steckrüben, ein Teelöffel Zucker, zwei Esslöffel Essig, Salz, ein Teelöffel Senf, ein Teelöffel gehackter Dill, etwas Wasser, etwas Mehl, etwas Fett.

Die Steckrüben werden in Wasser weich gekocht und durch ein Sieb passiert.

In heißem Fett bräunt man den Zucker und löscht dies mit Essig ab. Den Rübenbrei beimischen. Würzen.

Wer will, kann die Soße mit etwas kalt angerührtem Mehl abbinden.

Rote-Bete-Soße

Zutaten: drei rote Rüben, etwas Petersilienwurzel und ein Stück Sellerieknolle, ein Esslöffel Essig, ein Teelöffel Öl, ½ l Buttermilch, Salz, etwas Kümmel.

Rote Bete schälen und fein reiben. Den Saft ablaufen lassen und beiseite stellen. Die Rüben mit dem geraspelten Wurzelwerk in Essig und Öl gar dünsten. Buttermilch und den roten Rübensaft hinzu geben. Mit Salz und Kümmel abschmecken.

Wenn die Soße etwas dicker sein soll, muss man eine kleine Kartoffel hineinreiben.

Kürbissoße

Zutaten: 500 g Kürbisfleisch, zwei Tassen Brühe, ein Esslöffel Mehl, ein Teelöffel Senf, Salz, ein Esslöffel Schnittlauch, ein Teelöffel Öl.

Das Kürbisfleisch wird gewürfelt und im eigenen Saft weich gedünstet. Durch ein Sieb passieren. Brühe zugießen. Mehl darüber stäuben. Aufkochen lassen. Mit Senf, Salz und gehacktem Schnittlauch abschmecken. Zuletzt das Öl darunter mischen.

»*Soßen sind der Gipfel der Kochkunst*«, sagt man. Und: »*Ob einer kochen kann, verraten die Soßen.*«

Das ist sicher richtig und mag auch für die hier aufgeführten Soßen gelten. Obwohl – für die Soßen der Nachkriegszeit war es nicht wichtig, die letzten Feinheiten einer Béchamel oder eine Sauce Espagnole zu kennen.

In ihrem Kochbuch »Mit Verstand und Liebe« formuliert Anne Marie Bartel eine Grundregel so:

»Klares, ausgesprochenes Aroma, das auch einem schlichten Grützebratling oder Quetschkartoffeln geschmackliches Anse-

Persönliche Botschaft des Britischen Oberbefehlshabers

(an die Bevölkerung des britischen Besatzungsgebietes in Deutschland)

1. **Ich bin von der britischen Regierung mit der Befehlsgewalt und Kontrolle des britischen Besatzungsgebietes in Deutschland betraut worden.**
   In diesem Gebiet waltet zunächst eine Militärregierung unter meinem Befehl.
2. **Mein unmittelbares Ziel ist es, für Alle ein einfaches und geregeltes Leben zu schaffen.**

   In erster Hinsicht ist dafür zu sorgen, daß die Bevölkerung folgendes hat:

   a) Nahrung,
   b) Obdach,
   c) Freisein von Krankheit.

   Die Ernte muß eingebracht werden.
   Das Verkehrswesen muß neu aufgebaut werden.
   Das Postwesen muß in Gang gebracht werden.
   Gewisse Industrien müssen wieder die Arbeit aufnehmen.
   Dieses wird für Jedermann viel schwere Arbeit bedeuten.
3. **Diejenigen, die nach internationalem Recht Kriegsverbrechen begangen haben, werden gesetzmäßig abgeurteilt und bestraft werden.**
   Das deutsche Volk wird unter meinen Befehlen arbeiten, um das, was zum Leben der Volksgemeinschaft notwendig ist, zu schaffen und um das wirtschaftliche Leben des Landes wieder aufzubauen.
4. **In dem britischen Besatzungsgebiete sind viele deutsche Soldaten, Flieger und Matrosen. Sie werden zur Zeit in besonderen Gebieten versammelt.**
   Die deutsche Wehrmacht sowie alle anderen bewaffneten Verbände werden entwaffnet und aufgelöst.
   Alle deutschen Soldaten, Flieger und Matrosen, werden nach ihren Handwerken und Berufen gemustert. In wenigen Tagen wird damit angefangen werden, sie von der Wehrmacht zu verabschieden, damit sie mit der Arbeit beginnen können. Vorrecht in der Dringlichkeit hat die Ernte; darum werden Landarbeiter zuerst entlassen. Die Entlassung von Männern in anderen Handwerken und Berufen erfolgt, sobald es praktisch möglich ist.
5. **Ich werde dafür sorgen, daß alle deutschen Soldaten und Zivilisten mittels Rundfunk und Presse über den Fortgang der Arbeit auf dem Laufenden gehalten werden. Der Bevölkerung wird aufgetragen, was zu tun ist.**
   Ich erwarte, daß sie es bereitwillig und wirksam tut.

Deutschland, 30. Mai 1945.

Gez. **B. L. Montgomery**
Feldmarschall
Oberbefehlshaber des britischen Besatzungsgebietes.

[illegible] zum Anschlag durch die Abtlg. 328 der Mil.-Reg.

hen verleiht. Samtige Glätte, die der Zunge schmeichelt und die durch sorgfältiges Anrösten der Mehlschwitze, behutsames Kochen, richtiges Ausquellen und gewissenhaftes Passieren der Soße erzielt wird.«

Diesen hehren Worten ist nichts hinzuzufügen. Außer vielleicht, dass Soßen nicht nur zu Pellkartoffeln, Bratlingen oder Aufläufen gereicht wurden, sondern auch zu anderen Gerichten, wenn man derer habhaft wurde.

So passt die Sauerampfersoße zu Fisch, die grüne Soße zu gekochtem Fleisch (aber wer hatte das schon), die Löwenzahnsoße zu Geflügel. Die Steckrübensoße kann bei grünem Salat als Ersatz dienen, wenn man kein Essig und Öl hat. Auch die Rote-Bete-Soße kann zu Salat gereicht werden.

Remouladensauce besteht aus Mayonnersauce, Sardellenbutter, Senf, gehackten Essiggurken und Gewürzen. Mayonnersauce oder Mayonnaise wird aus Eigelb, Öl, Zitronensaft, Essig und Gewürzen gerührt.

Solche Zutaten standen natürlich nicht zur Verfügung, besonders Öl, respektive Fett irgendwelcher Art gab es nur selten oder gar nicht. Man musste sich also helfen, Ersatz schaffen, wollte man auf diese beiden Soßen nicht verzichten. Und in den »Ersatzlösungen« brachte man es in dieser Zeit zu wahrer Meisterschaft.

Falsche Remouladensoße

Zutaten: 30 g Mehl, ¼ l Brühe, eine Zwiebel, eine Essiggurke, Salz, ein Teelöffel Senf, ein Esslöffel gehackte Petersilie, ein Teelöffel Essig, ein Esslöffel Kapernersatz, etwas Estragon, Kerbel und Bertram.

In einer Pfanne wird Mehl oder Fett goldgelb geröstet. Mit der Brühe ablöschen. Aufkochen und erkalten lassen. Das dauert etwa 20 Minuten, dabei des öfteren umrühren, damit sich keine Haut bildet. Den erkalteten Mehlbrei mit einem Schneebesen gut durchschlagen. Gewürfelte Zwiebel und Gurke dazu geben. Nach und nach die Gewürze einrühren. Als Kapernersatz können z.B. noch grüne Holunderbeeren dienen, die einige Wochen in Essig eingelegt waren. Zum Schluss mit fein gehackten Blättern des so genannten »Deutschen Bertram«, Estragon und Kerbel abschmecken.

Sparmayonnaise

Zutaten: eine Tasse Magermilch, zwei Esslöffel Mehl, ein Esslöffel Essig, etwas Salz, ein Teelöffel Senf.

Milch zum Kochen bringen. Mehl mit etwas Flüssigkeit anrühren und unter ständigem Rühren dazu geben. Wenn die Masse anzudicken beginnt, lässt man sie etwas abkühlen und fügt Essig, Salz und Senf zu. Statt Magermilch kann man auch Gemüse- oder, noch besser, Kräuterbrühe nehmen. Durch Zugabe von geriebenen rohen Äpfeln oder Sellerie kann man die Mayonnaise strecken. Für die oben genannte Menge reichen zwei große Äpfel oder eine halbe Sellerieknolle.

Von den Kalorien

NZ. **Berlin,** 5. Oktober

Die Wissenschaft von den Kalorien ist verhältnismäßig jüngeren Datums. Sie läßt infolgedessen nur ziemlich grobe Vergleiche zu. Unsere Nahrungsmittel enthalten im wesentlichen die drei Grundstoffe Fett, Eiweiß und Kohlehydrate. 100 g Roggenmehl enthalten z. B. 1,4 g Fett, 7,7 g Eiweiß, 74,5 g Kohlehydrate, und damit werden rd. 350 Kalorien erzeugt. 100 g Hülsenfrüchte enthalten 1,9 g Fett, 24,7 g Eiweiß und 52,2 g Kohlehydrate. Damit werden 330 Kalorien erzeugt. 100 g Kartoffeln enthalten 0,2 g Fett, 1,6 g Eiweiß, 16,4 g Kohlehydrate, die rund 75 Kalorien ergeben. Obst enthält im wesentlichen nur Kohlehydrate, so daß 100 g Obst mit 0,5 g Eiweiß und 12,2 g Kohlehydrate 52 Kalorien erzeugen. 100 g Gemüse enthalten 0,2 g Fett, 1,7 g Eiweiß und 5,1 g Kohlehydrate, die 30 Kalorien ergeben. Zucker besteht zu 99,8 Prozent aus Kohlehydraten und 100 g Zucker erzeugen 409 Kalorien. 100 g Rindfleisch enthalten 7,5 g Fett, 17,6 g Eiweiß und 0,3 g Kohle hydrate, daraus werden 143 Kalorien entwickelt. 100 g Schweinefleisch enthalten 18,5 g Fett, 11,8 g Eiweiß, 0,2 g Kohlehydrate gleich 220 Kalorien. 100 g Käse enthalten 8,7 g Fett, 35 g Eiweiß, 3,2 g Kohlehydrate, die insgesamt 238 Kalorien erzeugen.

Das Nährstoffverhältnis, d. h. das Verhältnis von Eiweiß auf der einen und Fett und Kohlehydrate auf der anderen Seite, muß etwa 1 : 7 betragen, sonst ist ein einwandfreies Arbeiten des menschlichen Organismus auf die Dauer nicht gewährleistet. Vor allem ist aber das Eiweiß als Baustoff nicht zu entbehren. Der Mensch muß täglich eine bestimmte Menge Eiweiß zu sich nehmen, wenn er nicht allmählich zugrunde gehen soll. Fett und Kohlehydrate können sich demgegenüber zeitweise bis zu einem gewissen Grade vertreten. Der Eskimo nimmt z. B. monatelang in seiner Nahrung nur Eiweiß und Fett, dagegen kaum bzw. keine Kohlehydrate zu sich. Der Mensch kann also längere Zeit ohne Kohlehydrate auskommen; nähme er jedoch nur Kohlehydrate wie Zucker zu sich, müßte er sterben. Die richtige Zusammensetzung der Kost, die eine kluge Hausfrau immer wieder anstrebt, ist also mit von entscheidender Bedeutung.

Tante Lina, ein Stück Schweizer Käse und der Schmied von Buer

Es war Anfang Dezember. Fabrizius hatte Geburtstag. Und für Tante Lina stand schon lange Zeit vorher fest, was sie ihm schenken, womit sie ihm eine Freude würde machen können.

Fabrizius war, was bei einem feinsinnigen Menschen nichts Ungewöhnliches ist, ein »Leckermaul«, war lukullischen Genüssen jeder Art sehr zugetan, aß Süßes gern und war vor allem verrückt nach Käse, konnte sich nie satt daran essen. Aber es durfte kein gewöhniicher Käse sein, es musste eine bestimmte Art von Schweizer Käse sein, Greyerzer, Gruyère, um es genau zu sagen, Sie wissen schon, der mit den etwas kleineren Löchern, mehr Käse als Loch. Dieser Käse also.

Aber woher 1945 Schweizer Käse bekommen, noch dazu Greyerzer, wo nicht einmal an Emmentaler zu denken war?

Tante Lina wusste, dass ihr letztendlich nichts anderes übrig bleiben würde, als zu versuchen, diesen Kauf in den Niederungen des Schwarzen Marktes in Gelsenkirchen zu tätigen. Und sie hatte seit langem für diesen Tag gespart.

Die Schwarzhändler in Gelsenkirchen hatten sich Ende 1945 noch nicht endgültig auf einen festen Stammplatz geeinigt. Später sollte der Bulmker Park trotz permanenter Razzien durch die Polizei ein Schwarzmarkt-Zentrum für das gesamte Ruhrgebiet werden. In Gelsenkirchen standen die Schwarzhändler im und um den Hauptbahnhof herum, in Buer wechselten sie ihre Standorte häufig, je nachdem, was sie aus dem Polizeipräsidium über bevorstehende Einsätze in Erfahrung gebracht hatten. Mal standen sie in der Nähe des Schauburg-Theaters, mal auf der Hochstraße in einem dunklen Hausdurchgang neben der »Alten Apotheke«.

Als Tante Lina nun ihren Gang antreten musste, da ihr kein Zufall und keine plötzliche Eingebung geholfen hatte, als sich dieser Weg auch nicht mehr aufschieben ließ, regnete es, und von irgendwelchen Schwarzhändlern war weder auf der Hochstraße noch bei der Schauburg etwas zu sehen. Aber Tante Lina hatte sich vorher umgehört und lenkte ihre Schritte geradewegs in eine an der Hochstraße gelegene Gastwirtschaft, die sich im Namenszug auf der Außenfront »Deutsch« nannte.

Und da saßen sie, mindestens zehn oder zwölf in kleinen Gruppen, und spielten Skat miteinander.

»Fünfundzwanzig«, sagte ein Hagerer und klimperte nervös mit den Augen.

Von zwei Seiten flogen abgegriffene Geldscheine über den Tisch. Fünfzig Mark, das war das Honorar für einen gewonnenen einfachen Kreuz-Solo. Am Nebentisch brachte ein Grand mit Dreien und Bock hundertsechzig Mark von jedem.

Zwischen den Spielen wurde offenbar gehandelt. Tante Lina konnte ein paar Gesprächsbrocken aufschnappen. Von »Kaffee«, »Tee« und »Gummireifen« war da die Rede und von einer »Lieferung«, die man bei Aachen über die Grenze bringen müsse.

»Gib mir doch mal zehn«, sagte ein Dicker zu seinem Nachbarn, der gerade die Karten mischte.

Der unterbrach sein Tun, fasste in die Anzugtasche und reichte zehn englische Zigaretten hinüber. Ein Fünfzigmarkschein wechselte den Besitzer.

Den Dicken kannte Tante Lina. Er war bereits 1925 der NSDAP beigetreten, hatte seinen Beruf als Grubenschlosser aufgegeben und war in der braunen Parteihierarchie bis zum Organisationsleiter aufgestiegen. Während der »Kampfzeit« hatte er sich in mancher Saalschlacht den Beinamen »Schmied von Buer« »erworben«. Ein gefürchteter SA-Schläger damals. Heute ein dickes, aufgedunsenes Häufchen Elend.

Auf seinen Tisch steuerte Tante Lina zu.

»Wenn ein vierter Mann gebraucht wird, ich würde gern mitspielen«, sagte sie und legte ihr Erspartes auf den Tisch.

Die Männer lachten. Aber der »Schmied von Buer«, der Tante Lina wohl erkannt hatte, machte Platz, murmelte: »Meinetwegen« und rückte seinen Stuhl beiseite. Dass Tante Lina mit Karten umgehen konnte, wissen wir aus mancherlei Geschichten, und auch die Schwarzhändler am Tisch bekamen den Mund fast nicht zu vor Staunen, als sie die Fähigkeiten der resoluten Alten zu spüren bekamen.

Es wird dabei nicht alles mit rechten Dingen zugegangen sein. Wie Sie sich denken können, schummelte Tante Lina. Das aber diesmal wohl so geschickt, dass ihr selbst die ausgebufften Schleichhändler nicht auf die Schliche kamen. Und als Tante Lina zweihundert Mark vor sich auf dem Tisch gestapelt hatte, als sie wohlweislich ihren eigenen Einsatz wieder in ihren Taschen hatte verschwinden lassen, wandte sie sich an den Dicken und sagte:

»Ich brauche Käse, Schweizer Käse...«

»Kein Problem«, sagte der Dicke, stemmte sich schwer atmend aus dem Stuhl und ging zu einem Rucksack, den er am Toilettengang deponiert hatte. Mit einem in ein Leinentuch eingewickelten Etwas kam er wieder. »Schweizer Käse, gut eineinhalb Pfund.«

»Kostet?«

»Was du da auf dem Tisch hast«, grinste der Dicke und sammelte die Geldscheine ein:

»Es ist echter Schweizer Käse!«

Misstrauisch zückte Tante Lina ein Taschenmesser, wickelte den Käse aus dem Leinentuch und probierte. Denn dass man von Schwarzhändlern betrogen zu werden pflegte, wusste sie.

In Zigaretten war oft Sägemehl, die Buttermenge wurde durch ein Stück Holz im Inneren der Packung »gestreckt«, und wehe dem, der Alkohol auf dem Schwarzen Markt kaufte. Der Alkohol hatte bisweilen, bevor er Trinkzwecken zugeführt wurde, in naturwissenschaftlichen Museen der Aufbewahrung von präparierten Tierleichen gedient. Es gibt da verbürgte und gerichtsnotorische Beispiele.

Die Geschmacksprobe war offenbar zu Tante Linas Zufriedenheit ausgefallen, und sie stand vom Tisch auf.

»Weiter mitspielen kann ich aber jetzt nicht mehr«, sagte Tante Lina mit Blick auf das Geld, das der Dicke in seiner Hosentasche hatte verschwinden lassen.

»Das macht nichts«, antwortete der »Schmied von Buer«, und er und seine Kumpane lachten erleichtert auf, als Tante Lina das Lokal verließ.

Fabrizius erwartete am nächsten Morgen ein festlich gedeckter Geburtstagstisch, sein Platz war mit Tannenzweigen eingekränzt, die Hausbewohner sangen, und nachdem alle ihre Geschenke überreicht hatten, kam Tante Lina mit der Überraschung des Tages, dem Schweizer Käse. Fabrizius war ganz gerührt, freute sich

Der Jahrmarkt ohne Karussell

Streiflichter vom Gelsenkirchener „Schwarzen Markt"

Wo ist der schwarze Markt? Ueberall und nirgends. Mitunter gibt es auch fest stationierte schwarze Märkte. Einer der „berühmtesten" ist der Gelsenkirchener schwarze Markt im Bulmker Park. Dort herrscht dauernd Hochbetrieb, vor allem sonntags. Es ist eine ständige Verkaufsmesse großen Stils, ein Jahrmarkt ohne Karussell. Sogar von auswärts kommen die Kunden gefahren: von Essen, Bochum, Wanne, Recklinghausen und noch weiter weg. Wenn sie am Hauptbahnhof harmlos fragen: „Wo ist hier der Bulmker Park?", dann weiß man schon, was los ist. Das Ziel ist nichts anderes als der große Freilichtmarkt der „Geschlag" (wie die Eingeweihten das Ding nennen — „Geschlag" = Gelsenkirchener Schleichhandels-AG).

*

Den Besuchern des Bulmker Parks bietet sich ein oft geradezu erstaunliches Bild geschäftlicher Regsamkeit. Im Grunde genommen ist dort einfach alles zu haben, sogar zu festen, allerdings phantastisch hohen Preisen und natürlich alles ohne Marken und ohne Bezugschein. Ein Meter Durchziehband kostet 15 Mark, ein Röllchen Nähgarn 30—40 Mark, ein Stück Toilettenseife 50 Mark, ein 3-Pfund-Brot 35—40 Mark, ein Pfund Zucker 50—60 Mark, Zigaretten bis zu 7 Mark, Zigarren bis zu 12 Mark, ein Pinnchen Schnaps (wird gleich ausgeschenkt!) 15 Mark. Alles gibt es: Butter, Speck, lebende Kaninchen (frisch gestohlen), Bettlaken und Bettwäsche (aus Mutters Vorrat geklaut), Kleider- und Anzugstoffe, Pullover, Unterwäsche, kurzum alles, woran es jedermann mangelt.

*

Der Mittelpunkt aber des schwarzen Marktes im Bulmker Park — das ist doch die große Spielbank, das Gelsenkirchener Monte Carlo. Regelrechte Spieltische gibt es da. Die Einsätze gehen nur so in die Hunderte und noch höher. Sogar für die Beköstigung der Spieler ist gesorgt: Schnaps, belegte Brötchen und dergl. mehr. Am letzten Sonntag gab es derart viel Schnaps im Bulmker Park, daß sich Männlein und Weiblein betrunken und toll in den Gebüschen wälzten und daß man sich gegenseitig den „Selbstgebrannten" ins Gesicht spritzte.

*

Ja, weiß die Polizei das denn nicht? O doch! Sehr gut sogar. Und sie arbeitet auch mit allen ihr zur Verfügung stehenden Mitteln gegen diesen Uebelstand im Bulmker Park an. Wie mancher Schwarzhändler, wie mancher Glücksspieler ist schon aus dem Bulmker Park hinter die Gitter der Polizei gebracht worden. Aber es tauchen immer wieder Nachfolger auf; denn das Risiko der Verhaftung ist ja schon im Verkaufspreis enthalten. Die Dümmsten sind immer die Käufer; sie sind, wenn sie erwischt werden — und auch das geschieht oft genug — Geld und Ware los und haben noch ein unangenehmes Nachspiel zu erwarten.

*

Wie wir in den gestrigen Nachmittagsstunden vom Chef der Polizei Gelsenkirchen erfuhren, hat gestern am Frühnachmittag im Einvernehmen mit der Militärregierung eine Großaktion der Gelsenkirchener Polizei gegen den Schwarzen Markt im Bulmker Park begonnen. Bis zum Spätnachmittag hatte die Polizei, die das gesamte Gelände hermetisch abgeschlossen hatte, bereits 2500 Verhaftungen vorgenommen.

riesig und gab Tante Lina einen Kuss, was so ganz wider seine Natur war.

Und dann konnte er natürlich nicht warten. Holte ein Messer aus der Küche und begann, den Käse aufzuschneiden. Scheibe für Scheibe. Jeder sollte einmal probieren dürfen. Und während er schnitt und schnitt, da strahlte der Käse plötzlich einen Duft aus, der so gar nicht an Käse erinnerte und schier unerträglich war. Und in den wunderschönen Käselöchern waren lauter Maden zu sehen.

Tante Lina war mit keinem Wort zu trösten. Sie zog sich, in ihrem guten Herzen tief erschüttert, in die eigenen Gemächer zurück und ward an diesem Tag nicht mehr gesehen.

Am anderen Tag war der Käse verschwunden. Sicher in der Mülltonne, dachte Fabrizius sich und zählte, bevor er ins Theater fuhr, seine Barschaften und überlegte, dass er eigentlich als kleines Trostpflaster für Tante Lina zum Weihnachtsfest ein Stück Käse auf dem Schwarzen Markt erwerben könnte.

Gesagt, getan. Fabrizius konnte bereits am selben Tag am Gelsenkirchener Hauptbahnhof einen Kauferfolg verbuchen. Und so bekam Tante Lina ein Stück Käse, echten Schweizer Käse, versteht sich, bereits zum Nikolaustag geschenkt. In ihren Schuhen fand sie die Köstlichkeit vor. Nicht soviel, wie sie selbst gekauft hatte, aber immerhin.

Unter Anteilnahme der Hausbewohner wurde der Käse zum Frühstück aufgeschnitten. Und Entsetzen zeichnete die Gesichter der Anwesenden. Der gleiche Geruch wie vordem durchströmte die Küche, eher noch stärker als zu Fabrizius' Geburtstag, und wieder krabbelten Maden durch die Käselöcher.

»Hast du den auf dem Schwarzen Markt gekauft?« fragte Tante Lina.

»Ja, wo denn sonst?«

»Und bei wem?«

»Bei so einem Dicken in Gelsenkirchen.«

»Mit einer Narbe auf der Stirn?«

Fabrizius nickte.

»Der ›Schmied von Buer‹«, entfuhr es Tante Lina, und sie lief heulend mit dem Käse in der Hand aus der Küche und schloss sich in ihr Zimmer ein. Und keiner konnte sich erklären, was da geschehen sein mochte. Der Käse blieb verschwunden.

Als Fabrizius ein paar Tage später die Haustür öffnete, um ins Theater zu fahren, trat ihm ein Polizeibeamter entgegen.

»Ist eure Hausbesitzerin da, die Lina?« fragte der Polizist und schmunzelte:

»Ich habe hier einen Strafbefehl für sie!«

Und hielt Fabrizius ein amtliches Schreiben hin, so dass er es lesen konnte. Und Fabrizius las. Las mit Schrecken:

»Wegen unerlaubten Schwarzhandels ... wird Frau Lina ..., wohnhaft ... zu 120 RM Geldstrafe verurteilt... Beweismaterial: ein Pfund Schweizer Käse...«

Suppen und Eintöpfe

Suppen und Eintöpfe erfuhren in der Kriegs- und Nachkriegszeit eine völlig andere Einschätzung und eine andere Verwendung als heute.

Heute sind wir gewohnt, Suppen als appetitanregende Einleitung einer Mahlzeit anzusehen. Einer von vielen Gängen eines Menüs. Und Kochbücher und Köche wetteifern darin, sich hierfür immer neue Rezepte einfallen zu lassen.

Damals musste eine Suppe, meist sogar ziemlich ausschließlich, eine gesamte Mahlzeit bestreiten, als Abendessen oder als Frühstück. In vielen Familien kehrte man 1945 wieder zum alten Brauch der Morgensuppe zurück. Ein solches Frühstück half Brot und Brotaufstrich sparen. Eine Suppe »hielt« auch in kalten Jahreszeiten und für schwer arbeitende Menschen oder Kinder wesentlich länger »vor« als Kaffee-Ersatz oder Tee.

In den kalten Nachkriegswintern hatte die Suppe eine doppelte »Mission« zu erfüllen: Sie musste nähren, satt machen, und sie musste Wärme speichern.

Küchenabfälle werden abgeholt!

Schutt nicht auf Trümmerstätten werfen!

Immer noch werden Schutt und Abfälle auf Trümmerstätten oder in Grünanlagen geworfen. Dadurch werden nicht nur die Schuttmassen der Stadt vergrößert, sondern durch die Fäulnis der Abfälle auch Ungeziefer, vor allem Ratten, angezogen. Die Auswirkungen sind unübersehbar. Ich bitte deshalb dringend darum, die bei Instandsetzung von Wohnungen anfallenden Schuttmassen auf die Müllkippe fahren zu lassen. Abfälle von Gemüse und Speisereste können noch zur Viehfütterung verwertet werden. Wenn dabei auch keine Viehmast erreicht werden kann, so ist doch beabsichtigt, die Küchenabfälle zur Viehfütterung auszunutzen. Dabei bitte ich um die Mithilfe der Bevölkerung.

aus: Bekanntmachungen der Stadt Gelsenkirchen, Nr. 29, v. 24. 11. 1945

Suppen und Eintöpfe gaben auch Gelegenheit, Essensreste nahezu rückstandsfrei zu verwerten. Gemüsestengel, Schoten von Erbsen und Bohnen, selbst Fasern des Spargels konnten ausgekocht werden.

Was zu einer bestimmten Jahreszeit vorhanden war, konnte verwendet werden. Suppen konnte man aus allem Möglichen machen: aus Kopfsalat, der bereits zu schießen begonnen hatte, aus Mangold, aus Holunderblüten...

Wer kein Fett zur Hand hatte oder das zur Verfügung stehende Fett sparen wollte, röstete das Mehl für die Einbrenne der Suppe eben ohne Fett an. In ihrem Buch »Euer Herz betrübe sich nicht« schreibt Betty Schneider:

»Gespült habe ich schnell. Das kalte Wasser tut's, denn wir haben ja fettfreies Geschirr. Die Messer bleiben liegen bis morgen früh, werden dann in den Suppentopf gesteckt zur Nutzbarmachung auch des allerkleinsten Restchens Fett...«

Fleisch- oder Fischzuteilungen, die sich ansonsten auf den Tellern am Mittagstisch winzig ausnahmen, konnten in einer Suppe durchaus etwas hermachen. Und bei der Zubereitung von Suppen und Eintöpfen konnte man Energie sparen, wenn man sie etwa in einer Kochkiste (in »Tante Linas Kriegskochbuch« beschrieben) weiter köcheln ließ.

Gaststätten und Volksküchen waren verpflichtet, mindestens ein »markenfreies« Gericht täglich im Speiseplan zu führen, also ein Essen, für das man keine Lebensmittelmarken abzugeben brauchte. Und das war oft ein Eintopf oder eine Suppe.

Uwe, Tante Linas »Ziehsohn«, war übrigens ein König im Organisieren solcher »Zusatznahrung«. Er drängte sich regelmäßig in die Reihe derer, die in der Gaststätte Rohmann in Buer auf die Ausgabe der Volksküchen-Gerichte warteten. Armselig gekleidet stand er da, trug eine Hose und eine Jacke, die ihm Tante Lina (wohl ausschließlich zu diesem Zweck und um Mitleid zu erregen) aus einer alten Militärdecke hatte nähen müssen, und reckte mit großen traurigen Augen der Frau an der Essensausgabe ein verbeultes Kochgeschirr entgegen. Stumm. Nur diese Augen und diese bittende Geste. Wer konnte dem schon widerstehen? Und regelmäßig kam er mit einem Schlag Suppe heim, den er stolz im Kochgeschirr auf Tante Linas Küchentisch stellte. Das war sein Beitrag zur Gemeinschaftsverpflegung in Tante Linas Haus. Wo alle Sorge trugen, wollte er nicht abseits stehen. Und es gab Tage, da kam er mit einem blauen Auge oder blutigen Knien nach Hause, wenn er »seine« Suppe gegen andere Kinder verteidigt hatte.

Es gab also Suppe in den Gaststätten, »legierte« Suppe mit Gemüseplatte oder »Bauernsuppe«. Es gab Suppe oder Eintopf in den Häusern der Menschen im Ruhrgebiet der Nachkriegszeit. Morgens, mittags und am Abend. Und sie mussten sich schon anstrengen, die Leute, wenn sie ihren Suppen und Eintöpfen immer wieder ein anderes »Gesicht« geben wollten.

Einige dieser Rezepte aus dem Jahre 1945 haben wir zusammen getragen und wollen sie hier wieder geben.

Sauerkrautsuppe

Zutaten: eine Messerspitze Fett, ein Teelöffel Mehl, 250 g Sauerkraut, ¾ l Gemüsebrühe, eine rohe Kartoffel, ein Esslöffel gehackte Petersilie.

Fett in einem Topf heiß werden lassen, Mehl einstreuen und in dem Fett anbräunen. Das Sauerkraut muss gewaschen werden. Klein hacken und zu dem braunen Mehl geben. Mit der Brühe auffüllen. Die rohe Kartoffel hinein reiben. Die Suppe muss dann etwa 30 bis 40 Minuten lang kochen. Mit Petersilie abschmecken.

Suppe von einem Kaninchenkopf

Zutaten: 1½ l Wasser, eine Prise Salz, ein Esslöffel Majoran, ein Teelöffel Basilikum, ein Kaninchenkopf, eine rohe geschälte Kartoffel, etwas Pfeffer, ein Esslöffel Mehl, eine Tasse klein gehacktes Suppengrün, ein Teelöffel Essig.

Den gesäuberten und gewaschenen Kaninchenkopf in Wasser mit Salz, Basilikum und Majoran solange kochen, bis sich das Fleisch leicht von den Knochen löst. Die Brühe abseihen. Das Fleisch ablösen, klein schneiden und wieder in die Brühe geben. Die rohe Kartoffel in die Brühe reiben. Zum Schluss Suppengrün zugeben und noch etwa 20 Minuten köcheln lassen. Pfeffern. Mit Essig abschmecken.

Mehl anbräunen. Mit etwas Brühe, die man der Suppe entnimmt, ablöschen. Glatt rühren und an die Suppe geben.

Hirnsuppe

Zutaten: 500 g Kartoffeln, ein Liter Gemüsebrühe, 200 g Hirn, Pfeffer, eine Prise Salz, etwas Fett, zwei Esslöffel Mehl oder Haferflocken, ein Esslöffel gehackte Petersilie.

Kartoffeln schälen, in kleine Würfel schneiden und in Gemüsebrühe gar kochen. Hirn säubern, von der Haut lösen, waschen. Pfeffern, salzen und in etwas Fett anbraten. Zu den weich gekochten Kartoffeln geben. Das Mehl oder die Haferflocken werden in der vorher gebrauchten Pfanne leicht angeröstet und dann in die Suppe eingerührt. Köcheln lassen. Mit Petersilie abschmecken.

Fischrogensuppe

Zutaten: eine Tasse Suppengemüse (Möhre, ein Stück Sellerie, Porree, Sellerie- und Petersiliengrün), 10 g Fett, ein Esslöffel Mehl, ein Liter Gemüsebrühe, Salz, Knoblauch, Thymian, 150 g Fischrogen.

Klein gehacktes Suppengrün in Fett anbraten. Mehl darüber streuen. Leicht bräunen lassen. Mit Brühe ablöschen. Mit Salz, einer zerdrückten Knoblauchzehe und gehacktem Thymian würzen.

Den Fischrogen oder -milch von der Haut befreien und in die Suppe einrühren. 20 Minuten ziehen lassen.

Dass die Anwesenheit von Besatzungssoldaten in Deutschland nicht ohne Auswirkungen auf die heimische Küche bleiben würde, versteht sich. Wie Flüchtlinge und Aussiedler brachten auch die Angehörigen der alliierten Truppen Essgewohnheiten und Rezepte aus ihrer Heimat mit. War es Opportunismus, war es Neugier, was Deutsche bewog, einiges davon zu übernehmen?

Von der »Amerikanisierung« der deutschen Küche durch CARE-Pakete und andere Wohltaten wird noch die Rede sein. Aber auch von den Russen wurde so manches angenommen. Den Borschtsch, ein »*herrliches östliches Gericht*«, den kannten die Deutschen schon vor der Besatzungszeit. An diesem Eintopf orientiert, haben wir zwei Rezepte für Suppen in einem Kochbuch gefunden, das 1945 in der sowjetisch besetzten Zone erschienen war.

Russische Tomatensuppe

Zutaten: vier bis fünf große Tomaten, 10 g Fett, eine Zwiebel, ein halber Weißkohl, Salz, Pfeffer, 1½ l Fisch-, Fleisch- oder Gemüsebrühe.

Tomaten mit heißem Wasser überbrühen und die Haut abziehen. Klein schneiden. Andünsten. Dann lässt man Fett heiß werden, röstet die klein geschnittene Zwiebel an und dünstet darin den Weißkohl, den man in dünne Streifen geschnitten hat. Tomaten in der Brühe aufkochen lassen. Weißkohl und Zwiebel dazu geben. Bei kleiner Flamme weich schmoren lassen. Salzen und pfeffern. Wenn vorhanden, mit einem Schuss Dosenmilch servieren.

Russensuppe

Zutaten: eine Mohrrübe, eine Stange Porree, eine Petersilienwurzel, ein Stück Sellerie, Petersilien- und Selleriegrün, ein viertel Kopf Wirsing, ein Esslöffel Mehl, Salz, 1¼ l Wasser, eine Tasse Sauerkraut, ¼ l Rote-Bete-Saft, etwas Fett, vier Scheiben Schwarzbrot (oder altbackenes Brot).

Das Gemüse wird würfelig bzw. in feine Streifen geschnitten und in heißem Fett angeröstet. Mit Mehl bestäuben und mit Wasser auffüllen. 20 bis 30 Minuten gar kochen lassen. Salzen. Das klein gehackte Sauerkraut und den Rote-Bete-Saft zugeben und noch einmal aufkochen lassen. Auf leicht gerösteten Schwarzbrotscheiben anrichten.

Früher und auch heute – Suppen-Gourmets mögen jetzt schnell weiter blättern – bediente und bedient man sich einer Erfindung, die der Schweizer Industrielle Julius Maggi am Ende des 19. Jahrhunderts gemacht hatte, des nach ihm benannten »Maggi«, um Suppen zu würzen.

Diese Suppenwürze ist eine komplizierte Mischung aus Kräutern, Gemüsen, Pilzen, Kochsalz und Magermilch-, Hefe- oder Soja-Eiweiß, das zu Aminosäuren abgebaut wird.

Dieses »Maggi« wird/wurde unter anderem in Baden-Württemberg, in Singen, hergestellt, war allerdings in den Nachkriegsjahren kaum zu kaufen.

Es wurde zwar Ersatz angeboten, ein so genanntes »Neugewürz«, eine Art Glutamat, aus Weizenkleber, Sojamehl und Melasse gewonnen, das wurde jedoch von vielen Leuten nicht vertragen, konnte außerdem das berühmte »Maggi« nicht wirklich ersetzen. Wer also auf den »Geschmack« dieser unverwechselbaren Würze nicht verzichten mochte, musste sein »Maggi« selbst produzieren.

Suppenwürze (selbst hergestellt)

Zutaten: zwei Sellerieknollen mit Grün, drei Petersilienwurzeln mit Grün, eine Liebstöckelwurzel mit Grün, 500 g Möhren, vier Stangen Lauch, drei Zwiebeln, 200 g Salz.

Alles Gemüse putzen, waschen und durch den Fleischwolf drehen. In einer Schüssel gut miteinander und mit Salz vermischen. Durchstampfen mit einem Kartoffelstampfer. In ein Einmachglas füllen. Fest stampfen und verschließen. Nach etwa vier Wochen ist die Würze brauchbar. Für eine Suppe genügen ein bis zwei Teelöffel davon.

Welche Suppeneinlagen 1945 en vogue waren, wollen Sie wissen? Nein, keine Nudeln, kein Reibgerstl, keine Leberknödel, kein Eierstich. Man behalf sich mit Haferflocken oder mit altbackenem Brot, das vielleicht ein wenig angeröstet wurde, ohne Fett selbstverständlich.

Zum Schluss noch einige Eintopf-Rezepte, von denen wir meinen, dass sie sich ein wenig von den üblichen Erbsen- oder Linsen-Eintöpfen unterscheiden. Ob es sich dabei allerdings von der Konsistenz her jeweils um Eintöpfe oder Suppen handelte, war für den Esser nicht so leicht zu entscheiden.

Spätestens am dritten Tag nach seinem »Entstehen« war aus dem Eintopf durch etliche »Verlängerungen« mit Sicherheit eine Suppe geworden.

Kürbisgemüse

Zutaten: eine Stange Lauch, 10 g Fett, zwei Tomaten, zwei Esslöffel Haferflocken, eine Tasse Milch, Eisenkraut, Bohnenkraut, Salz, 500 g Kürbisfleisch, ein Esslöffel Essig, zwei gekochte Kartoffeln.

Lauch in Ringe schneiden und in heißem Fett andünsten. Tomaten klein schneiden, dazu geben und durchdünsten. Die Haferflocken darüber streuen und ebenfalls etwas mit anbräunen. Mit der Milch aufkochen lassen. Mit fein gehacktem Eisen- und Bohnenkraut würzen. Salzen.

Das Kürbisfleisch in kleine Würfel schneiden. Dazu geben. Mit Essig abschmecken.

Etwa 20 Minuten garen lassen. Die gekochten Kartoffeln zerstampfen und unter das Gemüse rühren. Aufkochen und noch zehn Minuten ausquellen lassen.

Stielmus-Eintopf

Zutaten: 500 g Stielmus, 500 g Kartoffeln, 10 g Fett, eine Zwiebel, eine Tasse Wasser, Salz.

Stielmus waschen, fein hacken. Kartoffeln schälen, in kleine Würfel schneiden. Das Fett in einem Topf heiß werden lassen, die klein geschnittene Zwiebel darin anbraten. Das Stielmus mit einer Tasse Wasser in den Topf geben. Oben auf die Kartoffelwürfel schichten. In geschlossenem Topf weich dünsten. Mit Salz abschmecken.

Endivien-Eintopf

Zutaten: zwei Endivien, 500 g Kartoffeln, ein Esslöffel Öl, ein Esslöffel Mehl, eine Tasse Magermilch, Salz, Pfeffer, ein Teelöffel Essig.

Endivien waschen und von außen das (bittere) Herz heraus lösen. In Streifen schneiden. Kartoffeln schälen und würfeln. In wenig Wasser gar kochen. Endivienstreifen in heißem Fett andünsten. Das Mehl darüber stäuben. Magermilch einrühren. Mit Salz, Pfeffer und Essig abschmecken. Mit den leicht gestampften Kartoffeln vermischen.

Weiße-Rüben-Eintopf

Zutaten: 500 g weiße Rüben, 500 g Kartoffeln, ½ l Wasser, eine Zwiebel, ein Teelöffel Salz.

Die Rüben werden geschält, gewaschen und zu Stiften geschnitten. In Salzwasser zusammen mit der klein geschnittenen Zwiebel etwa 20 Minuten lang kochen lassen, bis die Rüben halb gar sind. Dann erst die geschälten, gewaschenen und auch zu Stiften geschnittenen Kartoffeln zufügen. Alles miteinander gar kochen. Darauf achten, dass immer genügend Flüssigkeit vorhanden ist.

Flüchtlinge

Sie trotteten durch die Straßen der Städte, müde, zerlumpte, hoffnungslose Gestalten, meist Frauen und Kinder. Die wenige Habe, die ihnen geblieben war, zogen sie in Handkarren oder Kinderwagen hinter sich her. Sie wurden Flüchtlinge genannt, Evakuierte, Aussiedler, Umsiedler, Heimkehrer, Vertriebene, Heimatvertriebene, Umquartierte, Neu-Deutsche. Und nur wenige dieser Namen dienten nicht auch als Schimpfwort.

Unabsehbare Menschenströme zogen durch Deutschland in diesem Jahr 1945 und auch noch in den Folgejahren.

Da waren zum einen jene, die aus den deutschen Industriezentren evakuiert worden waren, als sich die Bombenangriffe der Alliierten verstärkt hatten, Kinder, die mit der so genannten Kinderlandverschickung in ländliche Gebiete transportiert worden waren, und ihre Mütter. Sie kehrten jetzt nach Hause zurück.

Heimkehren wollten auch jene neun oder zehn Millionen Zwangsarbeiter, welche die Nationalsozialisten aus den von ihnen überfallenen Ländern nach Deutschland verschleppt hatten, um »*den Mangel an Arbeitskräften auszugleichen*«. Soweit sie mit dem Leben davon gekommen waren.

Diese »Fremdarbeiter« waren besonders in Industrieregionen von den Deutschen in furchtbarster Weise behandelt worden, waren zu Hunderttausenden verhungert und an Entkräftung gestorben. Nach ihrer Befreiung wollten auch einige Rache nehmen an den Deutschen und zogen plündernd durch das Land.

Dann waren da jene, die in der Endphase des Krieges teils auf Evakuierungsanordnungen deutscher Behörden vor den Truppen der Roten Armee geflohen waren: große Teile der Bevölkerung der deutschen Ostgebiete, Ostpreußens, Schlesiens, aber auch Menschen aus »deutschen Siedlungsgebieten« im Ausland. Die Nationalsozialisten hatten in Verwirklichung ihres Planes vom »NS-Lebensraum« zwischen 1939 und 1944 selbst beinahe eine Million Menschen umgesiedelt.

Und schließlich jene in den Ostgebieten und den Siedlungsgebieten im Ausland verbliebenen Deutschen, die auf Grund der Beschlüsse der Konferenz von Potsdam aus Polen, der Tschechoslowakei und Ungarn (später auch aus anderen Staaten) ausgewiesen und teils nach Deutschland zwangsumgesiedelt wurden. 1945 sollten das bereits viereinhalb Millionen Menschen sein.

Flüchtlinge. Neben den zertrümmerten Städten und einer ruinierten Volkswirtschaft waren sie das bitterste Erbe nationalsozialistischer Gewaltpolitik. Eine Folge, die jeder Krieg mit sich bringt. Aus einem Gedicht von Karl-August Vogt:

»*Wir keuchen auf Straßen mit Weib und Kind,*
Gebrochen die Herzen am Weh,
Uns tröstet aus Norden ein heulender Wind
Und treibt vor uns her seinen Schnee.
Wir tragen die Schuld der verlorenen Zeit,
Wir Flüchtlinge, ich und auch du,
Wir keuchen auf Straßen der Endlosigkeit
Dem Tore der Ewigkeit zu.
Die Raben ziehn krächzenden Flugs hinterher,
Sie warten, bis stumm einer fällt,

Der Mond und die Sterne, der Fluss und das Meer
Sind Zeugen des Leids dieser Welt.«

Bei einer Volkszählung 1946 wurde festgestellt, dass in den vier Besatzungszonen 9,5 Millionen Vertriebene, Flüchtlinge und Umsiedler lebten (1950 waren es rund 11,6 Millionen Menschen), davon über drei Millionen in der britischen Besatzungszone. Den größten Teil nahm jedoch mit 4,3 Millionen die sowjetische Besatzungszone auf (das entsprach dort einem Anteil von 24,2 Prozent an der Gesamtbevölkerung).

Ihre Unterbringung machte Schwierigkeiten. Die meisten Städte waren zerstört. Für 14 Millionen Haushalte gab es nur acht Millionen Wohnungen. Und die Städte wehrten sich zunächst gegen die unerwünschten Zuwanderer.

Gelsenkirchen verkündete am 4. August 1945 ein Rückkehrverbot von Evakuierten in die Stadt. Genehmigungen *»erhalten nur solche Familien und Personen, deren Ernährer in Gelsenkirchen im Arbeits- und Dienstverhältnis stehen und eine ausreichende Wohnmöglichkeit für die ganze Familie haben«*.

Am 11. August trat eine *»volle Zuzugssperre nach Gelsenkirchen«* in Kraft, und am 29. September wurde die Bevölkerung sogar aufgefordert, sich freiwillig aus Gelsenkirchen evakuieren zu lassen, so schlecht war die Versorgungslage, so schlecht waren die Wohnverhältnisse geworden.

Andere Städte erlegten den Flüchtlingen Gewerbebeschränkungen auf oder teilten ihnen lediglich Lebensmittelrationen für Reisende zu.

So wurden die Flüchtlinge zunächst dorthin transportiert, wo noch unzerstörter Wohnraum zur Verfügung stand, aufs Land. Aber auch hier blieben sie die »anderen«, die Unerwünschten, die gewaltsam in die eigene Welt eingedrungen waren, deren Schicksal einen nichts anging.

Die Einheimischen befürchteten eine »Überfremdung«. Kein Wunder: 1946 waren ein Drittel der Gesamtbevölkerung Schleswig-Holsteins Flüchtlinge.

Sie waren anders in ihrer Art, diese Flüchtlinge, sie sprachen Deutsch mit einem fremden Akzent. Man musste mit ihnen die wenigen vorhandenen Lebensmittel teilen... Und es gab noch vieles mehr, was zu Diskriminierungen führte. Aus einem von vielen Leserbriefen an die »Neue Westfälische Zeitung« 1945:

»Seit einem Jahr wohnen wir als evakuierte Flüchtlinge auf dem Lande, aber von einer geregelten Gemüsezuteilung wie in der Stadt sind wir ausgeschlossen. Die Gärtnereien sagen, sie haben kein Gemüse. Steht etwas im Geschäft, dann ist die Ausrede: ›Das ist bestellt!‹, und wir können mit leeren Händen abziehen.«

Was sie auch mitbrachten, die Vertriebenen, die Flüchtlinge, die Umsiedler, die »*ausse kalte Heimat*«, wie sie bei uns im Ruhrgebiet heißen, war ihre Kultur, waren ihre Kochrezepte. Und die wurden eigentümlicherweise gerade in den Nachkriegsjahren von der einheimischen Bevölkerung angenommen, vielleicht weil es sich um einfache, besonders sparsame Rezepte handelt. Einige von diesen Rezepten wollen wir wiedergeben.

Kaschauer Bauernschmaus

Zutaten: ein Kilo Kartoffeln, zwei bis drei Paprikaschoten, zwei bis drei Tomaten, eine große Zwiebel, ein Esslöffel Fett, ein bis zwei Tassen Wasser, Salz, ein Teelöffel Paprikapulver, Wurstreste.

Rohe Kartoffeln schälen und in kleine Würfel schneiden. Paprikaschoten entkernen und wie die Tomaten in kleine Stücke schneiden.

Fett in einem Topf heiß werden lassen. Zwiebelringe darin anrösten und nach und nach Tomaten, Paprika und Kartoffeln dazu geben.

Zehn Minuten anbraten lassen. Mit Wasser auffüllen und bei geschlossenem Deckel weich dünsten lassen. Mit Salz und Paprika abschmecken. Die Wurstreste klein geschnitten zum Schluss untermengen.

Siebenbürger Zwiebelkuchen

Zutaten: Teig: 20 g Hefe, ein bis zwei Esslöffel Milch, eine Tasse Mehl, eine Prise Salz, fünf frisch gekochte, noch heiße Pellkartoffeln.
Füllung: drei große Zwiebeln, 10 g Fett, eine halbe Tasse Milch, ein Ei.

Hefe mit warmer Milch zu einem Brei verrühren. Mehl und Salz zugeben. Die noch heißen Kartoffeln pellen, reiben und alles gut zu einem Teig verkneten. 30 Minuten gehen lassen. Dünn auf ein gefettetes Backblech ausrollen. Zwiebeln klein hacken und in Fett goldgelb anrösten. Mit Milch und dem zerschlagenen Ei zu einer Paste verrühren. Damit den Teig bestreichen. Im Ofen etwa 30 Minuten backen, in Vierecke schneiden, noch warm servieren.

Ostpreußen-Braten

Zutaten: zwei Tassen roh geriebener Sellerie, zwei Tassen Haferflocken, eine Tasse gekochte Linsen, eine klein geschnittene Zwiebel, Salz, Pfeffer, ein Ei, ein Esslöffel Semmelbrösel, Fett zum Braten.

Den fein geriebenen Sellerie mit den Haferflocken mischen und 20 Minuten lang zugedeckt stehen lassen. Linsen mit der Zwiebel vermengen, salzen und pfeffern. An den Selleriebrei geben. Das Ei verquirlen und darüber gießen. Einen Braten formen und in Bröseln wenden. In Fett von allen Seiten braun anbraten. In einer Kasserolle zugedeckt im Rohr etwa 30 Minuten braten.

Kurländischer Fischauflauf

Zutaten: 200 g Bratheringe, 500 g gekochte Kartoffeln, 500 g gedünstetes Sauerkraut, eine Tasse Buttermilch, ein Teelöffel Kümmel, ein Esslöffel Haferflocken, 10 g Margarine.

Fisch entgräten und in Stücke, Kartoffeln in dünne Scheiben schneiden. In eine gefettete Auflaufform lagenweise einschichten: Kartoffelscheiben, Fischstücke, Sauerkraut, Kartoffelscheiben. Die Buttermilch mit dem Kümmel darüber gießen und mit Haferflocken bestreuen. Die Margarine in kleinen Flocken darauf setzen. In den vorgeheizten Backofen schieben und bei 200 Grad 30 bis 40 Minuten backen lassen.

Wer in den Städten, in den Dörfern kein Obdach fand, dem blieb keine andere Wahl, als in eines der vielen Flüchtlingslager zu ziehen, in denen die »Unerwünschten« unter teilweise katastrophalen Umständen hausen mussten.

Da lebten auf einer Wohnraumfläche von 38 Quadratmetern – so berichtete ein Reporter der »Westfälischen Rundschau« – sechs Familien mit 26 Personen, 14 davon waren Kinder. Diese Kinder besuchten zwar eine Lagerschule, aber was herrschten auch dort für Zustände! Als Tische dienten alte Munitionskisten, zum Schreiben mussten sich die Kinder hinknien.

Die Situation für die Flüchtlinge besserte sich erst etwas, als die Wirtschaft wieder in Gang kam, als in den Industriebetrieben, soweit erlaubt, wieder gearbeitet wurde.

Viele der Flüchtlinge, besonders die aus dem Osten, waren ehemals in der Forst- und Landwirtschaft beschäftigt und mussten nun zunächst berufsfremde Arbeiten annehmen, wurden oft Hilfsarbeiter, ungelernte Arbeiter in der Industrie.

Aber sie waren bereit, sich mit geringem Lohn zufrieden zu geben. Arbeiter, die sich zu solchen Bedingungen einstellen ließen, waren auch im Ruhrgebiet willkommen.

1947 hatte Gelsenkirchen 12.000 Flüchtlinge aufgenommen, obwohl als »schwarze Stadt« mit 72-prozentiger Bombenbeschädigung nicht zu deren Aufnahme vorgesehen. Die überwiegende Zahl der Flüchtlinge fand ein Arbeitsverhältnis. Ein Flüchtlingslager gab es nicht, es gab »Übergangslösungen« für die Unterbringung wie den Großbunker an der Marschallstraße, schließlich gelang es aber, sämtlichen Flüchtlingen in Privatwohnungen ein Obdach zu verschaffen.

Um die Interessen der Flüchtlinge kümmerten sich in den Dörfern Flüchtlingsobleute, in den Städten die Flüchtlingsämter. Von ihnen wurde den Flüchtlingen auch Hilfe zuteil. Sie veranstalteten »bunte Abende« für die Flüchtlinge, verteilten Schokolade an die Flüchtlingskinder, versorgten die Flüchtlinge mit Hausrat, mit Möbeln (Luftschutzbetten) und auch mit Geld.

Bei einer Sammlung, die 1947 in Gelsenkirchen vom Flüchtlingsamt durchgeführt wurde, kamen 655 Möbelstücke, 3.021 Haushaltsgegenstände und ein Bargeldbetrag von 13.879 Mark zusammen.

Auch die Alliierten halfen. 1946 gab die britische Militärregierung den Deutschen Eisenwerken in Gelsenkirchen den Auftrag zum Bau von »Behelfsöfen für Flüchtlinge«.

Doch trotz zahlreicher Hilfen, trotz der langsam sich verbessernden Integrationsmöglichkeiten in die einheimische Bevölkerung blieben die Flüchtlinge in gewissem Maße »Underdogs«, nahmen nicht wie andere an den »Segnungen« des deutschen »Wirtschaftswunders« teil. Den Westalliierten und einigen deutschen Parteien waren sie willkommene Stimmbürger, ein »*gärendes Potenzial*« in der Zeit des »Kalten Krieges«. Was man ihnen zu sagen vergessen hatte: Schon auf der Konferenz von Potsdam 1945 war absehbar, dass die neuen Grenzen endgültig waren, dass sie nie in ihre »alte« Heimat würden zurückkehren können.

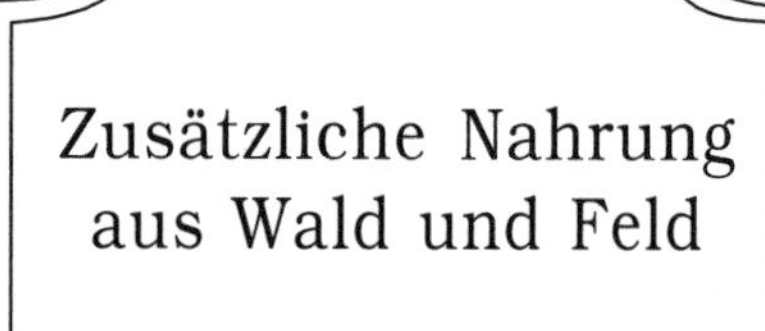

Zusätzliche Nahrung aus Wald und Feld

Am 15. 6. 1945 rief die Abteilung für Volksbildung des Magistrates der Stadt Berlin in einem Rundschreiben zu einer »Sofort-Aktion« auf »*zur Sicherung der Marmelade- und Getränkeversorgung Berlins*«. Es hieß darin:

»*Die Ernährungs- und Gesundheitslage erfordert dringend die sofortige Ausnutzung aller entsprechenden Rohstoffe, insbesondere auch durch Schulsammlungen von Wald- und Wildfrüchten und von Garten- und Wildheilkräutern. Die Verarbeitungen werden gewerblich und als Selbsthilfemaßnahmen der Hausfrauen in Form von Tee, Marmelade und Saft erfolgen...*«

Dieses Schreiben war, wie gesagt, von der Abteilung für Volksbildung, weil vor allem Schulkinder zu Sammlungen herangezogen werden sollten. Ein erklärtes Erziehungsziel!

Und so schloss das Rundschreiben folgerichtig mit den Worten:

»*Wir helfen! Wir werben für Selbsthilfe! Auch das ist antifaschistischer Kampf!*«

Wenden wir uns zunächst Marmeladen und Gelees aus Wildfrüchten zu.

Da sollten zum Beispiel Berberitzen gesammelt werden, Früchte von vielfach in Parks und Wäldern vorkommenden dornigen Sträuchern.

Die roten, länglichen Beeren kann man übrigens auch auspressen. Dabei aufpassen, dass die Kerne nicht zerdrückt werden. Sie sind sehr bitter. Der gewonnene Saft kann als Zitronensaft-Ersatz verwendet werden.

Berberitzenmarmelade

Zutaten: 500 g Berberitzen, 500 g Birnen, 300 g Zucker, eine Tasse Wasser.

Die Berberitzen werden nach dem ersten Frost gesammelt. Die Beeren werden gewaschen, gesäubert, entstielt und mit dem Wasser weich gekocht. Durch ein Sieb passieren.

Birnen schälen, schnitzeln und mit dem gewonnenen Berberitzenmark und -saft unter Zusatz von Zucker zu Marmelade einkochen. Noch heiß in Gläser füllen. Verschließen.

Vogelbeergelee

Auch die Vogelbeeren werden nach dem ersten Frost geerntet. Sie müssen saftig und dürfen noch nicht mehlig sein. Die Beeren werden von den Stielen gestreift und gewaschen. Zusammen mit Apfelschalen kocht man sie in wenig Wasser weich. Dabei sollte auf zwei Teile Apfelschalen ein Teil Vogelbeeren kommen. Den Saft lässt man durch ein Tuch ablaufen.

Der durchgelaufene Saft wird mit dem nötigen Zucker gekocht, bis er geliert, und abschäumt. Dabei rechnet man für je 500 g Saft 300 bis 400 g Zucker.

Gelingt die Gelierprobe, füllt man das Gelee heiß in vorgewärmte Gläser ab und verschließt sofort.

Wer auf die Apfelschalen verzichten will oder wem die Vogelbeeren zu bitter sind, kann diese entbittern. Dazu werden die gewaschenen Vogelbeeren zwei bis drei Tage in Essigwasser (eine Tasse Essig auf 1½ l Wasser) stehen gelassen. Wasser abgießen. Beeren nochmals waschen.

Die Tschechen und andere osteuropäische Völker brennen übrigens aus den Vogelbeeren einen hellen Schnaps (z.B. Jarcebiac), der es zu einer gewissen regionalen Bekanntheit gebracht hat.

Ein anderes Rezept zur Verwendung von Früchten der Eberesche, haben wir in der Zeitschrift »Die Frau von heute« gefunden.

EBERESCHEN-
MARMELADE

Wer aus Ebereschen Marmelade kochen will, muß die Beeren vorher entbittern. Ebereschen lassen sich niemals allein verwenden. Zum Entbitterungsprozeß ist ein Zusatz von Rübenstielen notwendig. Wir nehmen auf zwei Pfund Ebereschen ein Pfund Zuckerrüben — oder andere Rübenstiele, waschen beides gut, überbrühen das Ganze. Dann schichtet man die Beeren und die geschnittenen Rübenstiele in ein Glas oder Steingefäß, übergießt sie mit abgekochtem Wasser ohne jede Zutat. Das Gefäß wird verschlossen und bleibt vier Wochen stehen. Während dieser Zeit muß es häufig beobachtet und fehlende Lake stets durch abgekochtes Wasser ergänzt werden. Nach vier Wochen gießen wir das Blanchierwasser fort, geben die Masse durch den Fleischwolf, kochen sie mit 20 Prozent Zusatz von gesüßten Früchten (Apfelmus, Rhabarber oder Johannisbeeren) dick als Marmelade ein.

Schlehenmarmarmelade

Zutaten: 750 g Schlehen, eine Tasse Wasser, 30 g Zucker.

Für die Marmelade sammelt man die blauschwarzen Früchte erst nach einem Frost, da durch das Frieren der saure Geschmack verloren geht.

Schlehen waschen und mit wenig Wasser weich kochen. Durch ein Sieb passieren.

Das Mus wird mit dem Zucker so lange gekocht, bis die Marmelade zu gelieren beginnt. Noch heiß in Gläser füllen und die Gläser verschließen.

Hagebuttenmarmelade

Zutaten: ein Kilo Hagebutten, eine Tasse Wasser, 250 g Zucker, eine Tasse Apfelsaft.

Rote, reife Hagebutten werden vom Blütenblatt befreit, halbiert, entkernt und gewaschen. Mit einer Tasse Wasser weich kochen. Durch ein Haarsieb streichen. Den Zucker bringt man mit dem Apfelsaft zum Kochen und rührt das Hagebuttenmus hinein. So lange kochen lassen, bis die Marmelade beginnt, fest zu werden. In Gläser füllen. Zubinden.

Das Sammeln von Vogelbeeren oder Berberitzen konnte, besonders für Kinder, zu einem in gewissem Umfange lukrativen Nebenerwerb werden. Dort, wo es erlaubt war. Denn es gab Landstriche in Deutschland, da hatten die alliierten Militärbehörden sogar »*das unbefugte Ausrupfen von Gras an Wegrändern und Bahndämmen*« unter Strafe gestellt.

Kinder waren es, die selbst gesammelte Wildfrüchte auf den Märkten der Ruhrgebietsstädte zum Verkauf anboten. Zu recht unterschiedlichen Preisen. Erst in der Anordnung PR Nr.33/47 des Verwaltungsamtes für Wirtschaft wurden so genannte »Sammelhöchstpreise« festgesetzt.

Für ein Kilo frischer Berberitzenbeeren wurden 30 Pfennige gezahlt, für Vogelbeeren 18 Pfennige, für Schlehen 40 Pfennige, für getrocknete Hagebutten ohne Samen 3 Mark fünfzig. Und das war 1947 eine Menge Geld, da der Schichtlohn eines Arbeiters zwischen fünf und sechs Mark lag.

1945 war man in einer schwierigen Lage, auch was die Getränke anging. Mineralwasser, Bier, Obstsaft und andere Kaltgetränke gab es gar nicht oder nicht in ausreichender Menge zu kaufen. So diente das Sammeln von Wildkräutern und Blättern vor allem auch der Herstellung von Aufgussmitteln für Tees und von Kaffee-Ersatz-Mitteln.

Die in Deutschland erwirtschafteten Devisen konnten nicht zur Einfuhr ausländischer Genussmittel wie Kaffee oder Tee benutzt werden, mit dem Geld mussten dringend benötigtes Brotgetreide, Fette und Öle importiert werden.

Also wurde aus der Nazizeit die Propagierung »deutschen« Tees übernommen. Blätter der Brombeere, Erdbeere, Himbeere, der schwarzen Johannisbeere, der Haselnuss oder der Winterlinde sollten miteinander gemischt werden. Genauso waren (und sind natürlich) Hagebutten oder Blätter der Pfefferminze als Aufgussmittel gefragt. Der »Verlag Naturkundliche Korrespondenz« in Berlin empfahl in seiner »Ernährungshilfe«:

»Wir erhalten bessere und schmackhaftere Aufgüsse, wenn wir die Blätter einer Fermentation unterziehen... Die entstielten frischen Blätter schütten wir auf Haufen und lassen sie ungefähr zwölf Stunden welken. Dann schichten wir sie aufeinander und wickeln sie fest in ein sauberes Leinentuch und lassen die eingeschlagenen Blätter etwa eine halbe Stunde über einem Topf mit kochendem Wasser dämpfen. Anschließend pressen wir das Bündel am besten zwischen Brettern, die durch Ziegelsteine beschwert werden, aus und belassen es über Nacht an einem warmen Ort... Dann breiten wir die Blätter aus und lassen sie kurz übertrocknen..., rollen sie dann wieder ein und wiederholen das Dämpfen und Pressen noch zweimal. Dann trocknen wir die Blätter endgültig rasch und vollkommen...«

In »Die Frau von heute« wurde ein *»vitaminreicher Tee aus Kiefernnadeln«* als *»Abwechslung im Küchenprogramm«* empfohlen. Dazu sollte man Kiefernspitzen abschneiden, waschen und die Nadeln abzupfen, zerschneiden und mit kochendem Wasser überbrühen. Und zwar etwa 30 Gramm Kiefernnadeln auf ein Liter kochendes Wasser.

Bevor man abgießt, sollte der Tee nur drei Minuten ziehen, da er sonst zu bitter wird.

Weitere Teemischungen und -aufgussmittel haben wir in »Tante Linas Kriegskochbuch« beschrieben.

Apropos Tee! Da war 1945 auf einem wunderschön gemalten Schild im Schaufenster einer bekannten Münchener Drogerie folgende Anpreisung zu lesen:

»Ich werde zu dick! Was tue ich nur? Weg mit dem Speck! Trinke täglich den guten bewährten Entfettungstee Marke Alpspitz. Er bekämpft unerwünschten Fettansatz, ist schmackhaft und bekömmlich und kostet pro Packung nur 1,25 RM...«

Ich weiß nicht, was sich der Herr Drogist bei seinem Angebot gedacht hat. Vielleicht glaubte er, mit seiner »Entfettungskur« das Problem überfüllter Waggons der Münchener Straßenbahn zu lösen. Und ich möchte bezweifeln, dass er viele Kunden gefunden hat, die seinem Alpspitztee Interesse entgegengebracht haben. Was die Menschen brauchten, war wohl eher eine Fettkur denn eine Entfettungskur.

Muss ich erwähnen, dass oben genannte Blattsorten auch geraucht werden konnten? Dass sich »*aus heimischen Kräutern ... recht gut ein bekömmlicher und wohl schmeckender Tabakersatz herstellen*« ließ? Empfohlene Mischungen:

Blätter von

- Ahorn, Brombeere, Eiche und Kirsche;
- Haselnuss, Huflattich, Kastanie;
- Königskerze, Linde, Platane, Sauerkirsche.

Die Kräuter und Wildgemüse, die gesammelt werden sollten, Spitzwegerich, Pfefferminze oder Hagebutten, waren nicht nur zur Herstellung von Tee oder Marmelade oder gar als Tabakersatz gedacht. Sie sollten auch helfen, den Küchenzettel zu erweitern, markenfrei sozusagen.

»Die meisten Wildgemüse lassen sich wie Spinat verwenden... Großblättrige Gemüse wie Huflattich und Breitwegerich können wie Kohl zubereitet werden, geben auch vorzügliche Gemüsewickel mit Fleisch-, Semmel-, Haferflockenfülle und dergleichen ab... Darüber hinaus lassen sich aus Wildgemüsen aber auch gehaltvolle und schmackhafte Gemüsesuppen herstellen, sei es nun allein aus einer einzigen Gemüseart oder aus einer Mischung verschiedener.«

So hieß es. Das folgende Rezept ist so eine Mischung von Wildgemüsen des zeitigen Frühjahrs, sie wurde »Grüne Suppe« oder, wenn man Taubnessel, Sauerampfer oder Brunnenkresse hinzunahm, auch »Neunstärke« genannt. Noch eine Anmerkung zu diesem und den folgenden Rezepten: Da Wildgemüse und Wildkräuter einen sehr ausgeprägten Eigengeschmack haben, muss man mit Zugaben von Salz, Pfeffer und Ähnlichem sehr vorsichtig sein.

Wildgemüsesuppe

<u>Zutaten:</u> zwei rohe Kartoffeln, ¾ l Gemüsebrühe, 250 g Wildgemüse (Brennesseln, Schafgarbe, Gartenmelde, Giersch oder Ziegenfuß, Vogelmiere, Löwenzahn, Gänseblumenblätter, Spitzwegerich – sind, einzeln oder miteinander vermischt, möglich), Salz, Pfeffer, etwas Fett.

Fett in einem Topf heiß werden lassen, die Hälfte des Wildgemüses fein wiegen und darin dünsten. Rohe Kartoffeln hinein reiben. Mit Flüssigkeit auffüllen. Etwa 20 Minuten lang auf kleiner Flamme kochen lassen. Salzen und pfeffern.

Zum Schluss die andere Hälfte des Wildgemüses nudelig schneiden und roh an die Suppe geben.

Wildgemüsespinat

<u>Zutaten:</u> 50 g Fett, eine Tasse Brühe, ein Esslöffel Mehl, 250 g Brennesseln, 250 g Löwenzahnblätter, Salz.

Aus Fett und Mehl mit Brühe eine helle Schwitze zubereiten, die mit Salz abgeschmeckt wird. In diese Mehlschwitze werden die gewaschenen und fein gewiegten Wildgemüseblätter gegeben. Man sollte sie nicht mehr kochen, sondern in der Schwitze nur noch fünf Minuten lang ziehen lassen.

Brennesselmus

<u>Zutaten:</u> zwei Pfund junge Brennesseln, eine Zwiebel, eine rohe Kartoffel, Salz, zwei Esslöffel Milch, Wasser.

Die Brennesseln waschen. Mit heißem Wasser überbrühen, so dass sie zusammenfallen.

Die Zwiebel klein schneiden und mit den Brennesseln durch den Fleischwolf drehen. Zusammen mit dem durchgelaufenen Saft erhitzen. Unter ständigem Rühren eine rohe geriebene Kartoffel hinzu fügen. Salzen. Milch einrühren. Etwa acht bis zehn Minuten kochen lassen.

Wer nicht ausreichend Wildkräuter sammeln konnte oder wem die Wildgemüse nicht schmeckten, der versuchte zwischen den Ruinen und Trümmern etwas Gartengemüse selbst anzubauen. Jedes Stückchen Land wurde genutzt. Und dieses Gemüse wurde natürlich auch restlos verwertet.

Gartenrestegemüse

Zutaten: Blätter von geschossenem Salat, Kohlrabiblätter, Zuckerrübenblätter, Melde, Ziegenfuß, Vogelmiere (und was sonst nach an »Abfällen« im Garten anfällt), eine Zwiebel, Salz, eine Kartoffel.

Die Gemüseblätter waschen. Tropfnass in einem Topf auf die Flamme setzen und zusammenfallen lassen. Durch den Fleischwolf drehen. Wieder erwärmen. Eine Zwiebel daran reiben. Salzen. Mit einer roh geriebenen Kartoffel andicken.

Nachtkerzengemüse

Zutaten: Wurzeln von Nachtkerzen, eine Tasse Milch, ein Esslöffel Mehl, Salz, 10 g Fett, ein Esslöffel Petersilie.

Genommen wird die Pfahlwurzel der zweijährigen Nachtkerze. Sie wird vor dem neuen Trieb ausgegraben.

Wurzeln waschen, dünn abschälen und zu Stiften schneiden. In Salzwasser gar kochen. Mehl in heißem Fett anbräunen, Milch einrühren und eine Soße bereiten, die mit Salz und fein gehackter Petersilie abgeschmeckt wird. Die Nachtkerzenwurzeln in die Soße geben und so servieren.

Aus Nachtkerzenwurzeln kann man auch Salat machen. Dazu schneidet man die geputzten Nachtkerzen in Scheiben und kocht sie in Wasser weich. Man gießt das Wasser ab und bereitet aus der Kochbrühe mit Öl, Salz und Gewürzen eine Marinade, mit der man die Nachtkerzen übergießt. Für die vorhergehenden und das folgende Rezept gelten, dass junge, zarte Triebe der Pflanzen am besten schmecken und verwendet werden sollten.

Deutscher Salat

Zutaten: von den Blüten der Kapuzinerkresse und des Borretsch eine Tasse, von den Blättern der Kapuzinerkresse und des Borretsch eine Tasse, ein Esslöffel Öl, eine Prise Salz, ein Esslöffel Essig, evtl. etwas Pfeffer.

Blätter und Blüten klein schneiden. Mit Essig und Öl mischen. Mit Pfeffer und Salz abschmecken. Mit diesem Salat kann man auch ausgehöhlte Tomaten füllen.

1946

Im Februar 1946 begannen die britischen Militärbehörden Lizenzen an »selbständige« Tageszeitungen und Zeitschriften auszugeben. Neue Zeitungen, die an die Stelle der bisher von den Alliierten selbst herausgegebenen treten sollten. Diese Zeitungen waren parteigebunden. Im Ruhrgebiet erschienen: die »Westfälische Rundschau« (SPD), die »Westfalenpost« (CDU), das »Westdeutsche Volks-Echo« (KPD) und der »Neue westfälische Kurier« (Zentrum). Und diese Zeitungen unterlagen natürlich einer alliierten Zensur. Die Auflagenhöhen wurden von den Militärbehörden festgesetzt: eine Möglichkeit, Einfluss auf die politischen Konstellationen in Deutschland zu nehmen.

»Zwölf Jahre mussten wir schweigen,
Jahre des Terrors, der Not,
Mussten uns ducken und beugen,
Wurden verfolgt und bedroht.
Sie wollten den Geist unterjochen,
Die Zeit ist nun vorbei!
Der Bann ist endlich gebrochen!
Das Wort ist wieder frei...«

Zeilen aus einem Gedicht von Lotte Temming mit dem Titel »Die Presse ist wieder frei!« aus dem Jahre 1946. Doch so »frei«, wie es die Autorin hoffte, war die Presse in den Besatzungszonen nicht.

»Rechtzeitig« vor den ersten Kommunalwahlen in der britischen Besatzungszone wurden die Auflagenziffern geändert: Ab 1. August 1946 erhielt die CDU-Presse 117.000 Exemplare mehr zugesprochen, der kommunistischen Presse wurden 220.000 Exemplare entzogen. Begründet wurden diese Kürzungen mit der tatsächlich herrschenden Papierknappheit.

Nach der Wahl wurden die Auflagenhöhen entsprechend den – den Parteien zugefallenen – Wählerstimmen neu festgesetzt.

Die ersten freien Wahlen (von Gemeindevertretungen) in Deutschland hatten bereits im Januar 1946 in der amerikanischen Besatzungszone statt gefunden. Im britischen Besatzungsgebiet wurde am 15. September bzw. am 13. Oktober 1946 auf kommunaler

Ebene gewählt. Die Parteien warben um Wählerstimmen mit einfachen Formeln: »*Gegen Chaos und Not! Für Arbeit und Brot!*« (KPD) oder »*Gegen Klassenkampf und rote Diktatur!*« (CDU).

Wahlberechtigt war jeder Erwachsene, der das 21. Lebensjahr erreicht hatte; wer einer nationalsozialistischen Organisation angehört hatte, durfte nicht zur Wahl gehen.

Bereits im Frühjahr 1946 war es zu einer Wende in der britischen Deutschlandpolitik gekommen. Der Historiker Rolf Steininger:

»*Moskau, so lautete die Interpretation, wolle vom Nachkriegschaos in Europa und der Welt nur profitieren... Mehr und mehr setzte sich die Überzeugung durch, dass es nunmehr Ziel sowjetischer Deutschlandpolitik war, mit Hilfe der ihnen ergebenen deutschen Kommunisten die Kontrolle über ganz Deutschland zu erringen mit einer kommunistischen Zentralregierung in Berlin als Ausgangspunkt.*«

Dem galt es, Einhalt zu gebieten. Der britische Außenministers Bevin zog bei seinen Überlegungen eine Teilung Deutschlands, die Bildung eines westdeutschen Staates, mit ins Kalkül. Mögliche Folgen:

»*Wir müssten unsere Zone (oder Westdeutschland) politisch und wirtschaftlich gegenüber dem Osten abschotten. Wir müssten z.B. eine eigene Währung und mit ziemlicher Sicherheit*

eine andere Nationalität einführen. Dies alles – was im Endeffekt dazu führen würde, Westdeutschland in einen gegen die Sowjetunion gerichteten Westblock zu integrieren – würde den endgültigen Bruch mit den Russen bedeuten...«

Man beschloss:

»*Keine Aufgabe des Potsdamer Abkommens, aber durch die Bildung starker Länder größtmögliche Schwächung einer zukünftigen, kommunistisch beherrschten Zentralregierung...*«

Mit diesen Leitlinien britischer Politik ging Bevin am 25. April 1946 in eine Konferenz der Außenminister der USA, der UdSSR, Frankreichs und Großbritanniens.

Im Mittelpunkt der Verhandlungen stand die »Ruhrfrage«, die Zukunft des Ruhrgebietes, des größten zusammenhängenden Industriegebietes in Mitteleuropa. Bereits in Potsdam hatte die Sowjetunion eine Viermächte-Kontrolle für das Ruhrgebiet verlangt. Und nach den Vorstellungen Frankreichs sollte ein »Ruhrterritorium« geschaffen werden: ein »internationalisiertes« Gebiet, dessen Bewohner die deutsche Staatsangehörigkeit verlieren sollten. Bevin war ein entschiedener Gegner solcher Pläne, die in dieser Zeit immer wieder diskutiert wurden:

»In dem kleinen Gebiet werden ausschließlich Arbeiter wohnen, die in ihrer Mehrheit zweifelsohne entweder schon Kommunisten sind oder aber werden... In einem großen Land werden die Kommunisten gegenüber den Demokraten in der Minderheit sein, und es wird kein vollkommen von der kommunistischen Partei beherrschtes politisches Gebilde geben...«

Als die Außenminister sich Mitte Juni 1946 in Paris zu einer zweiten Verhandlungsrunde trafen, wurde in Konsequenz dieser Überlegungen die Bildung eines neuen Landes innerhalb der britischen Zone bekannt gegeben, welches das Ruhrgebiet einschloss: Nordrhein-Westfalen entstand. Der sowjetische Außenminister Molotow durchschaute die britischen Pläne, reagierte aber durchaus moderat. Aus seiner Rede vom 10. Juli 1946 in Paris:

»Zur Zeit ist es modern, über eine Zergliederung Deutschlands in einzelne ›autonome‹ Staaten zu sprechen. Alle ähnlichen Vorschläge entspringen derselben Einstellung einer Vernichtung und Agrarisierung Deutschlands, denn es ist nicht schwer zu verstehen, dass Deutschland ohne das Ruhrgebiet nicht als selbständiger und lebensfähiger Staat bestehen kann... Allerdings, wenn das deutsche Volk bei einer allgemeinen deutschen Volksabstimmung sich dafür ausspricht, Deutschland in einen föderativen Staat zu verwandeln..., so können selbstverständlich von unserer Seite aus keinerlei Widersprüche dagegen erhoben werden...«

Die Konferenz scheiterte. Zu gegensätzlich waren die Vorstellungen der Alliierten darüber, was mit Deutschland geschehen sollte. Bevin hatte das offenbar erwartet und erklärte, wenn es keine Einigung geben könne, müsse seine Regierung unabhängig von den anderen Zonen die britische Besatzungszone »*neu organisieren*« und »*Waren auf Dollarbasis*« aus dem britischen Teil Deutschlands exportieren, um damit Nahrungsmittel für die Deutschen im Ausland zu kaufen. US-Außenminister Byrnes verstand den »Wink mit dem Zaunpfahl« und forderte seinerseits alle Zonen zu einem wirtschaftlichen Zusammenschluss auf, um »*die katastrophale Wirtschaftslage in Deutschland zu verbessern*«. Ein Angebot – darin sind sich die Historiker heute einig – das in Wirklichkeit nur an Großbritannien gerichtet war.

Der Coup gelang. Die UdSSR und Frankreich gingen auf den Vorschlag nicht ein. Byrnes und Bevin vereinbarten den wirtschaftlichen Zusammenschluss der britischen und der amerikanischen Besatzungszone, die so genannte »Bizone« sollte gebildet werden.

Dieser Plan fand bei manchen deutschen Politikern durchaus Unterstützung. Konrad Adenauer, seit Februar 1946 Vorsitzender der CDU in der britischen Zone, war bereits 1919 als Kölner Oberbürgermeister mit Plänen zur Bildung einer »Westdeutschen Republik« an die Öffentlichkeit getreten und wurde im November 1946 in der »Welt«, wie folgt, zitiert:

»*Ich glaube, dass die deutsche Hauptstadt eher im Südwesten liegen soll als im weit östlich gelegenen.*«

Auch Kurt Schumacher, seit Mai 1946 Vorsitzender der SPD in den drei Westzonen und entschiedener Gegner der Sozialistischen Einheitspartei, die sich als Zusammenschluss von SPD und KPD in der sowjetisch besetzten Zone im April 1946 konstituiert hatte, ging in seiner übersteigerten antikommunistischen und antisowietischen Haltung den Weg zur deutschen Teilung nur allzu bereitwillig mit.

Ein Ziel sowjetischer Politik war die deutsche Teilung damals nicht. Und auch die USA hielten lange an der Einheit Deutschlands fest. Eigentliche Vordenker dieser Politik und der Einbindung eines westdeutschen Staates in ein »*westliches Bündnis*« waren britische Politiker.

Zur Durchsetzung seiner Pläne schien Bevin Eile geboten. Schon zum 1. Januar 1947 sollte der von ihm und Byrnes unterzeichnete Vertrag zur Bildung einer Bizone in Kraft treten. Und wieder war es seine Kommunisten-Phobie, die ihn umtrieb:

»Berücksichtigt werden müssen die ... Lebensbedingungen (in Deutschland), die eine ausgezeichnete Ausgangsbasis für die Aktivitäten der Kommunisten sind. Kurz- und langfristig ist die Situation für sie günstig. Denn für das nächste Jahr sind nur Hunger, Kälte und Wohnungsnot zu erwarten, wie groß auch immer unsere Anstrengungen sind... Unter solchen Bedingungen wird der Kommunismus attraktiv...«

Doch die Deutschen waren jeglichem politischem Taktieren, jeder politischen Propaganda gegenüber, gleich welcher Couleur, eher verschlossen. Nur wenige bemerkten, was die Westmächte vorhatten, und leisteten dem Widerstand.

Die Alltagssorgen beherrschten das Denken der Menschen. Als Folge der schlechten Ernährung breiteten sich Typhus und Tuberkulose aus. Im Dezember 1946 wurden etwa 400.000 Tuberkulosekranke in der britischen Zone gezählt. Gegen Typhus wurden Zwangsschutzimpfungen angeordnet. Die große Seifenknappheit führte zu einer Verbreitung der Krätze. Statt aber die Seifenration zu erhöhen oder überhaupt Seife und nicht irgend-

Ein neues Krätze-Mittel

Die Krätze-Erkrankungen haben erheblich zugenommen. Die bisherigen Behandlungsmittel befriedigten nicht immer. Ein neues, ausgezeichnet wirkendes Mittel, das gefahrlos, schmerzlos, reizlos und in England vielfach, in Deutschland seit kurzem erprobt ist, verbürgt schon nach ein- bis zweimaliger Einreibung sicheren Erfolg. In bestimmten Krankenhäusern und an sonstigen Stellen hat das Gesundheitsamt Behandlungsstellen eingerichtet, in denen dieses neue Mittel, das im freien Handel nicht zu bekommen ist, angewandt wird. Jeder, der an juckendem Hautausschlag oder an Jucken leidet, wendet sich sofort mit seiner ganzen Familie — die fast immer mit erkrankt ist — an seinen Hausarzt. Dort erfährt er Näheres.

Hautbehandlungsstellen

sind eingerichtet im Marienhospital Gelsenkirchen, Altersheim Gelsenkirchen-Rotthausen, Marienhospital Gelsenk.-Buer, St.-Hedwigs-Krankenhaus Gels.-Resse. Behandlungszeit für Männer ist Dienstag, Donnerstag, Samstag, jeweils 8 bis 10 Uhr und 14 bis 16 Uhr; für Frauen: Montag, Mittwoch, Freitag, jeweils 8 bis 10 Uhr und 14 bis 16 Uhr.

Die Behandlung ist kostenfrei.

welche Ersatzprodukte wie Schwimmseife zu liefern, wurden Krätzemittel verteilt. Von denen jedoch landete ein Großteil zu »Schnaps« destilliert auf dem Schwarzen Markt.

Großen Raum in den Zeitungen nahmen Berichte ein, die kleine Erleichterungen im Alltagsleben der Menschen verkündeten.

Im Mai 1946 schwiegen die Sirenen, die den Curfew-Alarm, die Ausgangssperre, angekündigt hatten, und im Oktober wurde die Ausgangsbeschränkung in der britischen Zone endgültig aufgehoben.

Deutsche Gerichte mit deutschen Richtern (darunter freilich auch Nazis) nahmen ihre Tätigkeit wieder auf.

Eine Schuhbesohlkarte sollte in Zukunft die Ausbesserung und Neubesohlung von Schuhen steuern und die unerträgliche Materialmangel-Situation, die übrigens in fast allen Handwerksbetrieben herrschte, in diesem Bereich beheben helfen. Es gab eine wahre Inflation solcher Bezugsmarken, Waren freilich konnte man auf die Berechtigungsscheine nur selten erhalten. Und viele, die angesichts der Warenknappheit leer ausgingen, witterten dahinter (meist nicht ganz zu Unrecht) Schiebungen und Vetternwirtschaft.

Um die Zwangsbewirtschaftung »*besser regeln zu können und Pannen zukünftig zu vermeiden*«, brauchte man angeblich Zahlen. Eine Volkszählung, die am 29. Oktober 1946 durchgeführt wurde und bei der von jeder zu zählenden Person 24 Fragen beantwortet werden mussten, sollte diese Zahlen liefern.

Um den Mangel in anderen Bereichen zu beseitigen, wurde gesammelt: Altpapier, leere Zement- und Kalksäcke, Schuhcremedosen und Flaschen. Die Städte wurden wieder hell und erhielten ihre Straßenbeleuchtung zurück.

Um die Nahrungsmittelnot zu lindern, wurden vielerorts, wie schon zu Kriegszeiten, Park- und Gartenanlagen als Anbauflächen für Gemüse genutzt.

Es gab natürlich auch die weniger erfreulichen Meldungen: Berichte über Vergehen, Verbrechen, Prozesse und Urteile gegen Straftäter. Und die Berichte darüber häuften sich. Ursache dieser immer mehr um sich greifenden Kriminalität war vor allem die Lebensmittelknappheit. Lebensmittelmarken wurden gestoh-

Kernseife gegen Knochen

Immer noch gehen wichtige Rohstoffe verloren, weil die im Schlachtvieh enthaltenen Knochen nicht restlos erfaßt werden, Es wird daher nochmals auf die Sammlung und Ablieferung aller Knochen zur industriellen Verwertung hingewiesen. Insbesondere werden die Fleischereien, Gaststätten, Gemeinschaftsküchen und Hausfrauen aufgefordert, die Knochen zu sammeln und an die unten aufgeführten Rohstoffhändler abzuliefern, bei denen bei Abgabe von 5 kg Knochen 1 Stück Kernseife als Seifenprämie in Empfang genommen werden kann. Rohstoffhändler sind: Becker, am Güterbahnhof Gelsenkirchen Hauptbhf.; Bilk, Cranger Str. 162; Fonnel, Schonnebecker Str. 52; Gerwiner, Bleckstr. 38; Grätsch, Baldurstr. 4; Heidelbach, Ueckendorfer Str. 95; Mandel, Horster Straße 42; Korian, Fischerstr. 88; Nalenz, Seydlitzstr. 36; Roßmanneck, Bruktererstraße 18.

Gelsenkirchen, den 27. September 1946.

Der Oberstadtdirektor.

len, gefälscht, unterschlagen und verschoben. Mit gestohlenen Zigaretten wurde schwunghafter Handel getrieben und bestochen. Es wurde schwarz geschlachtet. Es wurden riesige Lager mit gehorteten Lebensmitteln entdeckt, Lebensmittel, die zum Teil auf Grund der unzulänglichen »Lagerhaltung« verschimmelt und verfault waren. Lebensmittel wurden auch »gefälscht« zum Verkauf gebracht: Milch wurde gepanscht, Wurst mit Mehl- und Wasserzusätzen »gewichtet«, das wenige vorhandene Mehl mit Gips gestreckt. Park-und Friedhofsanlagen wurden geplündert.

Die Urteile, die gesprochen wurden, waren hart und reichten bis zur Todesstrafe wie im Falle der berüchtigten Schievenfeldbande aus Gelsenkirchen-Erle.

Wie bedrohlich die Ernährungslage bereits Anfang des Jahres 1946 war, zu welchen Verhalten die hungernden Menschen fähig waren, mag ein Beispiel belegen: Als im März auf der Gelsenkirchener Ahstraße ein Pferd verunglückte und getötet werden musste, wurde es von den Menschen am Unfallort gleich geschlachtet.

Pferdefleisch – das war 1946 nichts Ungewöhnliches. Um die Rationen in der Fleischversorgung zu halten, wurde in Düsseldorf, Köln, Aachen, aber auch im Ruhrgebiet bis zu 80 Prozent der Zuteilungsmenge als Pferdefleisch ausgegeben.

Bereits im Februar wurden die Lebensmittelrationen in der britischen Zone gekürzt und auf täglich rund 1.000 Kalorien festgesetzt. Weitere Kürzungen wurden im Juni und Juli notwendig. Betroffen davon waren die Zuteilungen von Zucker, Fisch und vor allem von Fett. Davon sollte es nur noch halb so viel geben wie Anfang des Jahres: 50 Gramm pro Kopf in der Woche.

Der Leiter des Wirtschaftsausschusses der britischen Kontrollkommission, Sir Cecil Weir, erklärte dazu:

»Fette haben ihren Nutzen darin, dass sie unerfreuliche Speisen schmackhaft machen, aber die ernährungsmäßige Notwendigkeit für Fette wird sehr übertrieben...«

Obwohl Millionen Tonnen Lebensmittel aus Holland und anderen europäischen Ländern, aber auch aus Übersee in die britische Zone eingeführt wurden, obwohl selbst die sowjetische und die US-Zone Lebensmittel ins Ruhrgebiet lieferten, obwohl immer wieder versprochen wurde, die Lebensmittelzuteilungen zu erhöhen, standen im Herbst 1946 neue Kürzungen ins Haus: Das Brot wurde knapp. Die Menschen hungerten. Und aus *»dem Gefühl der Solidarität mit ihren leidenden Volksgenossen«* hungerte die CDU-Politikerin Maria Sevenich mit. 30 Tage lang eiferte sie ihrem indischen Vorbild Gandhi nach und nahm (angeblich) nur Wasser und ungesüßten Pfefferminztee zu sich. Ihr Hungerstreik löste allenthalben zynische Kommentare aus, genauso wie den Ratschlag eines Arztes im Nordwestdeutschen Rundfunk, wonach *»besseres Kauen einen monatlichen Gewinn von 3.000 Kalorien«* bringen sollte.

Schuld an der Misere gab man neben den Alliierten vor allem dem Reichsnährstand und dem Leiter des Zentralamtes für Ernährung und Landwirtschaft, Hans Schlange-Schöningen, ehemals Minister im Kabinett Brüning. Ihm wurden seine ständigen Versprechungen vorgehalten, nach denen sich die Ernährungslage bessern sollte, falsche Prognosen, unwahre Angaben und Unfähigkeit. Sein Rücktritt wurde gefordert. Hubert Schmitz in seinem Buch »Die Bewirtschaftung der Nahrungsmittel und Verbrauchsgüter 1939 bis 1950«:

»Die mangelnde Autorität der Behörden setzte sich gegenüber ablieferungsunwilligen Bauern, eigensüchtigen Verteilern und hungernden Verbrauchern nicht mehr durch.«

Immer wieder gab es im Laufe des Jahres Meldungen wie diese: »241 Schweine auf dem Transport erstickt«, »Zurückgehaltene Nahrungsmittel werden entdeckt«, »Kartoffeln trotz Frostwarnung ungeschützt auf Transport geschickt« oder »Getreide verdarb auf dem Feld / Großgrundbesitzer sabotieren unsere Ernährung / Felder nicht abgeerntet«. Schuld gab man auch den Bauern.

Das Verhalten der Bauern kannten viele aus eigenem Erleben von ihren Hamsterfahrten. Um einige Pfund Kartoffeln zu bekommen, fuhr man oft tagelang in ungeheizten, überfüllten Zügen, auf Trittbrettern und Wagendächern. Bei den Bauern wurde dann

versucht, die Lebensmittel für Wertgegenstände aller Art einzutauschen, vom Schmuckstück bis hin zur Tischwäsche. Auch Arbeiter waren unter den Hamsterern, Arbeiter, die Fehlschichten in ihren Betrieben dafür in Kauf nahmen, um Nahrungsmittel für sich und ihre Familien zu besorgen. Der Hunger ließ ihnen keine Wahl. Die Nahrungsmittel, welche die Bauern den Hamsterern verhökerten, fehlten bei der Zuteilung landwirtschaftlicher Produkte an die Städte. Die Fehlschichten minderten Kohleförderung und industrielle Produktion. Es wurde weniger exportiert als möglich. Und mithin fehlten auch die zum Lebensmittelimport dringend benötigte Devisen.

Diese »Abzweigung« von Nahrungsmitteln, ihr Verkauf an Hamsterer und Schwarzmarkthändler, war möglich trotz »*strengster Ablieferungspflicht*« der Bauern und deren Kontrolle, war möglich, obwohl »*schlecht wirtschaftenden*« Bauern die Zwangsverpachtung ihrer Höfe angedroht wurde.

Zugegeben, die Ernte 1946 war nicht sonderlich gut. Ihr Ergebnis wurde trotzdem herunter gelogen, und folglich wurde das Ablieferungssoll der Bauern zu niedrig angesetzt.

„Dieser Getreideberg stellt meine beste Kapitalsanlage dar; ich fürchte nur, daß die Hungersterblichkeit später die Nachfrage verringert und keine hohen Preise zu erzielen sind.“

Wen wundert da, dass der Ruf nach einer Bodenreform immer lauter wurde, dass man Großgrundbesitzer enteignen wollte.

Im Juni 1946 richteten deutsche Politiker (Adenauer, Schumacher, Reimann u.a.) und Bischöfe (Frings und Marahrens) einen Aufruf an die Bauern:

»Der Hunger klopft an unsere Türen. Ihr wisst, wie groß die Not in der Stadt ist... Wir können diese furchtbare Notlage, die zu den schwersten Erschütterungen führen kann, nur dann überwinden, wenn Ihr mehr als Eure Pflicht tut... Deswegen wird Mitte dieses Monats eine Sammelwoche stattfinden, in der jeder anständige Bauer das abgibt, was er noch irgendwie von den Vorräten seines eigenen Haushalts entbehren kann...«

Das Ergebnis dieser Lebensmittelsammelwoche in den Dörfern der britischen Zone war erstaunlich. Zusammen kamen: 6.630 Doppelzentner Getreide, 10.500 Doppelzentner Kartoffeln, 89.200 Kilo Fett und Butter, 52.600 Kilo Obst und Gemüse, 563.400 Stück Eier und anderes.

Die Sammlung ermöglichte eine vorübergehende Linderung der Not. Im November dann brachten die Bauern Kohlköpfe oder, wie Kohl bei uns heißt, »Kappes« ins Ruhrgebiet. Natürlich reichte der Kohl nicht, um ihn einzusäuern, und wer mag in einer Notsituation schon Vorratshaltung betreiben. Er wurde gleich gegessen. Kohldüfte zogen durch Gelsenkirchens Straßen. Auch Tante Lina kochte Kohl, und wir wollen Ihnen zwei ihrer Rezepte zur Zubereitung anno 1946 verraten.

Kohl (deutsch)

Zutaten: 500 g Kohl, 10 g Fett, ein Teelöffel Kümmel, Salz, eine Tasse Wasser.

Fett in einem Topf erhitzen. Den klein geschnittenen Kohl in das heiße Fett geben. Mit Kümmel bestreuen und salzen. Wasser darüber gießen. Mit geschlossenem Deckel den Kohl weich schmoren.

Gefüllter Kohl

Zutaten: Ein mittelgroßer Weißkohl.
Füllung: 200 g Hackfleisch, eine klein gehackte Zwiebel, Salz, Pfeffer, ein Teelöffel Senf.

Hackfleisch mit Zwiebel und Gewürzen gut vermischen und kräftig abschmecken. Durchziehen lassen. Die Kohlblätter lösen und in Salzwasser fast weich kochen. Dicke Kohlrippen entfernen. Auf einem sauberen Leinentuch drei bis vier Lagen Kohlblätter wie eine Rosette ausbreiten. Mit Hackfleisch bestreichen. Mit Kohlblättern bedecken usw. Zum Schluss den Kohl in dem Leinentuch so zusammen drehen, dass eine runde Kugel zustande kommt. Zubinden. Das Ganze in sprudelndem Salzwasser 30 Minuten kochen lassen. Das Leinentuch entfernen. Den gefüllten Kohl auf einer Platte anrichten und mit Kümmelsoße übergießen.

Der Winter 1946/47 wurde der schlimmste seit langem. Schon Mitte Dezember gab es Eis und Schnee. Bei den Minustemperaturen blieben die Kohlentransporte stecken. Viele Wohungen waren immer noch nicht winterfest. Viele Menschen hatten ihre warmen Kleider längst gegen Lebensmittel eingetauscht. Und so wurde der Mangel an Hausbrandkohlen zur Katastrophe. Familien gingen geschlossen auf Kohlenklau, Zechenzüge wurden geplündert. Man wollte überleben.

Josef Kardinal Frings, der Erzbischof von Köln, machte das siebte Gebot zum Thema seiner Silvesterpredigt 1946 und erklärte, dass solcher Diebstahl keine Sünde sei, wenn er dem eigenen Überleben und dem der Familienangehörigen diene. Seitdem gibt es für »stehlen« ein neues Wort in der deutschen Sprache, nämlich »fringsen«.

In dieser Zeit eröffneten Kay und Lore Lorentz in Düsseldorf ihr politisches Kabarett »kom(m)ödchen«. Und es gelang ihnen in ihren Programmen immer wieder, das Leid und die Resignation der Nachkriegsdeutschen einzufangen, wie in dem Lied vom Schlangensteher »Noch kein Ende abzusehen«:

»Wir stehen hier seit viertel vor sieben,
Nun ist es bald zehn, und es gibt noch kein Brot.
Uns hat der Hunger herausgetrieben,
Wir wären gern noch liegen geblieben...
Ich wollte manchmal, ich wäre tot!
Jeden Tag dasselbe Leben,
Jeden Tag dieselbe Qual...
Jeden Tag: Wird es was geben?
Jeden Tag – und noch einmal.«

Worum standen die Leute an in jenen Tagen? Um nichts Besonderes. Essbar musste es halt sein. Und sie waren nicht wählerisch, die Menschen. Um ein wenig Brot, ein paar Steckrüben...

Die Ernährungslage

Sind Ihnen folgende Tatsachen bekannt

Während der letzten sechs Monate wurden mehr als 50% des Brot- und Mehlverbrauchs der britischen Zone durch Einfuhr in die Zone gedeckt.

500,000 Tonnen Nahrungsmittel wurden während dieser sechs Monate in die britische Zone importiert.

Keine Nahrungsmittel wurden aus der Zone exportiert und fast der gesamte Nahrungsmittelbedarf der britischen Besatzungstruppen wurde durch Einfuhr gedeckt.

Während derselben Zeitspanne wurde die Lebensmittelzuteilung in England gekürzt.

Der Krieg hat eine Nahrungsmittelknappheit in der ganzen Welt verursacht und andere Länder, besonders Indien, stehen vor der Hungersnot.

93% der Nahrungsmittel für die verschleppten Personen in Deutschland werden jetzt eingeführt, obwohl die deutsche Bevölkerung die Verantwortung für die Ernährung dieser schwerbetroffenen Menschen trägt.

Der deutsche Beitrag für die Ernährung dieser Menschen beträgt demnach nur 7% und besteht nur aus frischem Gemüse.

Steckrübenrezepte

Der Kriegswinter 1917 ist als Steckrübenwinter in die Geschichte eingegangen. Dass die Menschen Steckrüben essen mussten, gilt auch heute noch als Zeichen schlimmster Hungersnot.

Nach dem Ersten Weltkrieg 1918, aber auch nach dem Zweiten Weltkrieg war die Situation ähnlich.

Bereits im November 1945 gab es auf die Abschnitte der Gemüsekarte Steckrübenzuteilungen. Diese Praxis wurde im Jahr 1946 fortgesetzt. Ein Zentner Steckrüben kostete im Frühjahr acht Mark, war also ein vergleichsweise preiswertes Gemüse. Trotzdem – be-

Steckrüben und Frischgemüse

Auf die neuen Bezugsausweise für Obst und Gemüse (88. bis 90. Zuteilungsperiode) wird abgegeben:
auf Abschnitt 610/88 Ia 1 kg Steckrüben,
auf Abschnitt 610/88 Ib 1/2 kg Frischgemüse.

Die Einzelhändler dürfen nur die im Bereich des EA. Gelsenkirchen gültigen roten Bezugsausweise für Obst und Gemüse annehmen. Verbraucher, die über auswärtige Bezugsausweise verfügen, aber aus bestimmten Gründen Anspruch auf Belieferung haben, erhalten von der zuständigen Kartenstelle auf diese Abschnitte einen Reisekartenstempel.

Gelsenkirchen, den 29. April 1946.

Der Oberbürgermeister.

aus: »Bekanntmachungen der Stadt Gelsenkirchen« vom 4. Mai 1946

sonderer Beliebtheit erfreuten sich die Kohl- oder Steckrüben, auch Wruken genannt, nicht.

Rüben werden im Allgemeinen nicht gegessen, sondern werden von den Bauern als Viehfutter angebaut. Und was eine Kuh oder ein Schaf frisst, daraus mag sich der Mensch kein Essen kochen.

Solche Vorurteile galt es, in Notzeiten abzubauen. Es musste versucht werden, den Menschen im Nachkriegsdeutschland die Steckrübe im wahrsten Sinne des Wortes schmackhaft zu machen.

1947 erschienen, lizensiert von der Militärregierung, spezielle Steckrüben-Kochbücher. Karl-Heinz Lorenzen veröffentlichte »63 Kochanweisungen für Gaststätte und Hausfrau« unter dem Titel »Steckrüben einmal anders«. In seinem Vorwort schreibt er:

»Durch die zeitbedingten Verhältnisse hat unser Küchenzettel eine gewisse Einseitigkeit in der Herstellung der Speisen erfahren. Diesem abzuhelfen und neue Wege anzudeuten, soll die Aufgabe dieser Broschüre sein... Zugeschnitten ist diese Broschüre auf den Teil der Bevölkerung, der heute ganz allein auf seine Lebensmittelkarten angewiesen ist, und kann schon aus diesem Grunde nicht als Kochbuch im üblichen Sinne angesehen werden...«

Der Landwirtschaftsrat R. Ohl stellt in seinem »zeitgemäßen« Kochbuch »Edelgemüse und Marmelade aus Zucker- und Futterrüben« die Vorteile der Steckrübe heraus. Fakten wie diese, wissenschaftlich fundiert:

- Rüben gedeihen auf fast jedem Boden.
- Rüben bringen Erträge wie kein anderes Gemüse.
- Der Nährwert der Rübe ist höher als der der meisten Gemüse ähnlicher Art.

Und er rechnet vor: 100 g Rüben enthalten 1 g Eiweiß, 0,04 g Fett, 11 g Stärke-Zucker. Das bedeutet immerhin, dass 100 g Rüben 49 »Wärmeeinheiten« in sich tragen. Und das Rechnen mit Kalorien hatten die Leute in jenen Tagen lernen müssen. Aber die Vorurteile blieben.

»Das sind Futtermittel, die ich nie essen werde«, schrieb eine Frau in einem Leserbrief an die »Neue Westfälische Zeitung« im März 1946. Und beklagte den *»unangenehmen Geschmack«* und den Geruch, der von den Steckrüben ausgeht, wenn sie gekocht werden.

»Es rübelt«, pflegte Tante Lina zu sagen und dabei die Nase hoch in die Luft zu recken. Da wusste jeder, irgendwo in der Straße gab es Steckrüben zum Mittagessen.

Der Diplomlandwirt Ohl wusste aber auch auf solche Vorwürfe eine Antwort:

»Ja, schmeckt denn vielleicht eine rohe Kartoffel angenehm? Wer will auf die Dauer Weizen im Ur-Zustand essen? Müssen nicht die meisten Dinge erst zubereitet werden, um genussfähig zu werden...?«

Und setzte den weit verbreiteten Vorurteilen seine Rezepturen entgegen. Die Leute sollten erst einmal probieren.

Gefüllte Steckrübenschiffchen

<u>Zutaten:</u> eine Steckrübe von etwa drei bis vier Pfund.
Füllung 1: zwei klein gehackte Zwiebeln, ein Esslöffel Haferflocken, 10 g Fett, ¼ l Brühe, Salz, ein Esslöffel gehackte Petersilie, ein Esslöffel geriebener Käse.

Die Steckrübe wird geschält, gewaschen und der Länge nach in vier Teile geschnitten. In Salzwasser gar kochen. Die vier Rübenteile aus dem Wasser nehmen und mit einem Löffel aushöhlen.

Für die Füllung die Zwiebeln und die Haferflocken in Fett anrösten, mit der Brühe ablöschen und weich kochen lassen. Mit Salz und Petersilie abschmecken. In die Rübenschiffchen füllen. Mit dem geriebenen Käse bestreuen. Und im 175 Grad heißen Ofen etwa 20 Minuten überbacken.

<u>Zutaten:</u> Füllung 2: zwei Tassen gekochte Erbsen, Salz, ein Teelöffel Thymian, eine Stange Lauch, 10 g Fett, eine Tasse Milch, 20 g Hefe, ein Esslöffel Semmelbrösel.

Die gekochten Erbsen durch ein Sieb streichen. Mit Salz und Thymian würzen. Dünn geschnittene Lauchringe untermischen, die man kurz in der heißen Pfanne gewendet hat.

Die vier Rübenschiffchen mit dem Erbsenbrei füllen und in eine Auflaufform setzen. Die Hefe mit Milch verrühren und über die Schiffchen gießen. Mit Semmelbröseln bestreuen.

Wie bei dem vorigen Rezept bei 175 Grad etwa 20 Minuten überbacken.

Steckrübenklößchen

Zutaten: 500 g Steckrüben, Salz, eine Tasse Haferflocken (oder Mehl), etwas Fett, ein Ei.

Rüben schälen, putzen und waschen und in wenig Salzwasser gar kochen. Zerkleinern und durch einen Fleischwolf drehen. Haferflocken in etwas Fett hellbraun anrösten. Zu dem Rübenbrei geben. Salzen. Ein Ei einrühren. Eine halbe Stunde zur Seite stellen. Klöße formen und in heißem Wasser gar ziehen lassen.

Steckrübenauflauf

Zutaten: 500 g Steckrüben, 500 g Kartoffeln, 10 g Hefe, ein Teelöffel Mehl, eine Tasse Milch, Salz, Petersilie.

Steckrüben und Kartoffeln schälen, waschen und in kleine, dünne Scheiben schneiden. Getrennt voneinander in Salzwasser gar kochen. Abtropfen lassen.

Eine Auflaufform mit etwas Öl ausstreichen. Dann mit einer Lage Kartoffeln den Boden bedecken, die Kartoffeln mit Petersilie bestreuen, eine Lage Rüben darüber schichten und so fort. Mit einer Lage Rüben abschließen. Milch, Hefe und Mehl miteinander verrühren. Über die Masse gießen. Im Backofen etwa 30 Minuten bei 175 bis 200 Grad leicht überkrusten lassen.

Steckrübenpuffer

Zutaten: 500 g Steckrüben, zwei Tassen Haferflocken, Salz, etwas Fett zum Backen.

Haferflocken in eine Schüssel geben. Die geschälten und gewaschenen Steckrüben wie Kartoffeln in die Haferflocken reiben. Salzen. Miteinander vermengen und 30 Minuten quellen lassen. Wie

Kartoffelpuffer in Fett ausbacken. Man kann die Steckrübenmasse auch zu gleichen Teilen mit Pfannkuchenteig aus einem Ei, zwei Tassen Mehl und einer Tasse Milch mischen und dann ausbacken.

Ob diese Rezepte dazu beigetragen haben, die geschmähten Steckrüben populärer zu machen, darf bezweifelt werden. Dabei sind die Rüben wirklich besser als ihr Ruf. Sie haben nämlich die »wunderbare« Eigenschaft, fast jeden Geschmack anzunehmen. Kocht man sie mit Sellerie, Kohlrabi oder Möhren, so entsteht jeweils das betreffende Gemüse. Macht man sie mit Gurken ein, schmecken sie wie diese. Kocht man sie mit Äpfeln, so bekommt man mit wenig Äpfeln viel Apfelmus. Und das macht Steckrüben auf vielfältige Weise verwendbar.

Schon wieder Steckrüben?
Schon wieder? Wir haben doch erst zweimal Steckrüben gehabt — die Woche!
Ach ja, — natürlich! ... und heut' is' Mittwoch!

Sauerkraut aus Steckrüben

Zutaten: drei Kilo gewaschene und geschälte Steckrüben, 75 g Salz, eine Tasse Essig, 1½ l Wasser.

Die Steckrüben grob raspeln. Etwa fünf Minuten in kochendes Wasser geben. Abgießen. In einen Steintopf die erkalteten Rübenraspeln lagenweise einschichten: Ein Kilo Raspeln mit 25 g Salz fest stampfen. Dann wieder Raspeln, Salz usw. Das Wasser mit dem Essig einmal aufkochen lassen. Erkaltet über die Raspeln gießen. Mit einem sauberen Küchentuch abdecken. Einen umgedrehten Teller darauf legen, der mit einem Stein beschwert wird. Das Rübensauerkraut braucht ca. zwei bis drei Wochen, bevor man es verwenden kann.

Rüben-Rotkraut

Zutaten: ein Kilo Rüben, vier rote Bete, ein Esslöffel Essig, Salz, 10 g Fett, ein Apfel, eine rohe Kartoffel.

Steckrüben fein raspeln. Etwa fünf Minuten in kochendes Wasser geben. Abgießen. Rote Bete waschen und in Wasser weich kochen. Schälen und grob reiben. Den Essig darüber geben. Mit Salz abschmecken. In Fett den geriebenen Apfel anbraten. Rüben dazu geben und mit einer roh geriebenen Kartoffel das »Rotkraut« binden.

Ich will das nicht verschweigen. Natürlich hatte auch Tante Lina eine tief verwurzelte Abneigung gegen Rüben jeglicher Anbauart.

Es war an einem Herbsttag des Jahres 1946, da kam Kuszmierz von einer Hamsterfahrt mit zwei großen, prall gefüllten Rucksäcken voller Steck- und Zuckerrüben zurück.

Er war stolz auf seinen »Fitsch« und hatte an sich Lob erwartet. Aber Tante Lina zog ein Gesicht.

Die Rüben wurden im Keller gelagert und keines Blickes mehr gewürdigt. Bis dann, ja, bis dann Tante Lina eines schönen Morgens Uwe, ihren »Ziehsohn«, am Frühstückstisch beobachtete. Sah, wie er mit großen, traurigen Augen die Nacktheit seines Butterbrotes betrachtete, dem nicht nur die Butter, sondern auch der Belag fehlte. Da fasste sie, sicher schweren Herzens, einen Entschluss: Die Rüben sollten zu Rübenkraut verarbeitet werden.

Rübenkraut, das man bei uns auch »Rollschinken« nennt, jenen dunklen, lange Fäden ziehenden, klebrigen Brotaufstrich, der so wunderbar schmecken konnte, gab es schon lange nicht mehr zu kaufen. Nicht einmal mehr bei Tiemann auf der Hochstraße in Buer, der sonst noch immer etwas für besondere Kunden unter der Theke in einem großen Eimer stehen hatte.

Selbst gemachtes Rübenkraut also sollte es geben. Und wie es Tante Linas Art war und wie es ihrem Organisationstalent entsprach, wurde die gesamte Hausgemeinschaft mit eingespannt. Da half kein Fluchen, da wurden keine Ausreden akzeptiert und keine Drückeberger geduldet. Wer zwei gesunde Hände hatte, musste helfen.

Bei der Schnibbelphase gab es bereits erste Ausfälle. Die zarten Hände des guten Fabrizius waren der ungewohnten Arbeit nicht gewachsen. Mit Blasen an den Fingern und einem um Verzeihung bittenden Lächeln musste er ausscheiden.

Muffige Gerüche durchzogen das Haus, als die Rübenschnitzel in allen verfügbaren Töpfen und Behältnissen auf dem Herd erstmals zum Kochen gebracht wurden.

Frau Wellpott von gegenüber erwischte es beim Ausdrücken, als die Erwachsenen nacheinander antreten mussten, um den heißen Rübenbrei durch ein Tuch zu pressen. Noch Tage lang trug sie den Arm in der Binde, den sie sich beim Rübenkrautdrücken ausgerenkt hatte.

»Und meine Hände«, berichtete sie den Frauen aus der Nachbarschaft, die sich teilnahmsvoll nach ihrem Befinden erkundigten, »meine Hände, die sind innendrin, als ob ich eine Dreimonatswäsche allein und ohne Maschine hinter mich gebracht hätte.«

Dann stand das ausgepresste Nass wieder auf dem Herd und bullerte in den Töpfen vor sich hin. Die Küche war voller Dampf und Schwaden. Hillary, den Engländer, hielt es nicht mehr in seinem Zimmer, er kam drohend in die Küche gestürzt, fragte, was denn los sei, hielt sich die Nase zu und verließ Türen schlagend fluchtartig das Haus.

Das Mittagessen fiel aus. Es gab nichts, worin man es hätte zubereiten können. Aber Hunger hatte sowieso keiner, weil allen mehr oder weniger schlecht war.

Stunde um Stunde verging. Aber Tante Lina, die sich hin und wieder an die Töpfe traute, konnte keinen Erfolg ausmachen.

Nach sechs Stunden waren die in der Küche versammelten Krauter erschöpft und mutlos. Der Inhalt der Kochtöpfe war immer noch so flüssig wie zuvor. In der siebten Stunde endlich, als Fabrizius schon wegen der immer dichter werdenden Dämpfe die Feuerwehr alarmieren wollte und Tante Lina – das muss man sich mal vorstellen – wahrhaftig drauf und dran war aufzugeben, betrat Kusmierz mit einer kleinen Schaufel voll Deputatkohle die Küche, um neu einzuheizen, und machte dem Kochen ein Ende.

Er warf einen Kennerblick in einen der Töpfe und sagte:

»Ich glaube, wenn wir das Zeug jetzt vom Herd nehmen und kalt stellen, dann wird es...«

Und verließ schleunigst die Küche, nicht ohne seine Kohlen freilich. Ob nun Kuszmierz wirklich etwas vom Rübenkrautkochen verstand oder ob er das nur vorgab, um seine Kohlen zu sparen, lässt sich nicht mit letzter Gewissheit sagen. Auf jeden Fall sollte er recht behalten.

Am nächsten Tag war da ein Eimer voll herrlichen Rübenkrauts, das selbst Hillary schmeckte, der in der achten Stunde zurückgekehrt war und wortlos zwei Gläser »jam«, also Marmelade, auf den Küchentisch gestellt hatte. Und als er den Namen dieser wundersamen Masse »Rübenkraut« in Erfahrung gebracht hatte, fühlte er sich wieder einmal in seinen Vorurteilen bestätigt: Die Deutschen trugen ihren Schimpfnamen »Krauts« zu Recht.

Rübenkraut

Zutaten: vier Kilo Zuckerrüben (man kann auch zur Hälfte Zucker- und Steckrüben nehmen, das Rübenkraut wird dann weniger süß).

Rüben gründlich reinigen. Danach wie Möhren mit einem Messer gründlich abschaben. Die am Kopf sich zeigenden grünen Wurzel- und Blattgründe restlos entfernen, sonst bekommt das

Rübenkraut einen bitteren Nachgeschmack. Rüben sehr klein schneiden. In einen Topf geben und mit so viel Wasser übergießen, dass die Rüben bedeckt sind. Weich kochen lassen. Rüben durch den Fleischwolf drehen, in ein Tuch geben und den Saft auspressen. Den gewonnenen Saft so lange kochen, bis er geliert bzw. karamellisiert. Das kann einige Zeit dauern. Um den letzten Rübengeschmack zu entfernen, kann man Pottasche mitkochen. Eine Messerspitze pro Pfund Saft.

Statt Brot — Steckrüben zum Frühstück.

Nicht nur Schulkinder aßen Steckrüben statt Schulbrot zum Frühstück. Anlässlich einer Protestversammlung der Gute-Hoffnungs-Hütte in Oberhausen-Sterkrade im Februar 1947 ergab sich, dass von 1.800 Mann der Belegschaft des Reichsbahnausbesserungswerkes 1.260 der Arbeiter Steckrüben zum Frühstück verzehrten.

Davon, dass Steckrüben in vielfältiger Weise verwendbar sind, war schon die Rede, und wir haben dafür auch einige Beispiele vorgestellt, Beispiele, die sich im Rahmen »normaler« Koch- und Zubereitungskunst bewegten. Womit wir uns nun den mehr exotischen Anwendungsmöglichkeiten der Steckrübe zuwenden können. Mit Rüben kann man alles machen, und unser Buch reicht nicht aus, dies aufzuzählen. Beschränken wir uns auf drei Beispiele.

Steckrübentabak

Rüben fein raspeln und auf einem Blech im gut geheizten Backofen bei offener Tür unter häufigem Wenden scharf trocknen. Sie müssen fast dunkelbraun werden, sollten dabei aber noch geschmeidig bleiben. Steckrübentabak wurde ausschließlich in der Pfeife geraucht, also nicht als Zigarettentabak verwendet.

Steckrübenkaffee

Steckrüben raspeln und wie oben im Ofen trocknen. Die getrockneten Rübenschnitzel werden dann durch eine Kaffeemühle gedreht. Wie »normales« Kaffeemehl behandeln.

Rübenbonbons

Steckrüben würfeln und trocknen. Noch warm mit etwas Zucker bestreuen (am besten eignet sich Puderzucker). In dieser Form lassen sich Steckrüben auch als »Rosinen« verwenden.

Ich weiß nicht, ob wir Ihnen mit unseren Rezepten Appetit auf Steckrüben machen konnten. Wenn nicht – Sie sprechen uns aus der Seele. Ich jedenfalls erinnere mich gut an ein Kinderlied, das wir noch in den fünfziger Jahren in der Schule sangen, sozusagen aus vollem Herzen:

»Die Rüben, die Rüben,
die haben mich vertrieben.
Hätt' die Mutter Fleisch gekocht,
dann wäre ich geblieben.«

Dreißig Gramm

Schwarzer Tee

wird Ihnen zu wenig sein.

Wir helfen Ihnen

durch unseren Schwarzen-Tee-Ersatz (eine Tasse ca. 1½ Pfg.).

Groß-Drogerie Viethaus

Ihr Fachberater!

Gelsenkirchen, vorübergehend: Hindenburgstraße 5. — Tel. 2683.

Zwei entlassene Soldaten,

welche vor mehr. Wochen in Höntrop eine Frau Kalwa suchten und eine Nachricht ihres Mannes übermitteln wollten, werden um ihre Anschrift gebeten.

Kalwa, Höntrop, Hellweg 72.

Strumpf-Ansohlarbeiten

Wirk- oder Trikotagenreste und Nähmittel müssen geliefert werden.

E. Sadra,
Gelsenkirchen, Hochstraße 15.

Rückwanderer und Flüchtlinge

werden gebeten, zur Aufstellung einer Zentralkartei u. Einrichtung eines Suchdienstes möglichst umgehend ihre Adresse aufzugeben. Sie erhalten dann kostenlose Mitteilungen über die Einzelheiten u. über Beratung u. Betreuung durch

Paul Specht

Köln-Mauenheim, Neue Kempener Straße 236.

Ziegelstein-Putzgeräte System »Fiedler«

zu 100.— RM. aus Vorrat, ab hiesigem Lager, lieferbar.

Gustav Pieper,
Gelsenkirchen, Vereinsstr. 71/81.

Von der Reise zurück:

Dr. Levisohn

Klosterstr. 21, Tel. 2134

Sprechstunden: 9—11, 15—17 Uhr.
Alle Krankenkassen, Ruhrknappsch.

Achtung Bombengeschädigte!

Holen Sie bezüglich Wahrnehmung Ihrer Interessen unverbindlich Auskunft ein bei

Ernst Rotthaus

Interessenvertretung Bombengeschädigter
Hüinghausen
über Plettenberg.

Ihren Uniformrock

ändern wir in einen Sportsacco um. Auch Uniformmäntel werden geändert. Bereits getrennte Uniformen können nicht angenommen werden.

Peek und Cloppenburg,
Essen, Limbecker Straße 75/77.

An die Raucher von Eigenheimer!

Teile allen Rauchern von selbstgezogenem Tabak mit, wie man denselben ohne Beize oder ähnlichen Mitteln zubereitet, sodaß derselbe sein reines Aroma behält (spanisches Verfahren). Alle Interessenten erhalten von mir nach Voreinsendung von 1.— RM das Rezept kostenlos zugeschickt.

Wilhelm Lork,

Gelsenkirchen, Sellhorststraße 22.

? Schuh-Sorgen ?

Ihre nichtpassenden neuen oder getragenen Schuhe tauschen wir gegen diejenigen von anderen Kunden ein. — Wir helfen Ihnen.

Schuh-Tausch-Zentrale
Schuhhaus R. Drewer,
Bahnhofsvorplatz 8.

Wie Tante Lina nach Würzburg schrieb und ein Paket aus Amerika bekam

Also wirklich! Das muss zu Tante Linas Ehrenrettung gesagt werden. Solche Gefühle wie Neid oder Missgunst waren Tante Lina fremd. Und alle, die sie gekannt haben, werden das bestätigen. Neid und Missgunst – das würde zu Tante Lina auch gar nicht passen. Allerdings – es gab da ein Ereignis, das dann doch dazu führte, dass das allzu Menschliche in Tante Lina hervor brach, dass sie bestimmte Gefühle nicht mehr zu verbergen wusste. Und dieses Gefühl muss, so leid es mir tut, »Neid« genannt werden. Wenn ich auch sicher bin, dass sie sich dieser übertriebenen und durch nichts zu rechtfertigenden Gefühlsäußerung später sehr geschämt haben wird.

Es war an einem Oktobertag des Jahres 1946. Tante Lina putzte Fenster, soweit das mit klarem Wasser und einem für diesen Zweck eigentlich viel zu wertvollen Stück Zeitungspapier überhaupt möglich war, da kam die Frau Wellpott von gegenüber wie eine Dampfmaschine die Straße entlang gewalzt mit einem Riesen-Paket, das sie auf einem Bollerwagen hinter sich herzog. Und winkte und schrie, gefolgt von einer Schar Kinder, die johlend den Wagen umtanzten.

Die Frauen der Nachbarschaft und auch Tante Lina kamen, angezogen von dem Lärm und neugierig natürlich, aus ihren Häusern, halfen das Paket vom Handkarren zu heben und in die Wellpottsche Küche zu tragen. So hilfsbereit waren die sonst nie, die Frauen. Mochten keinen Finger rühren, wenn nachbarschaftliche Unterstützung gefordert war.

Das Paket wurde auf den Küchentisch gestellt. Und dann mussten die Frauen erst einmal einen Vortrag der vor Glück strahlenden Wellpottschen über sich ergehen lassen. Von der Arbeiterwohlfahrt hatte sie das Paket bekommen, eines der ersten aus Amerika eingetroffenen »Liebespakete«.

»Gesprochen wird das Ding ›Kär-Paket‹, nicht Karree-Paket oder gar Caritas-Paket!« belehrte sie die Frauen.

Vierzig Pfund schwer sollte es sein und vierzigtausend Kalorien enthalten. Und wer wollte, durfte das Paket auch mal anheben.

Aber dann ging's ans Auspacken. Was da alles zum Vorschein kam! Es war wie in einem Märchen: Schinken in Scheiben, Cornedbeef, Rinderpökelfleisch, Schweinefleisch, Mais, lauter Dosen, Kekse, Zucker, Schokolade, Erdnüsse, Kuchen, Vanillepudding und Feigenpudding, Marmelade, Bohnenkaffee, Kakao, Milchpulver, Käse, Zigaretten... Und von den Ananasstücken aus einer Dose mit englischer Aufschrift durfte jeder einmal probieren.

»Schmeckt das nicht wunderbar, ist das nicht himmlisch«, sagten die Frauen zueinander, als sie sich zögernd auf den Heimweg machten und die Wellpottsche in ihrer Küche mit ihrem Glück alleine ließen.

Nicht, dass Tante Lina der Wellpottschen das Paket nicht gegönnt hätte. Die konnte das sicher gut gebrauchen. Sie und ihre große Familie, die konnten sich endlich mal wieder satt essen.

Aber da war es dann, jenes Gefühl in Tante Linas Magengegend. Das bohrte in ihr, schon als sie die Haustür hinter sich zumachte. Mit Fensterputzen war nichts mehr. Und das quälte sie dieses Gefühl, tagelang.

Es gab da allerlei Legenden um die CARE-Pakete, die aus den fernen USA von einer Organisation verschickt wurden, die sich »Cooperative for American Remittances to Europe« nannte und im Dezember 1945 als Zusammenschluss amerikanischer Wohlfahrtsorganisationen gegründet worden war. Tante Lina hatte davon in der Zeitung gelesen. So sollte sich in einem der Pakete nur ein riesiger Stein befunden haben, in einem anderen eine goldene Uhr, in einem dritten gar eine Schreibmaschine. Je nachdem, wie gering oder hoch die Absender in den USA die ehemaligen Feinde und baldigen Verbündeten in Deutschland einschätzten.

Es machte in jenen Tagen auch eine Geschichte die Runde, deren Glaubhaftigkeit zumindest aus heutiger Sicht bezweifelt werden muss. Da hatte ein Handwerksmeister aus Erding bei München ein Päckchen von seinen Verwandten aus den USA erhalten. Suppenwürfel, so vermuteten der wackere Bayer und seine Frau nach langem Rätselraten, würde das Päckchen enthalten. Neben der milden Gabe lag ein Zettel »Brief folgt«. Der Inhalt des Päckchens wanderte in die Küche, die Suppe daraus aber schmeckte nicht. Der nachfolgende Brief brachte die Aufklärung: Die vermeintlichen Suppenwürfel waren die Asche der in Amerika verstorbenen Großmutter, deren letzter Wunsch es war, in Deutschland begraben zu liegen. Ja, ja, solche Geschichten standen in den Zeitungen, und das nicht zu Silvester oder Karneval oder zum 1. April.

Aber nun hatte Tante Lina ein CARE-Paket mit eigenen Augen gesehen. Dosen, Tüten, Kartons... Dosen aus dem Schlaraffenland Amerika. Und nach dem Neid auf die Wellpottsche, die so Wundervolles aus der Ferne geschickt bekommen hatte, entstand der Wunsch, nein, die Gier in ihr, auch Dosen und Tüten und Schachteln mit so märchenhaftem Inhalt zu besitzen. Und sie spürte den Geschmack von Ananas auf der Zunge, immer, wenn sie an dieses verflixte Paket dachte. Wochen später noch, als der Paketinhalt schon lange in den Wellpottschen Bäuchen verschwunden war: Ananas!!

Dabei war es gar nicht so schwer, an ein solches Paket zu kommen. Die Verwandten in Amerika mussten nur unter Angabe der Empfängeranschrift fünfzehn Dollar bei irgendeiner Bank einzahlen, und die CARE-Stellen in Amerika würden ein Paket zusammenstellen, dessen Inhalt in Deutschland hochwillkommen wäre. Und fünfzehn Dollar! Was war das schon? Für einen Amerikaner! Obwohl gesagt werden muss, Tante Lina glaubte durchaus nicht, was viele Deutsche in dieser Zeit taten, dass alle US-Amerikaner reich oder auch nur begütert wären. Mussten... würden... wäre...

Es gab keine Verwandten in Amerika, in den Staaten. Das war der Punkt! Tante Lina hatte keine, Kuszmierz hatte keine, die Varenholts nicht, nicht Fabrizius, nicht Kabitz, und die Hellwigs schon gar nicht. Verwandte hatte Tante Lina nur in der von den Amerikanern, den Amis besetzten Zone Deutschlands.

Oft sind es die »niederen Gefühle«, die ungeahnte Kräfte in uns wach rufen. War es die Gier, die in Tante Lina wütete, die sie einen verwegenen Plan schmieden ließ? Wer will das heute sagen...

Tante Lina schrieb einen Brief in die amerikanische Zone, nach Würzburg. Dort lebte ein Neffe soundsovielten Grades von ihr.

Ein gewisser Beck, von Beruf Zahnarzt. Der wiederum war verheiratet, und die Schwester seiner Frau arbeitete als Dolmetscherin für die amerikanischen Militärbehörden. Ein bisschen kompliziert das Ganze, aber das sind verwandtschaftliche Verhältnisse in meiner Familie allemal.

Nun war es 1946 nicht ganz einfach (und ungefährlich), Briefe zu schreiben. Zwar war Briefpostverkehr zwischen den verschiedenen Besatzungszonen bereits seit dem 24. Oktober 1945 wieder möglich, aber die Alliierten hatten das Recht, die Post zu öffnen und zu zensieren. Und mit dieser Möglichkeit hatte man zu rechnen. Also musste Tante Lina das seltsame Ansinnen, das sie an die ferne, angeheiratete Verwandtschaft stellte, mühsam verschlüsselt mitteilen. Wobei sie nicht sicher sein konnte, auch verstanden zu werden.

Leider ließ sich bei unseren Nachforschungen der Brief Tante Linas nicht mehr auffinden. Aber böse Zungen behaupten, Tante Lina habe sich zur »Codierung« gewisser Andeutungen sogar der Heiligen Schrift bedient. Was ich nicht glauben kann und will.

Tatsache freilich ist, dass einige Zeit danach ein US-amerikanischer Soldat, ein baumlanger Neger, an Tante Linas Haustür klingelte, sie mit strahlend weißen Zahnen anlachte, Uwe Kaugummi, ihr selbst eine Stange Camel und eine Dose Pulverkaffee schenkte und ihr einen Brief aus Würzburg aushändigte.

Der Gast wurde von Tante Lina noch fürstlich bewirtet, bevor er sich zu weiteren Amtsgeschäften nach Münster begeben musste. Denn er hatte gebracht, was Tante Lina so sehr ersehnt: eine Liste mit Heimatadressen amerikanischer Soldaten, wohl nicht wissend, was er da transportierte. Woher die Schwester der Frau des Neffen von Tante Lina diese Adressen besorgt hatte, muss im Dunklen bleiben, ist auch nicht wichtig.

Was nun folgte, machte Tante Lina zur Pionierin des wieder erwachenden deutschen Postverkehrs mit dem Ausland, will sagen, des internationalen Postverkehrs. Auch dieser Postverkehr mit »Übersee« war seit April 1946 wieder möglich, wurde aber wenig genutzt. Tante Lina nutzte. Sie setzte einen Bittbrief auf, einen Formbrief an alle, die in Boston, San Franzisko und den vielen anderen Städten im fernen Amerika angeschrieben werden sollten.

Von Hunger wird dieser Brief erzählt haben, von Armut und Elend und kranken Kindern in einem kleinen Land mitten in Europa. Ein Land, dessen Bewohner nicht alle Faschisten gewesen waren. Ein Land, in dem Kinder lebten, die man nicht verantwortlich machen durfte für das, was ihre Eltern an Schrecken über die Welt gebracht hatten. Und vieles mehr. Und natürlich die Bitte. Eine Bitte um fünfzehn Dollar. Und Adressen natürlich. Die von Kuszmierz, von den Varenholts, den Hellwigs, von Fabrizius und Kabitz und ihre eigene natürlich.

Ein Problem war noch die Sprache.

Keiner von den genannten war der englischen Sprache mächtig. Renate musste her, meine Mutter. Ihren eigenen Angaben zufolge will sie Tante Linas Bittbrief ins Englische übertragen haben, was mir rätselhaft erscheint, da sie bis heute diese Sprache nicht sprechen, geschweige denn schreiben kann, obwohl sie das immer wieder behauptet und auf dringliche Bitten hin sogar Kostproben eines kaum deutbaren Kauderwelschs zu geben bereit ist.

Also Renate musste den Brief übersetzen und zwölfmal abschreiben, denn dreizehn Adressen in verschiedenen US-amerikanischen Städten waren Tante Lina geschickt worden.

Tante Linas Organisationstalent konnte sich wieder einmal beweisen. Die Post nach Übersee musste »breit gestreut« werden. (Sie wird von »dislozieren« gesprochen haben, das war eines ihrer Lieblingsworte, obwohl sie eine überzeugte Pazifistin war.)

Es war damit zu rechnen, dass einige Briefe verschwinden, andere von den Behörden kassiert würden, was möglicherweise noch die Polizei und das englische Militär als für solche, dem Verrat gleich kommenden Delikte zuständig, ins Haus bringen könnte. Andere würden ohne Antwort, sprich: Paket bleiben.

Die Briefe wurden (eine Sammelaktion unter den Hausbewohnern) mit 75-Pfennig-Marken frankiert, mit Anschrift und Absender versehen, der Provinz, Postleitzahl, der Besatzungszone und dem Wort »Deutschland«; nicht vergessen durfte man die Sprache, in der er geschrieben war: »English«.

Und dann hieß es warten.

Viele, viele Wochen vergingen. Kuszmierz hatte bereits selbst ein CARE-Paket als Bergarbeiter zugewiesen bekommen, da erhielt Tante Lina die Nachricht, für sie sei ein Paket eingetroffen. Beim Zoll könne sie das abholen.

Die Bestimmungen bei Erhalt von Geschenksendungen aus dem Ausland waren inzwischen drastisch verschärft worden. Alles, was den Wert von hundert Mark überstieg, musste verzollt werden. Die Zigaretten, die auch in dem Paket waren, wurden beschlagnahmt. Aber trotzdem – die Mühe hatte sich gelohnt.

Tante Lina war und blieb übrigens die einzige, die ein Paket aus den USA erhielt. Was aus den anderen Briefen geworden ist, warum gerade sie es war, die... Warum nicht die anderen...? Ich weiß es nicht.

Tante Lina soll den Inhalt des Paketes unter die Hausbewohner verteilt haben, auch Renate bekam ein Geschenk für ihre Arbeit: eine Dose mit Nuss-Nougat-Creme, die soll ich gegessen haben.

Tante Lina selbst hat sich dem Vernehmen nach einzig eine Dose Ananas aus dem Paket genommen.

CARE-Pakete

Für eines der ersten Programme des Düsseldorfer Kabaretts »kom(m)ödchen«, das Kay und Lore Lorentz in den Nachkriegsjahren gegründet hatten, dichtete Bert Markus:

»Mein Onkel Hugo schickte mir
ein Care-Paket, der Gute.
Als ich es sah, als ich es sah,
wie war mir da zu Mute.
Erst blähte ich mich selbst vor Stolz,
dann blähte sich mein Magen.
Als ich es aß, als ich es aß,
konnt' ich es nicht vertragen.
Hab' Dank, du altes USA-Schwein,
dass du den Speck gespendet
und Onkel Hugo, ja auch du,
dass du ihn hast gesendet.
Doch unter uns, vom deutschen Schwein
wär' mir der Speck noch lieber.
Es gibt ihn nicht, es gibt ihn nicht,
na, red'n wir nicht darüber...«

Was hier angedeutet wird – mit dem Päckchen-Versenden, offizielerseits oder von offizieller Seite unterstützt, war, respektive ist Ideologie verbunden.

Schon Adolf Hitler versuchte mit seinem »Führer-Paket«, dessen Inhalt aus dem Raub in aller Herren Länder stammte, seinen »*Garanten der Zukunft*« das geknickte Rückgrat zu stärken.

In den fünfziger und sechziger Jahren wurde das »Päckchen nach drüben« als »*politisch wichtig*« propagiert. Und die Lebensmittelsendungen nach Polen in den 1980er Jahren waren sicher nicht »wertfrei« zu betrachten.

Dass auch die CARE-Pakete zweckbestimmt nach Deutschland geschickt wurden, zeigte sich, als neben den reinen »Liebesgaben«-Paketen aus den USA (von Verwandten und Wohlfahrtsorganisationen) CARE-Pakete an die Bergarbeiter verteilt wurden.

Die sollten nicht nur dokumentieren, was schon auf der Rückseite der Lebensmittelmarken aufgedruckt war:

»½ unserer Lebensmittelration liefern noch die USA. So helfen uns die USA, dass wir uns bald selbst erhalten können!«

Die Päckchen sollten die Kohleförderung steigern, und ihre Verteilung war an Auflagen gebunden.

In der ersten Phase sollten die Untertagearbeiter in den Steinkohlegruben bedacht werden, die sechzehn Wochen lang ihr Produktionsziel erfüllten. Als Förderziel wurde für jedes Bergwerk der jeweils höchste Stand der Vier-Wochen-Produktion seit Beginn der Besatzung festgesetzt. Stichtag war der 28. Juli 1947.

Außerdem sollten die CARE-Pakete an alle Arbeiter und Angestellte des Bergwerks verteilt werden, das den Höchstsatz aller Gruben erreichen würde.

Die CARE-Pakete waren also eindeutig zur Leistungssteigerung bestimmt, und das hatte Gründe. Der deutsche Export ins Ausland bestand in den ersten Nachkriegsjahren fast ausschließlich aus Kohle und Holz. Die Exportkohle wurde zum Teil als Reparationsleistung verbucht – es gab da eine teils abenteuerliche Buchführung.

Die Alliierten mussten also an einer hohen Förderquote von Steinkohle interessiert sein. Aber alle Bemühungen, die Kohleförderung zu steigern, waren seit dem Februar 1946, dem Monat mit der bis dato höchsten Produktionsziffer nach dem Kriege, erfolglos geblieben. Über die Gründe herrschte zwischen deutschen und alliierten Stellen Einmütigkeit. Schuld war neben zu hohem Durchschnittsalter der Grubenbelegschaften, fehlenden Arbeitskräften und unzumutbaren Wohnverhältnissen der Arbeiterfamilien vor allem die unzureichende Ernährung der Bergarbeiter. Auf einen Nenner gebracht: Wer hungert, kann nicht dieselbe Arbeitsleistung erbringen, wie jemand, der gut genährt ist.

Ein Hungerstreik der Ruhrbergarbeiter am 5. April 1947 hatte den letzten Ausschlag gegeben: Zwischen dem 28. Juli und dem 8. November 1947 wurden 252.940 CARE-Pakete mit je 40.000 Kalorien verteilt. Sie enthielten Büchsenfleisch, Büchsenfett, Kekse, Nährmittel, Dosenmilch, Zucker, Fruchtpudding, Büchsengemüse, Kakao, Büchsenmarmelade, Kaffeepulver, Erdnüsse in Büchsen, Büchsenkäse, Schokolade, Salzkekse und Malzmilchtabletten. Dazu Zigaretten, Streichhölzer, Seife, Salz, Papierhandtücher und Toilettenpapier.

Die zweite Phase des »Anspornprogramms« sollte in Kraft treten, wenn eine Grube ihr Produktionsziel erreicht hatte, es beibehalten oder überschreiten konnte. Es wurde jedem Beschäftigten garantiert, dass alle ihm zustehenden Lebensmittel mit dem vollen Kalorienwert ausgeliefert würden. Und wieder gab es CARE-Pakete. In der Zeit vom 6. Oktober bis 10. Dezember 1947 kamen 632.064 so genannte C-Rationen und 609.500 K-Rationen zur Verteilung, daneben Zigaretten und Bekleidungsgegenstände.

Die Verteilung eines dritten Paketes wurde Anfang 1948 für eine sechzehnprozentige Steigerung der Kohleförderung in Aussicht gestellt, die in Wirklichkeit eine fünfzwanzigprozentige sein sollte. Wieder standen C- und K-Rationen zur Verteilung bereit, Zigaretten, Kaffee und anderes mehr.

Aber die Stimmung für die CARE-Pakete war im Ruhrgebiet nicht mehr ungeteilt. Nicht einmal unter den Bergarbeitern selbst. Über das dritte CARE-Paket gab es auf der Zeche Bismarck in Gelsenkirchen eine Urabstimmung: Von 1.505 Belegschaftsmitgliedern lehnten 1.275 das Paket ab. Die Kumpels hatten spitz gekriegt, dass die Pakete nicht die uneigennützige Gabe waren, für die sie ausgegeben wurden, sondern teuer bezahlt werden mussten. Fünf Dollar kostete das CARE-Paket die Deutschen, nicht Reichsmark wohl gemerkt, sondern dringend benötigte Devisen.

Unter der Belegschaft hatte es über die Konditionen der Zuteilung böses Blut gegeben: Die Kokereiarbeiter konnten nicht verstehen, wieso sie nicht in den Genuss der begehrten Pakete kommen sollten. Und auch außerhalb der Zechen meldeten Berufsgruppen wie die Eisenbahner Ansprüche auf die Zuteilung von CARE-Paketen an.

Die Kumpels fühlten sich ausgebeutet, mit ein paar Lebensmitteln wollten sie sich ihre Gesinnung nicht abkaufen lassen. Und die Bergmannsfrauen waren mit dem Paket-Inhalt (die C- oder K-Rationen waren so genannte »Menü-Packungen« aus der amerikanischen Heeresverpflegung) unzufrieden. »*Zuviel Dosen, zuviel Blech*«, sagte eine von ihnen einem Reporter der »Westfalenpost«. Die Frau hatte sich »*deftigere Dinge*« vorgestellt.

Die erhoffte Wirkung auf die Kohleförderung blieb weitgehend hinter den Erwartungen der alliierten Behörden (der »United Kingdom/United States Coal Control Group«) zurück. Nur einmal, am 8. März 1948, war die angestrebte 300.000-Tonnen-Grenze in der Tagesförderung geringfügig überschritten worden.

Manches der schwer erarbeiteten CARE-Pakete wanderte auch auf den Schwarzen Markt. Bis zu 6.000 Mark brachte der Verkauf eines Paketes, das dann für 9.000 Mark weiterveräußert wurde. Das Geld wurde gebraucht, um dringend benötigte Waren wie Kleider oder Anzugstoffe schwarz einkaufen zu können.

Rezepte zur Verwertung von Dosenfleisch

Es waren nicht nur CARE-Pakete, die in den Jahren 1946 bis 1948 in Deutschland zur Verteilung kamen. Zu Weihnachten 1946 gab es Päckchen aus der Schweiz, auch die Schweden schickten »Liebesgaben«. Der Inhalt war überall ähnlich.

Dosenfleisch enthielten diese Päckchen in vier hauptsächlichen Varianten: als reines Fleisch, gemischt mit Gemüse, wobei das Gemüse vorherrschte (ca. drei Viertel des Inhalts), als Cornedbeef oder als Fleischpaste (Leberpaste, Rindfleischpaste usw.). Hier einige Rezepte:

Falsche Rouladen

Zutaten: vier Brötchen, eine Zwiebel, ein Teelöffel Thymian, ein Teelöffel Petersilie, vier Esslöffel Dosenfleisch, Salz, Pfeffer, zwei Tassen Gemüsebrühe, ein Esslöffel Mehl, 10 g Fett.

Die Brötchen werden halbiert und ausgehöhlt. Das weiche Brot zerpflücken und etwas anfeuchten. Zwiebel, Petersilie und Thymian fein wiegen und mit einer Messerspitze Fett leicht anrösten. Zusammen mit dem eingeweichten Brot und dem Dosenfleisch zu einem Fleischteig verarbeiten. Würzen. Die halbierten Brötchen damit füllen, wieder zusammenlegen und mit einem Faden zubinden.

Fett in eine Pfanne geben. Die Brötchen darin anbraten. Mit der Gemüsebrühe übergießen. Noch zehn bis fünfzehn Minuten dünsten lassen.

Mehl mit etwas Wasser anrühren. Den verbliebenen Saft damit zu einer Soße binden.

Büchsenknödel

Zutaten: drei Brötchen oder die entsprechende Menge Brot, ein Esslöffel gehackte Petersilie, ein Esslöffel Grieß (oder Haferflocken), 250 g Dosenfleisch.

Altbackenes Brot oder Brötchen klein schneiden. Mit Petersilie, Grieß und dem Dosenfleisch zu einem Teig verkneten. Etwa 20 Minuten stehen lassen, damit der Teig eine gewisse Festigkeit bekommt. Kleine Klöße formen. In kochendes Salzwasser geben. Gar ziehen lassen. Als Beilage sind Sauerkraut oder Salat möglich.

Haferflocken oder Kosmetik?

Deutsche Paketempfänger sind unzufrieden. Womit? Nun, daß in den Schwedenpaketen statt Haarwasser, Büstenhalter oder Schönheitssalben — Haferflocken waren. So berichten schwedische Absender, die von deutschen Empfängern diese Briefe bekommen haben und der Rundfunk berichtete darüber. Wir glauben schon an diese Beschwerde, denn die Auswahl der Empfänger in Deutschland erfolgt nicht nach Verdienst und Bedürftigkeit. So berichtet der frühere spanische Außenminister Alvarez del Vayo in einer englischen Zeitung, als er von einem Besuch in Deutschland zurückkam, daß über die Verteilung der Spenden die Antifaschisten spotten: „Katholische Lebensmittelpakete aus den USA und protestantische Heringe aus Schweden bestimmen vielfach die Politik."

Wir haben uns umgehört. Von den langjährigen KZ'lern hat noch niemand ein Hilfspaket erhalten. Wir schlagen vor, diese Bedürftigen einmal in den Genuß eines Hilfspaketes kommen zu lassen. Dann werden die Schweden auch echte Dankschreiben erhalten.

Dosenfleischlaibchen

Zutaten: 250 g Dosenfleisch, 500 g gekochte Kartoffeln, eine Zwiebel, ein Teelöffel Thymian, etwas Fett.

Das Dosenfleisch zur damaligen Zeit musste – um den unangenehmen Beigeschmack etwas zu neutralisieren – mit Petersilie in einer Pfanne so lange gedünstet werden, bis der Saft verdunstet war. Das ist bei den heutigen Fleischkonserven nicht mehr unbedingt nötig. Die Kartoffeln fein reiben. Mit Thymian, der klein geschnittenen Zwiebel und dem Dosenfleisch zu einem Teig vermischen. Ob gesalzen werden muss, hängt von der Beschaffenheit des Dosenfleisches ab. Kleine Laibchen formen und in einer gefetteten Pfanne oder auf einem gefetteten Backblech im Ofen backen.

Es gab auch Leute in den USA, die mit den Büchsen, die für die CARE-Pakete nach Deutschland bestimmt waren (oder als Einsatzrationen für die eigenen Soldaten), Geschäfte machten, Geschäfte mit erheblichen Profiten. In vielen der Büchsen, die glückliche Bergmannsfrauen aus den CARE-Paketen holten und in denen sie Fleisch vermuteten, wie die Aufschrift »Braised Beef« verhieß, war nichts als Sehnen und Knochen, also Abfälle. War es das, wofür die Männer hart gearbeitet hatten?

Falscher Braten

Zutaten: 450 g Konservengemüsefleisch, ein Ei (ein Esslöffel Trockenei), zwei Esslöffel Haferflocken, zwei gekochte Kartoffeln, ein Esslöffel Semmelbrösel, etwas Fett.

Gemüsefleisch in eine Schüssel geben, das Ei (das Trockenei-Pulver wird, wenn vorhanden, ohne es anzurühren, dazu gegeben), die Haferflocken und die Kartoffeln damit durchkneten. Den Teig 30 bis 40 Minuten lang stehen lassen.

Das Salzen entfällt, wenn der Konserven-Inhalt bereits gesalzen ist.

Aus dem Teig wird dann ein Braten geformt und in Semmelbröseln gewendet.

Mit wenig Fett in einer Pfanne anbraten. In den heißen Ofen stellen und dort fertig garen lassen.

Den Gemüsefleischteig kann man auch als Füllung von Krautwickeln verwenden.

Dosenschmarren

Zutaten: 450 g Gemüsefleisch aus der Konserve, ½ l Wasser, eine Tasse Grieß, ein Ei, etwas Fett zum Backen.

Grieß (oder auch Haferflocken) im Wasser zu einem dicken Brei verkochen. Etwas abkühlen lassen. Das Ei einrühren. Das Dosengemüsefleisch mit etwas Wasser verrühren und ebenfalls untermischen. Der Teig muss jetzt dickflüssig sein. In einer Pfanne mit etwas Fett daraus Pfannkuchen backen.

Cornedbeef-Pfannkuchen

Zutaten: eine Tasse Mehl, zwei Scheiben Cornedbeef, eine Tasse Milch, ein Ei (ein Esslöffel Trockenei), eine gekochte Kartoffel, Fett zum Backen.

Cornedbeef zerpflücken. Mit Mehl, Milch, Ei und Salz zu einem Teig verarbeiten. Die Kartoffel hinein reiben. Mit wenig Fett kleine Pfannkuchen backen.

Cornedbeef-Eintopf

Zutaten: 500 g Kartoffeln, 200 g Cornedbeef, ein Teelöffel Majoran, eine Stange Lauch, ½ Lorbeerblatt, ein Liter Wasser, Salz, Pfeffer.

Kartoffeln schälen und in Würfel schneiden. Mit Wasser, Lorbeerblatt und Lauchringen gar kochen. Das Cornedbeef ebenfalls zu Würfeln schneiden. In den Eintopf geben. Würzen.

Büchsenfleisch wurde nicht nur als mildtätige Gabe in Paketen aus dem Ausland importiert, es kam auch zum Verkauf in den Lebensmittelgeschäften innerhalb der »normalen« Lebensmittelzuteilungen: Dosen mit Fleischschmalz, »Bacon«, Gemüsefleischkonserven aus Australien... Und wer Glück hatte, bekam mehr Dosenfleisch, als ihm auf seinen Lebensmittelmarken zustand.

Eine Metzgerei in Buer war im September 1946 »*in der Lage, für 200 Gramm Fleischmarken eine Büchse mit 850 Gramm Fleisch abzugeben*«.

Es gab auch die umgekehrte Rechnung. Der Anrechnungssatz für Büchsenfleisch in der 90. Zuteilungsperiode war: Für eine Büchse Fleisch von 850 Gramm Nettogewicht waren 1.000 Gramm im Markenwert abzugeben. Doch was war in solchen Büchsen? Fleisch oder Knochen und Sehnen?

Gemüsekonserven für Nichtselbstversorger

Nichtselbstversorger (Lebensmittelkarten 11—16) sollen eine Dose Gemüsekonserven erhalten. Der Abschnitt 952 der Lebensmittelkarten 11—16 ist in der Woche vom 11. bis 16. Nov. bei den zum Handel mit Gemüsekonserven zugelassenen Kleinverteilern abzugeben. Der Kleinverteiler setzt seinen Firmenstempel auf den Stammabschnitt der Karten. Die Kleinverteiler rechnen die eingenommenen Abschnitte 952 bis zum 24. Nov. bei der Abrechnungsstelle ab und erhalten Bezugscheine A über die Anzahl der abgegebenen Abschnitte 952. Für Sammelverpflegungen mit Ausnahme der echten Krankenanstalten stellen die Ernährungsämter (Abteilung B) Bezugscheine B über die Zahl der Personen mit dem Zusatz „952 Gemüsekonserven" aus. Die Großverteiler reichen die Bezugscheine A und B bei der Großbezugscheinstelle bis zum 30. Nov. zum Umtausch in Großbezugscheine ein. Die Belieferung des Kleinhandels muß baldmöglichst erfolgen. Ueber den Aufruf zur Belieferung erfolgt eine besondere Mitteilung. Anerkannte Krankenanstalten erhalten Bezugscheine B über Gemüsekonserven unter Zugrundelegung von 10 Dosen für jeden berechtigten Kranken nach der Bedarfsanforderung für die 95. Zut.-Periode.

Gemüsekarten für die 95.—100. Zuteilungsperiode.

Die Gemüsekarte 610 enthält einen Anmeldeabschnitt, der ohne Aufruf des Ernährungsamtes Gelsenkirchen nicht verwandt werden darf.

Kindermilch-Nährmittel.

Als Kindermilch-Nährmittel werden zugelassen: „Immergut" der Firma Dr. Gerhard Löchel & Co., Dauermilchwerk in Ibbenbüren (Westf.), (die Ration wird noch bekannt gegeben); „Hansa-Säuglingsnahrung" der Firma Hansa-Meierei, Lübeck, eine Ration = 7 Dosen a 500 g.

Gelsenkirchen, den 11. November 1946.

Stadt Gelsenkirchen — Der Oberstadtdirektor.

In Hamburg hatten geschäftstüchtige Unternehmer gleich ihren amerikanischen Kollegen schnell die möglichen hohen Profite gewittert. Auch sie spezialisierten sich auf die Herstellung von Büchsenfleisch. Die Rohstoffe besorgten sie sich von einem Abdecker, der ihnen Fleisch krepierter Pferde, Hunde, Katzen, teils mit gefährlichen Krankheiten, und das Fett von Kadavern lieferte. Preis für eine Büchse »Fleisch« auf dem Schwarzmarkt: sechzig bis achtzig Mark.

Dass sich mit dem Büchsenfleisch gute Geschäfte machen ließen, hatte sich bald herum gesprochen, nicht nur bei Deutschen und Amerikanern. Im Herbst 1947 boten die Schweizer der gemeinsamen Verwaltung für Ernährung in der amerikanischen und der englischen Besatzungszone Fett und Büchsenfleisch im Austausch gegen deutsches Vieh an. Zehntausend Stück alte Ochsen und abgemolkene Kühe wollten sie einführen und dafür liefern:

»...Amerikanische Rindfleischkonserven bester Qualität, ... Hammelfleisch in Weißblechbüchsen, ... Ia Gefrierfleisch südamerikanischer Herkunft und ... verschiedene Fette in Büchsen, Fässern und Kisten...«

Wie ein solcher Tauschhandel ein Geschäft sein konnte? Wie gesagt, was in Büchsen, Fässern und Kisten wirklich ist, kann man von außen nicht sehen.

Zum Schluss noch ein Rezept zur Verwendung von Fleischpaste oder, wie es damals hieß, »Meat-Paste«:

Meat-Grießspeise

<u>Zutaten:</u> 150 g Meat-Paste, eine Zwiebel, ¼ l Brühe, eine Tasse Grieß, Salz, ein Teelöffel Öl, ein Esslöffel gehackte Petersilie.

Die klein gehackte Zwiebel lässt man in Öl anbräunen und gibt die Meat-Paste dazu. Etwas anbraten lassen. Mit heißer Gemüse- oder Fleischbrühe ablöschen, Grieß einrühren. Würzen. Etwa zehn bis fünfzehn Minuten kochen lassen. Auf eine Platte geben. Mit Petersilie bestreuen. Mit Salat servieren.

Wie Tante Lina aus einer Wurst Kapital schlug, ohne diese zu kapitalisieren

Es war an einem dieser Tage, da man nicht vor hat, die Welt zu verändern, sondern nur einfach zufrieden, vielleicht glücklich sein möchte.

»Hosen runter!« sagte Tante Lina. Kuszmierz grinste. Fabrizius, dem Tante Linas Aufforderung galt, errötete leicht und legte die Karten auf den Tisch.

Sie vermuten richtig: An Tante Linas Küchentisch unter der großen Hängelampe wurde Skat gespielt. Nahe beim Herdfeuer, denn das war in den kalten Wintertagen dieses Jahres der wärmste Platz im Haus.

Fabrizius hatte einen »Null ouvert« angesagt, und Tante Lina betrachtete eingehend das »Blatt« in ihrer Hand, linste auch ein wenig zu Kuszmierz hinüber, das Schummeln konnte sie sich nie ganz verkneifen, da gab es einen leisen, kaum vernehmbaren Knall, und das Licht ging aus.

»Was ist das?« fragte Tante Lina ärgerlich und sagte zu Fabrizius gewandt: »Das hättest du nie und nimmer gewonnen mit deiner Kreuz-Acht!«

Fabrizius, der wohl solches geahnt hatte, atmete erleichtert auf und versuchte im Dunklen die Karten zu vertauschen.

»Vielleicht wieder eine Stromsperre...«

Kuszmierz erhob sich fluchend, stieß dabei ein Glas mit Tante Linas Aufgesetztem um und tastete sich in der Finsternis aus der Küche hin zum Bad.

Stromabschaltungen gab es immer wieder, obwohl Gas und Elektrizität seit 1945 eh rationiert waren, und somit die Benutzung solcher Energiequellen in Tante Linas Haus einem strengen Reglement und einer komplizierten Buchführung unterlag.

In den Zeitungen und den städtischen Bekanntmachungen waren zwar offizielle Verlautbarungen zu lesen, des Inhalts, dass

»nun endlich Schluss« sei mit den Stromsperren, solche euphemistischen Mitteilungen wurden aber einen Tag später schon wieder dementiert. Es müsse »Strom für Nordwestdeutschland abgegeben werden«, hieß es. Und es wurden »neue« Stromabschaltungen angekündigt:

»Bei Durchführung dieser Streckenabschaltungen können die betroffenen Stromabnehmer vorher nicht benachrichtigt werden.«

Während wir solchermaßen unsere Gedanken haben abschweifen lassen, hatte Kuszmierz das Bad und den darin befindlichen Lichtschalter gefunden.

»Licht geht.«

»Dann also die Glühbirne.«

»Das war unsere vorletzte.«

»Wir gehen jetzt ins Bett«, verkündete Tante Lina. Damit waren zwar einige andere, aber dieses spezielle Problem nicht gelöst.

Und so kam das Thema bereits am nächsten Tag erneut auf den Tisch, als alle beim Frühstück saßen.

»Wir brauchen Glühbirnen«, stellte Tante Lina fest mit einer Stimme, die keinen Widerspruch zuließ. »Also müssen welche besorgt werden.«

»Ja«, seufzte Kuszmierz hinter seiner Zeitung hervor. »Das Problem ist nur, nicht wir allein, alle brauchen Glühbirnen. Und es gibt keine. Es gibt auch keine zu kaufen... Auf dem schwarzen Markt vielleicht...«

»Zu diesen unverschämten Preisen, ich denke ja nicht daran.«

»Es gibt nicht einmal welche zu tauschen.«

»Hört mal...«, sagte Kuszmierz und begann aus der Zeitung vorzulesen:

»Suche: Sechs elektrische Glühbirnen, 220 Volt. Biete: Sechs neue Füllhalter mit Goldfeder... Hoffnungslos – eine solche Anzeige. Rausgeworfenes Geld!«

Ratloses Schweigen in der morgendlichen Runde.

»Ich könnte ja«, versuchte es Fabrizius nach einer Weile mit einem Vorschlag, »wenn ich heute abend vom Theater komme und mit der Straßenbahn fahre, da könnte ich...«

»Nein«, sagte Tante Lina und warf ihm einen entrüsteten Blick zu. Und noch einmal: »Nein!«

Was Fabrizius im Sinn hatte, war in Gelsenkirchen mittlerweile zu einem beliebten »Volkssport« geworden: Wer Mut hatte, schraubte die Glühbirnen, die im Inneren der Straßenbahnen zur Beleuchtung dienen sollten, heraus. In einem unbeobachteten Augenblick. In den überfüllten Straßenbahnwagen waren die Schaffner solchen Diebstählen gegenüber meist machtlos. Und die Straßenbahngesellschaften führten beredt Klage ob dieses Treibens, man hatte schon ungenügend beleuchtete Waggons und Triebwagen aus dem Verkehr ziehen müssen, Züge, die dringend benötigt wurden. Hatte Streckenstillegungen angedroht.

Es wurden auch Fensterscheiben gestohlen, alles, was nicht niet- und nagelfest war, Sitzbänke, Holzverschalungen...

Tante Lina lehnte solche Aktionen, die dem, wie sie es nannte, »Gemeinwohl« Schaden zufügten, kategorisch ab.

»Nein. Auf gar keinen Fall so etwas«, sagte sie, überlegte einen Augenblick und stand dann entschlossen vom Frühstückstisch auf. »Ich gehe zu Hüttermann.«

»Ha!« machte Kuszmierz hinter seiner Zeitung und amüsierte sich. »Ins Elektrogeschäft? Weißt du, was die haben? Lampenschirme haben die, Fassungen haben die, wenn auch nicht viele, aber Glühbirnen... Nee!«

»Du wirst schon sehen«, sagte Tante Lina und verschwand in der Speisekammer.

Die Varenholts und die Hellwigs, Fabrizius, alle, die um den Tisch herum saßen, schauten einander an, und Kuszmierz tippte sich bedeutungsvoll an die Stirn, bevor er sich erneut seiner Morgenlektüre widmete.

Tante Lina kam wieder mit einer Wurst in der Hand. Mit **der** Wurst. Diese Wurst war ein riesiger Schwartenmagen, leicht angeräuchert und wunderbar anzusehen, den ihr die Ossmannsche, eine mit Tante Lina befreundete Bauersfrau aus dem Münsterland, bei einem Besuch in Gelsenkirchen neben anderen Köstlichkeiten zum Geschenk gemacht hatte. Monat um Monat hing diese Wurst nun schon in der Speisekammer. Und Tante Lina hütete sie wie ihren Augapfel. Schon daran zu riechen, den unvergleichlichen Duft dieser Wurst in sich aufnehmen zu dürfen, galt als ein besonderer Gunstbeweis Tante Linas. Und nun...

»Die Wurst!« Ein Schrei, unisono, ein Aufschrei hallte durch die trauten Küchengefilde. »Du willst doch nicht etwa...«

»Wartet's ab«, sagte Tante Lina mit undurchdringlicher Miene, packte die Wurst zum Entsetzen aller in eine Einkaufstasche und verließ das Haus in Richtung Innenstadt.

Das Elektro-Geschäft Hüttermann war in jenen Tagen ein kleiner Laden an der Horster Straße in Buer. Wenig Kundschaft. Es gab ja nichts zu kaufen. Und so war Tante Lina auch die einzige Kundin, als sie die Geschäftsräume betrat. Sie schaute sich um und betrachtete prüfend die zum Verkauf stehenden Waren.

»Ich möchte eine Lampe«, sagte sie schließlich.

Eine Frau, vielleicht eine Verkäuferin, vielleicht auch die Frau des Besitzers, das war auf den ersten Blick nicht auszumachen, schaute Tante Lina missbilligend an.

»Eine Tischlampe? Eine Stehlampe?« fragte sie gelangweilt.

»Eine Tischlampe, bitte«, antwortete Tante Lina höflich.

Die Frau ging widerwillig zu einem der Regale, nahm die einzige im Laden vorhandene Tischlampe herunter und stellte sie vor Tante Lina auf die Verkaufstheke.

Tante Lina hob die Lampe hoch und besah sie sich eingehend.

»Bei der Lampe fehlt ja die Glühbirne und, verstehen Sie, so ist die Lampe für mich wertlos.«

Die Frau nahm Tante Lina die Lampe aus der Hand und stellte sie wieder ins Regal zurück.

»Wir verkaufen Lampen nur so. Glühbirnen müssen Sie woanders auftreiben«, sagte sie beleidigt.

Tante Lina versuchte es erneut.

»Wissen Sie, ich habe eine Lichtleitung, ich habe auch Strom, wenn er nicht gerade abgeschaltet ist, aber ich habe eben keine Lampe und vor allem keine Glühbirnen...«

Bei diesen Worten – sie sprach von der Glühbirne bereits in der Mehrzahl – öffnete sie gedankenverloren ihre Einkaufstasche, nahm die Wurst heraus, besah sie liebevoll, schnupperte daran und legte sie vor sich auf die Glasplatte der Verkaufstheke. Und der Duft dieses unvergleichlichen Schwartenmagens erfüllte bald den ganzen Geschäftsraum. Die Frau starrte auf die Wurst, starrte Tante Lina an und dann wieder auf die Wurst. Und die Augen der Frau bekamen einen feuchten Glanz. Und der Duft der Wurst stieg ihr in die Nase, dass sie kaum zu atmen wagte und ihre Stimme fast versagen wollte.

»Und Sie besitzen wirklich keine Glühbirnen?«

Jetzt sprach auch sie in der Mehrzahl.

»Ich versichere es Ihnen!« beteuerte Tante Lina und strich verträumt mit zarter Hand über den Schwartenmagen.

»Warten Sie mal«, sagte da die Frau, ließ Tante Lina und die Wurst, wenn auch nur ungern, allein und eilte in einen Nebenraum.

»Und nicht nur 15-Watt-Birnen, wenn ich bitten darf«, rief Tante Lina ihr nach.

Es dauerte nur Sekunden, und die Frau war wieder zurück. Drei Glühbirnen stellte sie vor Tante Lina hin, sauber in Kartons verpackt.

»Würden die Ihnen recht sein?« erkundigte sich die Frau. Bange Sorge war in ihrer Stimme. Und sie beeilte sich auch, die Lampe erneut vom Regal zu holen. Ja, Tante Lina wusste um die Schwächen der Menschen, ihren Geiz, ihre Bestechlichkeit.

Sie erkundigte sich nach dem Preis für die Lampe, nach dem Preis für die Glühbirnen, zahlte nur letzteren. Ließ die Lampe stehen, packte die Glühbirnen ein, packte auch den unvergleichlichen Schwartenmagen in die Einkaufstasche zurück und wandte sich zum Gehen.

»Ja, aber – die Wurst...« stammelte die Frau hinter der Theke verstört. Tante Lina drehte sich verbindlich lächelnd um.

»Ja, die Wurst«, nickte sie. »Es ist eine ausgezeichnete Wurst. Ein Schwartenmagen. Sie ist so etwas wie mein Kapital, wenn Sie verstehen, was ich meine...«

Und bedankte sich und verabschiedete sich und verließ den Elektroladen.

Ja, Tante Lina wusste um die Schwächen der Menschen, und sie beherrschte die Gesetze der Marktwirtschaft, die heute frei und sozial genannt wird.

Die Wurst wurde erst lange Zeit später gegessen, denn der unvergleichliche Zauber des Schwartenmagens musste noch in vielen, vielen Geschäften seine Wirkung tun.

Gebäck

Die Empörung war groß. Nicht nur in den Zeitungen. Vor allem unter der Bevölkerung. In einer Zeit, da dem »Normalverbraucher« nur täglich etwa sieben Gramm Fett zustanden, waren Gelsenkirchens Konditoren dazu übergegangen, wieder Buttercreme-Torten herzustellen.

Diese »*Kunstwerke handwerklichen Könnens*« präsentierten sie 1946 in den Schaufenstern ihrer Betriebe staunenden Frauen und Männern, die ansonsten stundenlang für ein Brot anstehen mussten.

Man konnte diese Buttercreme-Torten auch kaufen gegen Abgabe von 320 Gramm Butter, 320 Gramm Zucker und Lebensmittelmarken für 800 Gramm Mehl. Kommentar in der »Westfälischen Rundschau«:

»(Wir) halten ... die Herstellung derartiger Luxustorten für absolut unvertretbar und taktlos in einer Zeit, in der die meisten unserer Schulkinder mit trockenem Brot zur Schule gehen müssen.«

Sie werden fragen: Wer konnte es sich im November 1946 überhaupt leisten, soviel Zucker und Fett, so viele Lebensmittelmarken abzugeben? Die meisten Leute kannten solche Fett- und Zuckermengen nicht einmal vom Ansehen. Ein Schwerstarbeiter vielleicht. Aber würde der seine sauer verdienten Zulagen für ein Stück Buttercreme-Torte hergeben? Wohl kaum. Zumal bei der Herstellung der Torten ein »Fettschwund« von 20 Prozent zulässig war, was die Konditoren händereibend weidlichst ausnutzten.

Aber es gab diese Leute. Leute – so ihre hungernden Mitbürger, welche ihre Beobachtungen per Leserbrief den Zeitungen meldeten – die mit einer gewissen Regelmäßigkeit in der Lage waren, sich ganze oder halbe Buttercreme-Torten vom Konditor zu holen, Leute, wie eine gewisse Frau O. (ihr vollständiger Name war nicht aus den Gerichtsakten zu entnehmen), die in Gladbeck ein

Zimmer in der Nähe eines Raumes bewohnte, in dem eine Zerreißmaschine stand, welche die abgerechneten Lebensmittelmarkenbögen der Gladbecker Geschäftsleute zu vernichten hatte, damit sie nicht wieder in den Handel gebracht wurden. Von diesen Lebensmittelmarken entwendete sie etliche. Und so gab es bei der Frau O. zu allen möglichen Anlässen Buttercreme-Torten. Bis sie und ihr Sohn, der mit den gestohlenen Marken einen schwunghaften Handel betrieben hatte, erwischt wurden. Oder der Bauer Brinkmann aus Lippramsdorf, der bei einer Hochzeit für seine 140 geladenen Gäste nicht nur ein ausgewachsenes Rind und ein Kalb geschlachtet hatte (schwarz natürlich), sondern zum »echten« Bohnenkaffee auch 18 fette Torten auffahren ließ, wie der herbeigeeilte Bürgermeister erschüttert feststellen musste.

Das waren Leute, welche die feil gebotenen Buttercreme-Torten kaufen konnten, und einige korrupte Beamte, von denen an anderer Stelle noch die Rede sein wird, und Schwarzhändler natürlich.

Einer dieser Schwarzhändler hatte, um zu sparen, den abzuliefernden Zucker mit Arsen durchsetzt. Arsen, das zur Schädlingsbekämpfung eingesetzt wurde, war überall zu haben, und es war bedeutend leichter und billiger daran zu kommen als an Zucker. 23 Personen, die von den »delikaten« Creme-Schnitten gegessen hatten, erkrankten. Darunter der Bäckermeister selbst.

Die allgemeine Empörung der Bevölkerung stieß auf Resonanz bei den Behörden: *»Im Einvernehmen mit der Militärregierung«* wurde am 13. Dezember 1946 *»für den Bezirk des Haupternährungsamtes Ruhr angeordnet, dass die Herstellung und der Verkauf von Buttercreme-Torten durch Back- und Konditoreibetriebe verboten ist«*. Die Menschen an der Ruhr mussten wieder mit solchen Torten vorlieb nehmen, die »zeitgemäß« waren.

Erbsentorte

Zutaten: 500 g Erbsen, ein Päckchen Backpulver, ein Fläschchen Rum-Aroma, eine Tasse Grieß, 80 g Zucker, etwas Fett. Füllung: eine Tasse Apfelsaft, eine Tasse Zucker, ein Eiweiß, ein Apfel.

Erbsen weich kochen und faschieren. Nach und nach Backpulver, Rum-Aroma, den Zucker und den Grieß einrühren. In einer gefetteten Tortenform bei 220 Grad ausbacken (etwa 50 bis 60 Minuten). Erkalten lassen. Mit einem Faden die Torte in der Mitte durchschneiden.

Für die Füllung werden Apfelsaft, Zucker und Eiweiß geschlagen, bis ein fester, schlagsahne-ähnlicher Schaum entsteht. Den Apfel roh fein reiben. Vorsichtig unter den Schaum ziehen. Eine Tortenhälfte damit bestrichen. Die Torte wieder zusammen setzen. Statt der Apfelfüllung kann man auch Erbsenschaum nehmen.

Schwarzbrottorte

Zutaten: ein Ei, zwei Esslöffel Zucker, eine Tasse Mehl, ein Teelöffel Backpulver, ½ Tasse Milch, 200 g Schwarzbrotbrösel, 120 g Holundergelee, ein Fläschchen Rum-Aroma, ein Teelöffel Puderzucker.

Das Eigelb wird mit dem Zucker schaumig geschlagen. Nach und nach Milch und das mit Backpulver vermischte und gesiebte Mehl dazu geben. Den Teig in einer gefetteten und ausgebröselten Tortenform bei 200 Grad etwa 20 Minuten backen. Die Schwarzbrotbrösel werden mit etwas Milch und dem Gelee verrührt, wobei man von dem Gelee zwei Esslöffel übrig lassen muss. Aroma dazu geben.

Die Masse wird auf dem Tortenboden möglichst gleichmäßig verteilt. Eiweiß mit Puderzucker und dem restlichen Gelee steif schlagen. Die Torte damit bestreichen. Im Rohr 20 Minuten überbacken lassen, bis das Eiweiß bräunlich wird.

Falsche Kastanientorte

Zutaten: 250 g weiße Bohnen, eine Tasse Zucker, ein Päckchen Backpulver, ein Ei.

Die Bohnen werden mit wenig Wasser gar gekocht und durch ein Sieb passiert. Mit Zucker, Backpulver und dem Eigelb gut verrühren. Das Eiweiß steif schlagen. Unterziehen. Den Teig in eine gefettete Tortenform geben. Bei 200 Grad etwa 45 Minuten backen. Nach dem Auskühlen kann man die Torte durchschneiden und mit Marmelade füllen.

Eicheltorte

Zutaten: zwei Tassen Eichelmehl, eine Tasse Zucker, zwei roh geriebene Kartoffeln, eine Tasse Mehl, ein Päckchen Backpulver, 50 g Fett, ein Ei, ¼ l (Ersatz-)Kaffee, ein Esslöffel Puderzucker, ein Fläschchen Zitronenaroma.

Das Fett wird mit dem Eigelb und dem Zucker schaumig geschlagen. Nach und nach das mit Backpulver vermischte und gesiebte Mehl einrühren. Kartoffeln fein reiben und zugeben.

Kaffee aufbrühen. Das Eichelmehl in dem Kaffee glatt rühren und an den Teig geben. Eiweiß steif schlagen und vorsichtig unterziehen. Den Teig in eine gefettete Form füllen. Bei mittlerer Hitze 40 bis 50 Minuten backen. Puderzucker mit Zitronenaroma und etwas Wasser anrühren. Damit die fertige Torte glasieren.

Kaum hatten die Behörden dem Buttercreme-Skandal ein Ende gemacht, da kamen die Gelsenkirchener Bäckereien in den Tagen vor dem Weihnachtsfest 1946 erneut ins Gerede durch so genanntes »*gewerbsmäßiges Spekulatius-Backen*«.

Diese traditionsreichen Weihnachtsplätzchen wurden allenthalben angeboten. Und die Leute wunderten sich darüber, dass im Gelsenkirchener Stadtgebiet bei den Bäckereien offensichtlich schönes, weißes Mehl vorhanden war, nachdem (angeblich) in den Wochen davor tageweise sämtliche Bäckereien und Mehlverteiler über »*totalen Mehlmangel*« geklagt hatten und nachdem es immer wieder geheißen hatte, man wäre, was das Mehl anginge, »*vollkommen abgebrannt*«.

Sollte die Aussicht auf ein gut gehendes »Spekulatius-Geschäft« zu Weihnachten wichtiger gewesen sein, als mit vorhandenen Reserven den Hunger der Bevölkerung zu stillen?

Auch wurde die Frage gestellt, ob ein Pfund dieser Plätzchen wirklich die entsprechende Gegenleistung für die Hergabe von Lebensmittelabschnitten für 500 Gramm Mehl, 250 Gramm Zucker und 80 Gramm Fett wären.

Den Gelsenkirchenern wurde von den Bäckern geraten, wenn ihnen die Abgaben zu hoch wären, sollten sie sich ihre Weihnachtsplätzchen doch selber backen. So eine Frechheit!

Und so schlug zum Weihnachtsfest 1946 (wieder einmal – wie schon in Kriegszeiten und wie auch in späteren Jahren noch) die große Stunde der Firmen, die die Zutaten für das häusliche Backen lieferten. Nahrungsmittelbetriebe wie Deubel, wie Reese, Döhler, Weltkrone und andere. Dr. August Oetker in Bielefeld nicht zu vergessen, der seinen Siegeszug aus den Kriegsjahren fortsetzte. Mit Anzeigenkampagnen wurde um die Kundschaft geworben. Die Firma »Weltkrone« aus Bünde in Westfalen ließ unter »Geschäftliches« einrücken:

»Wir rufen die deutsche Hausfrau!... Schreiben Sie uns aus dem Schatz Ihrer Erfahrungen den besten selbst erfundenen Haushaltskniff! Die kleinste Arbeitshilfe, der einfachste Wink, auch Rezeptkniffe (aber keine gewöhnlichen Rezepte!) sind erwünscht. Wir belohnen Sie für Ihre Mitarbeit... Trotz der zeitbedingten Schwierigkeiten haben wir für die besten Einsendungen insgesamt 50.000 Päckchen WELTKRONE-Backpulver ausgesetzt.«

Dr. Oetker wandte sich einspaltig und persönlich an die Kunden:

»Bei mir gehen jeden Tag große Mengen von Anfragen nach Backvorschriften ein, die ich nicht alle befriedigen kann, da zur Zeit kein Papier für neue Auflagen zur Verfügung steht. Viele haben aber in den Kriegsjahren ihre Oetker-Rezepte verloren und können ohne sie nicht recht fertig werden. Ich werde jetzt in den Zeitungen unter dem Titel ›Guter Rat fürs Backen‹ eine Reihe wichtiger Winke für die Hausbäckerei und anschließend zeitgemäße Backrezepte veröffentlichen...«

Und Dr. Oetker startete eine Serie von Kleinanzeigen in den Tageszeitungen mit Rezepten für Tortenböden, Waffeln, Sirupgebäck, diverse Plätzchensorten und vieles andere. »Sparsamste« Rezepte, immer unter Verwendung von Dr.-Oetker-Produkten, versteht sich.

Kaffeekuchen

250 g Weizenmehl,
50 g Kaffee-Ersatz
(nochmals durch die Kaffeemühle geben!),
9 g (3 gestr. Teel.) Dr. Oetker „Backin",
125 g Zucker,
2—3 Tropfen Dr. Oetker Back-Aroma Bittermandel,
etwa 1/4 l Milch.

Das mit Kaffee-Ersatz und „Backin" gemischte Mehl wird in eine Schüssel gesiebt. In die Mitte macht man eine Vertiefung, gibt den Zucker und das Aroma hinein und verrührt diese Zutaten und das Mehl mit so viel Flüssigkeit, daß der Teig schwer (reißend) vom Löffel fällt. Er wird in eine gefettete, mit geriebener Semmel ausgestreute Kastenform gefüllt.

Backzeit: Etwa 60 Minuten bei schwacher Mittelhitze.

Der Kuchen kann nach dem Backen mit Pudding oder Marmelade gefüllt werden.

Sirupkuchen

35 g Butter (Margarine),
200 g dickflüssiger Sirup (Rübenkraut),
3 Tropfen Dr. Oetker Back-Aroma Bittermandel,
375 g Weizenmehl,
1 Päckchen Dr. Oetker „Backin",
gut 1/8 l Milch.

Man verrührt das zerlassene Fett, den Sirup und das Gewürz gut miteinander. Das mit „Backin" gemischte und gesiebte Mehl wird abwechselnd mit der Milch untergerührt. Man gibt nur so viel Milch hinzu, daß ein schwer reißender Teig entsteht. Man füllt den Teig in eine gefettete Kastenform.

Backzeit: Etwa 50 Minuten bei schwacher Mittelhitze.

Backpulver gab es für die mehl- und butterlosen Hausfrauen und Aromastoffe zum Backen gleich liter- und ballonweise. Um bei der herrschenden Papierknappheit der steigenden Nachfrage gerecht werden zu können, nahm die Firma Reese selbst leere Tütchen und Packungen zurück, um daraus neues Verpackungsmaterial herzustellen.

Die Rezepte, die in Zeitungsanzeigen oder auf Backpulvertütchen zu lesen waren, kannte man aus den Kriegszeiten. Zu Weihnachten 1946 sollte den »*Zeitverhältnissen Rechnung getragen werden*«: Man sollte möglichst ohne Fett backen, das Mehl sollte mit Kartoffeln oder Eichelmehl gestreckt werden. In der »Westfälischen Rundschau« dichtete »G. K.« in einem »Brief an den Weihnachtsmann«: »*Wenn sich Menschen nicht erbarmen, heiliger Mann, hilf Du den Armen ... und bring Kuchen, Backwerk, Brot, dorthin, wo die größte Not.*«

Maronenkuchen

<u>Zutaten:</u> 600 g Maronen, zwei Esslöffel Marmelade (z.B. von Quitten), zwei Esslöffel Apfelsaft, 20 g Fett, 80 g Zucker, ein Teelöffel Backpulver, ein Ei, Semmelbrösel.

Die Maronen, auch Esskastanien genannt, werden auf der Oberseite mit einem scharfen Messer kreuzweise eingeschnitten und im vorgeheizten Backofen auf ein Blech gelegt. Bei 220 Grad heiß werden lassen, bis die Schale platzt. Schälen und enthäuten. In einem Mörser zerkleinern. Marmelade mit dem Fruchtsaft glatt rühren. Nach und nach an die Maronen geben. Mit Fett, Zucker, Backpulver und dem Eigelb zu einem Teig verrühren. Das Eiweiß steif schlagen und vorsichtig unter die Masse ziehen.

Der Teig wird in eine eingefettete, mit Semmelbröseln bestreute Kastenform gefüllt. Bei mittlerer Hitze etwa eine Stunde backen.

Natürlich gab es Cafés in der Nachkriegszeit. Sie erfreuten sich regen Besuchs, waren Treffpunkt, Meinungsbörse. Wie auch heute noch mancherorts. Würden aber wir »Jetzt-Zeit-Menschen«, unversehens in das Jahr 1946 zurückversetzt, ein solches Café betreten, würde uns so einiges seltsam vorkommen.

Zum Beispiel die Kaffeehausgäste, die dort zur kalten Jahreszeit dick eingepackt in Hut und Mantel, einen Schal umgebunden, an den Tischen sitzen würden. Die Cafés des Jahres 1946 waren nicht beheizt.

Wir würden Kaffee bestellen können, und eine freundliche Serviererin würde uns in den allermeisten Fällen Ersatz-Kaffee kredenzen, von dessen Geschmack wir keine Vorstellung haben dürften, ein Geschmack wie ... nein, nicht wie Muckefuck, vollkommen anders, eben nicht mit Worten beschreibbar, weil unvergleichlich. In dem Café würden wir auch eine Kuchentheke entdecken. Und hinter der Theke würde eine freundliche Dame möglicherweise unsere Bestellung entgegen nehmen. Möglicherweise, sage ich, denn zwischen sie und den Kaffeehausbesucher hatte die Bürokratie die Abgabe von Lebensmittelmarken gesetzt.

Welche Arten von Gebäck man denn bestellen, welche man hätte kaufen können, wenn man Lebensmittelmarken zur Verfügung hatte, wollen Sie wissen? Besonders in Mode und beliebt waren damals Amerikaner, wohl auch als Menschen, wenn sie Zigaretten und Kaugummi und Cornedbeef hatten, aber mehr noch, wenn man sie essen konnte.

Amerikaner

Zutaten: 20 g Fett, 30 g Zucker, ein Ei, eine Tasse Milch, ein Teelöffel Backpulver, zwei Tassen Mehl, ein Esslöffel Puderzucker, ein Fläschchen Rum-Aroma, etwas Wasser.

Fett mit Zucker und Ei schaumig rühren. Nach und nach die Milch und das mit Backpulver vermischte und gesiebte Mehl zugeben. Aus dem Teig kleine Häufchen auf ein gefettetes Backblech setzen. Bei 200 Grad so lange backen, bis sie hellbraun sind. Etwas abkühlen lassen. Ein Esslöffel Puderzucker wird mit etwas Wasser und dem Aroma verrührt. Die flache Seite der Plätzchen wird mit dem Zuckerguss bestrichen.

Bienenstich aus Erbsen

Zutaten: Teig: 250 g Mehl, 15 g Hefe, etwas Milch (oder Wasser), 50 g Zucker, 40 g Fett.
Bienenstich: 200 g gelbe Erbsen, zwei Esslöffel Haferflocken, 10 g Fett, etwas (Bitter-)Mandel-Aroma, 75 g Zucker.

Die Erbsen über Nacht einweichen. Für den Teig Mehl in eine Schüssel sieben, in eine Vertiefung etwas warme Milch oder Wasser schütten, Hefe hinein bröckeln, mit etwas Mehl vermischen und etwa zehn Minuten gehen lassen. Dann mit den übrigen Zutaten zu einem Teig schlagen, durchkneten, mit einem Tuch bedecken und erneut gehen lassen.

Die eingeweichten Erbsen abtropfen lassen und durch den Fleischwolf drehen. Mit 50 Gramm Zucker und dem Mandelaroma verrühren. Den Teig auf einem gefetteten Backblech ausrollen. Mit dem Bienenstich (sprich: Erbsenmus) bestreichen und nochmals gehen lassen.

Den Rest Zucker in einem Pfännchen braun werden lassen, unter ständigem Rühren Fett zugeben und die Haferflocken. Die Masse mit einem Messer vorsichtig auf den Bienenstich streichen. In den gut vorgeheizten Ofen schieben und bei 200 bis 225 Grad etwa 25 bis 30 Minuten backen. Wenn möglich, vor starker Oberhitze schützen.

Kekse für die Reise

Zutaten: 100 g Haferflocken, 100 g Roggenmehl, ein Teelöffel Backpulver, 50 g Zucker, eine Prise Salz, eine Tasse Wasser.

Haferflocken in der Kaffeemühle mahlen. Mit dem Backpulver und dem Roggenmehl mischen. Nach und nach zu dem Wasser geben, in das der Zucker und das Salz eingerührt wurden. Den daraus hergestellten Teig ausrollen. In kleine Vierecke schneiden. Des Aussehens wegen kann man die Kekse noch mit einer Gabel ein paarmal einstechen. Bei 200 Grad auf einem gefetteten Backblech etwa 20 Minuten hell- bis dunkelgelb backen. Wer würzige Kekse haben möchte, lässt den Zucker weg und nimmt statt dessen etwas zerstoßenen Kümmel und eventuell etwas mehr Salz.

HEINZ KAAK
Auswärtige Wurstwaren
Delikatessen

1947

Wir hungern
Wir wollen keine Kalorien, Wir wollen Brot.

Was 1946 in die Wege geleitet worden war, wurde 1947 manifest: die Teilung Deutschlands. Zwar trafen der neue US-Außenminister Marshall, Molotow (UdSSR), Bevin (Großbritannien) und Bidault (Frankreich) auf zwei Konferenzen, im März in Moskau und im November in London, zusammen, um über die »deutsche Frage« zu beraten, aber die Politiker waren offenbar nicht mehr willens, über die deutsche Ostgrenze und die politische Einheit Deutschlands eine Einigung zu erzielen.

Einziges Ergebnis der Konferenz von Moskau: Am 24. April 1947 wurde die Auflösung des preußischen Staates bestätigt. Und auch die Konferenz von London, von Bidault als »*Konferenz der letzten Chance*« bezeichnet und in der Presse als »*Konferenz, die über die Zukunft der Menschheit entscheidet*« angezeigt, scheiterte. Und es gelang, was Bevin schon 1946 gefordert hatte:

»Sollten wir zu der Überzeugung gelangen, die Idee von der Einheit Deutschlands – selbst wenn dieses föderalistisch strukturiert ist – aufgeben zu müssen, ist es außerordentlich wichtig, sicher zu stellen, dass die Verantwortung für diesen Bruch unzweideutig den Russen zur Last gelegt wird...«

Die USA schwenkten auf die Politik Großbritanniens ein, die da hieß: Eindämmung des sowjetischen Einflusses um jeden Preis.

Am 12. März 1947 hielt US-Präsident Truman vor dem Kongress eine Rede, deren Kernsätze als »Truman-Doktrin« in die Geschichte eingegangen sind, eine mäßige Rede von schlichter Denkungsart, wie man das bis heute von US-Präsidenten immer wieder vorgeführt bekommt, aber einprägsam. Er sagte:

»Im gegenwärtigen Abschnitt der Weltgeschichte muss fast jede Nation ihre Wahl in Bezug auf ihre Lebensweise treffen... Die eine Lebensweise gründet sich auf den Willen der Mehrheit und zeichnet sich durch ... Garantie der individuellen Freiheit ... und Freiheit vor politischer Unterdrückung aus. Die zweite Lebensweise gründet sich auf den Willen einer Minderheit, welcher der Mehrheit aufgezwungen wird... Ich bin der Ansicht, dass es die Politik der Vereinigten Staaten sein muss, die freien Völker zu

unterstützen..., sich ihr eigenes Geschick nach ihrer eigenen Art zu gestalten. Ich bin der Ansicht, dass unsere Hilfe in erster Linie in Form wirtschaftlicher und finanzieller Unterstützung gegeben werden sollte, die für eine wirtschaftliche Stabilität und geordnete politische Vorgänge wesentlich ist...«

Am 5. Juni 1947 schlug dann der US-Außenminister in einer Rede an der Harvard-Universität ein wirtschaftliches Hilfsprogramm der Vereinigten Staaten für Europa vor, den »Marshall-Plan«. Zweck dieses Planes war – so der Schriftsteller Bernt Engelmann – »*eine wesentliche Stärkung des amerikanischen Einflusses in den Empfängerländern, die Aufrechterhaltung bürgerli-*

cher Demokratien mit kapitalistischem Wirtschaftssystem und die Abkehr von allen Sozialisierungs- und Bodenreform-Plänen«.

Das Programm, das vor allem Großbritannien, Frankreich, Italien und Deutschland zugute kommen sollte, wurde ohne die Sowjetunion beschlossen. Frankreich, auf die US-Milliarden angewiesen, würde sich, das war absehbar, auf Dauer den Plänen zur Institutionalisierung eines westdeutschen Staates nicht verschließen können.

Am 29. Mai 1947 wurde ein »Abkommen über die Neugestaltung der bizonalen Wirtschaftsverwaltung« zwischen den USA und Großbritannien geschlossen und vereinbart, den Deutschen »*ein Höchstmaß von Verantwortung in Erfüllung bizonaler Aufgaben von der Militärregierung zu übertragen*«, wobei die Alliierten sich natürlich letzte Entscheidungen vorbehielten. (»*Ein Organ, genannt Wirtschaftsrat, ist von den Landtagen der verschiedenen Länder zu wählen.*«)

Die Errichtung der Bizone brachte den Deutschen zunächst neue Zweizonen-Lebensmittelmarken, die in der britischen und der US-Zone mit Beginn der 97. Lebensmittelzuteilungsperiode Gültigkeit hatten und die alten Marken ablösten. Und ansonsten eher wenig. Die Würfel für einen separaten westdeutschen Staat waren gefallen. Die Deutschen hatten nicht die Macht, eine Teilung ihres Landes zu verhindern, aber den Willen hätte man bekunden kön-

Deutsches Schicksalswürfeln im Winter 1946/47

nen, die Einheit Deutschlands zu erhalten. Dass dies gemeinsames Bestreben aller Deutschen sei, behaupteten zumindest die Politiker. Doch eigentlich hatten die anderes im Sinn.

Der Vorsitzende der Sozialdemokraten, Kurt Schumacher, zum Beispiel war – wir sagten es schon – durchaus bereit, zunächst eine deutsche Teilung in Kauf zu nehmen, meinte aber mit Blick in die Zukunft:

»*Man muss soziale und ökonomische Tatsachen schaffen, die das Übergewicht der drei Westzonen über die Ostzone deklarieren. Die Prosperität der Westzonen ... kann den Westen zum ökonomischen Magneten machen. Es ist ... kein anderer Weg zur Erringung der deutschen Einheit möglich als diese ökonomische Magnetisierung des Westens, die ihre Anziehungskraft auf den Osten so stark ausüben muss, dass auf die Dauer die bloße*

41 St 1 96
41 St 2 96
41 St 3 96
41 St 4 96
41 N 96
41 N 96
41 N 96

Deutschland
Britische Besatzungszone
LEA Westfalen
EA.: Gelsenkirchen
SV 96
Gültig vom 9. 12. 1946 bis 5. 1. 1947
Lebensmittelkarte
für Vollselbstversorger
über 6 Jahre

K 125 g Kaffee-Ersatz 41/96
62,5 g Käse od. 125 g Quark 41/96
125 g Zucker 41/96 B
125 g Zucker 41/96 A
450 g Marmelade od. 250 g Zucker 41/96
225 g Marmelade od. 125 g Zucker 41/96
150 g Kunsthonig od. 125 g Zucker 41/96

Z 41	L 41	E 41
963	966	969
G'kirch.	G'kirch.	G'kirch.

Innehabung des Machtapparates dagegen kein sicheres Mittel ist.«

Der als wirtschaftliches Hilfsprogramm angekündigte Marshallplan würde eine solche ökonomische Überlegenheit möglich machen, hoffte man. Die Verkündung des Marshallplanes kam also genau zur rechten Zeit, um die immer lauter werdenden Forderungen in der deutschen Bevölkerung nach grundlegenden gesellschaftlichen Reformen zu unterdrücken. Forderungen, die nicht im Interesse der Westalliierten, zumindest nicht im Interesse der US-Amerikaner liegen konnten.

Im Frühjahr 1947 kam es vor allem in Nordrhein-Westfalen zu Streiks und Demonstrationen. 35.000 Menschen gingen in Wup-

pertal auf die Straße. In Hagen waren es 20.000. Im Ruhrgebiet legten 300.000 Bergarbeiter die Arbeit nieder. Sie demonstrierten nicht nur gegen Hunger und Ernährungspolitik, sie forderten auch die Enteignung der Bergwerksbesitzer, die Verstaatlichung der Großindustrie und die Durchführung einer Bodenreform.

»Meiner Ansicht nach sollte man sie mit vorgehaltenem Bajonett zur Arbeit antreiben«, regte der US-Abgeordnete Richards die alliierten Militärbehörden an. Es gab da freilich weniger martialische, wenn auch ähnlich wirksame Möglichkeiten.

Der Marshallplan, in dessen Rahmen auch Nahrungsmittel, Saatgut und Düngemittel im Wert von 1,6 Milliarden Dollar nach Deutschland geliefert werden sollten, handelte der hungernden Bevölkerung ihre gesellschaftspolitischen Forderungen ab. Mit Hunger wurde Politik gemacht, mit Ernährungsversprechen Willfährigkeit erzwungen: Peitsche und Zuckerbrot.

Die Ernährungslage hatte 1947 katastrophale Formen angenommen. Nach der Kältewelle des Winters kam ein viel zu trockener Sommer. Die Dürre verhinderte eine gute Ernte.

Der Brennstoffmangel des Winters bei Minustemperaturen von 20 Grad und mehr führte zur Einrichtung von Wärmehallen und Suppenküchen. Trotzdem erfroren in Hamburg von Jahresanfang bis Mitte Februar 65 Menschen.

»Hoffnung muss den Magen füllen, Wärme ist nur Illusion; doch selbst mit dem besten Willen lebt ein Mensch nicht lang davon.«

Solch »geflügelte Worte« machten die Runde. Wer zu einem Tanzvergnügen wollte, ging mit einem »Päckchen« zum Swing: zwei eingewickelte Briketts – das Eintrittsgeld zum Tanzsaal.

Zur Kälte kam der Hunger. Trotz gegenteiliger Versprechungen der Regierenden (»*Im Sommer sind 1.800 Tageskalorien zu erwarten!*«) blieben die Lebensmittel das ganze Jahr über knapp.

In Essen erhielt ein so bezeichneter Normalverbraucher 1947 durchschnittlich pro Tag 338 Gramm Brot, 46 Gramm Nährmittel, 4,4 Gramm Kaffee-Ersatz, 14,2 Gramm Fleisch, 6 Gramm Fett, 4 Gramm Käse, 20 Gramm Zucker, 100 Gramm Kartoffeln, 19,3 Gramm Fisch und für das ganze Jahr 7 (in Worten: sieben) Eier zugeteilt.

Im Januar und Februar gab es in den westdeutschen Großstädten wochenlang keine Nährmittel, so dass der Rückstand im Februar 2,3 Millionen Zentner betrug.

Die Fleischversorgung, besonders mit Rindfleisch, war etwas besser als in den Vorjahren. Zu Jahresbeginn ordnete die Militärregierung Rindvieh- und Schweineabschlachtungen an, das Weideland sollte als Ackerland zum Anbau von Feldfrüchten genutzt werden. Die Dürre des Sommers und das fehlende Viehfutter führten zu weiteren Schlachtungen. Wo das nicht geschah, verhungerten die Tiere, allein in Schleswig-Holstein waren es 9.000 Stück Vieh.

Im Frühjahr konnten statt der nunmehr angekündigten 1.500 Tageskalorien nicht einmal mehr die »Mindestbedarfsmenge« von 1.050 Tageskalorien geliefert werden. Die Fettrationen erfuhren eine weitere Kürzung. In Folge der Rinderschlachtungen fehlte Milch. Die Rapsernte war um die Hälfte niedriger als im Vorjahr.

Die Menschen sammelten Bucheckern und pressten Sonnenblumenkerne aus. In einer Detmolder Stadtküche behielten Frauen, die dort angestellt waren, die für das Essen bestimmte Butter für sich. Statt dessen »fetteten« sie die Mahlzeiten mit einer Topfreinigungsemulsion.

Im Mai 1947 brach erstmals die Kartoffelversorgung zusammen. Trockenkartoffeln wurden nur an die Zulage-Empfänger abgegeben. Der angekündigte »Frühkartoffelsegen« im August blieb aus. Die Kartoffelernte 1947 ließ einen Minderertrag von 40 Prozent gegenüber dem Vorjahr erwarten, auch das eine Folge der Trockenheit.

Die Menschen im Ruhrgebiet waren bemüht, sich auf eigene Faust mit Kartoffeln zu versorgen, bauten diese selbst an oder ver-

„Kartoffeln schon geerntet?"
„Ja, — — — möcht' nur wissen, wer!"

„Ich glaube, ich muß unbedingt mal ein paar Tage aussetzen." — „So,. was fehlt dir denn?" — „Kartoffeln!"

„Mutti, warum hat man uns nicht das Gemüse gegeben, anstatt es verfaulen zu lassen?"
„Ach Kind, das ist Wirtschaftspolitik, eine hohe Kunst, die wir nie begreifen werden."

suchten, sich die Knollen auf Hamstertouren zu besorgen. Allerdings – das Hamstern war schwerer geworden. In einer Verordnung vom 7. Mai 1947 erklärte der Minister für Ernährung und Landwirtschaft des Landes Nordrhein-Westfalen, Heinrich Lübke, die »*Einführung von Sperrgebieten zur Erntesicherung*«.

In bestimmten landwirtschaftlichen Anbaugebieten (z.B. den Dortmunder Rieselfeldern oder der Soester Börde) durften sich zum Teil bis in den November hinein »*nur solche Personen aufhalten, die in diesem Gebiet ansässig sind oder in diesem ihre Arbeitsstätte haben*«.

Wer auf abgeernteten Feldern »stoppeln« oder Kartoffeln lesen wollte, brauchte dafür einen Erlaubnisschein. Ja, es wurden sogar Vorschriften fürs Ährenlesen erlassen. Aber selbst gelesene Kartoffeln sollten nach dem Willen des Frankfurter Wirtschaftsrates beschlagnahmt werden. Trotz dieser Maßnahmen gab es im Herbst lediglich einen halben Zentner Kartoffeln pro Person zum Einkellern, 50 Pfund, die ein halbes Jahr reichen sollten.

Was blieb den Hungernden, als sich an die Landwirte selbst zu wenden. Auch 1947 schlugen die Bauern aus der Lebensmittelnot der Städter Gewinn, waren zu manchem Tauschgeschäft bereit. Denn trotz strengster Ablieferungskontrollen hatten sie natürlich Kartoffeln zurück behalten. Allein im Kreis Brilon fand eine Kontrollkommission im November dieses Jahres 22.000 Zentner solcher Kartoffeln.

Und das war bei anderen Lebensmitteln ähnlich. Bekommen konnte man Alles, wenn man es bezahlen konnte oder etwas zum Tauschen hatte: dicke Bohnen gegen Bohnenkaffee, Speck gegen »Lucky Strikes«, Eier gegen Schmuck.

Zur gleichen Zeit, da in Deutschland Hungernde auf dem Lande die Felder und in den Städten die Mülltonnen nach Essbarem absuchten, pflügte man in den USA, am Red River, Kartoffeln um, wurden in Holland zehn Millionen Kilo Gemüse vernichtet, das man ins Ruhrgebiet hätte liefern wollen, wenn es mit Dollars hätte bezahlt werden können.

Es wurde Ackerland von den britischen Militärs beschlagnahmt als Truppenübungsplatz.

Und es wurde immer wieder berichtet von Lebensmittelschiebungen, von Schwarzmarktgeschäften, von Veruntreuung, von »Vitamin«-Korruption.

Im Januar 1947 wurde in Frankfurt der »König der Blutspender« verhaftet. Für angeblich gespendetes Blut erschwindelte er sich als »Lebensmittelgabe« vom Ernährungsamt im Laufe eines Vierteljahres 436 Pfund Brot, 409 Pfund Fleisch, 110 Pfund Butter, 120 Pfund Nährmittel, 103 Pfund Käse und 1.525 Liter Vollmilch.

In Minden wurden drei Angestellte des Verwaltungsamtes für Wirtschaft verhaftet, die eine Großschiebung mit Bezugsscheinen für Papier, Holz und Eisenblech zum Schwarzmarktpreis von 150.000 Mark durchführen wollten.

Am 24. September 1947 trafen sich in Bayern, im schönen Ruhpolding, für drei Tage Ernährungsfachleute, meist Beamte, aus den drei Westzonen, um über die Verbesserung der deutschen Lebensmittellage zu beraten. 43 Fachleute waren es, und an Nahrungsmitteln standen den Ernährungsspezialisten während der

Tagungszeit unter anderem zur Verfügung: 37 Kilo Fleisch, 258 Eier, 10 Kilo Butter, 9 Kilo Käse, 7,5 Kilo Lachs, 4 Kilo Eiscremepulver, 37,5 Kilo Kirschen, 50 Dosen Fruchtsaft, 20,5 Kilo Zucker, 5 Kilo Bohnenkaffee... Die Liste ging noch weiter und umfasste insgesamt 19 Posten.

Die Menschen im Ruhrgebiet, die hungerten und die diese Leckerbissen nur noch dem Namen nach kannten, vernahmen solches mit ungläubigem Staunen. Erfuhren auch von »Schlemmerlokalen«, die von der Polizei in Nord- und Ostseebädern ausgehoben wurden, in Westerland, Timmendorf, Niendorf, Scharbeutz oder Borkum. Dort trug man Frack, Smoking und Abendkleid, bestellte sich Gänseleberpastete für 285,60 Mark oder trank Sekt, die Flasche für 1.000 Mark. Auf Borkum kostete eine Zigarette zehn Mark, eine Tasse Bohnenkaffee elf Mark. In Timmendorf gab der Besitzer des Lokals »Insel« zu, in zwei Wochen rund 160.000 Mark Umsatz bei 10.000 Mark eigenen Kosten gemacht zu haben. Und selbst in Gelsenkirchen gab es Menschen, die offenbar nicht »auf die Mark schauen mussten«, davon zeugen die Millionenumsätze, die an jedem Renntag am Totalisator der Trabrennbahn erzielt wurden.

Die Menschen, die Not leiden mussten, obwohl sie hart arbeiteten, ahnten, dass es da eine andere Welt gab, sehr verschieden von der ihren, eine Welt, in der kein Mangel herrschte, und das 1947 mitten in Deutschland. Sie lasen in den Zeitungen, dass da Menschen waren in diesem Lande, die in Luxus lebten, nicht nur Schwarzhändler und Schieber, auch Gemüse- und Kohlenhändler, Juweliere und Transportunternehmer, Industrielle und vor allem Beamte, in ihrer Mehrzahl bestechlich und nicht gefeit gegen die Versuchung einer »vitaminreichen« Zuwendung für entsprechende »Dienste« als Gegenleistung.

Das Vertrauen in die Verwaltungsbehörden von Stadt und Land war bei der Bevölkerung 1947 auf dem Nullpunkt angelangt.

Einige griffen zur Selbsthilfe. Als Frauen und Kinder, die um Steckrüben anstanden, im Februar 1947 einen Lastwagen voll feinstem Tafelobst entdeckten, den das Landesernährungsamt Unna der Schnapsbrennerei Meinberg »zugewiesen« hatte, stürmten sie, vom Hunger getrieben, den Transporter und brachten die Äpfel in ihren Besitz. Andere gingen auf die Straße und demonstrierten wieder, legten stundenweise die Arbeit nieder.

Der Druck auf die Politiker wurde so stark, dass der nordrhein-westfälische Landtag am 2. Oktober 1947 beschloss, die Landesregierung solle einen Staatskommissar zur Bekämpfung von Korruption und Misswirtschaft in Verwaltung und Wirtschaft ernennen. Ernannt wurde der Iserlohner Oberbürgermeister Jacobi. Bezirksbeauftragte wurden eingesetzt und Beschwerdeausschüsse auf lokaler Ebene. 30 Beamte sollten Jacobi bei seiner Aufgabe unterstützen. Bürokratie entstand, mit der bürokratische Auswüchse bekämpft werden sollten. Jacobi:

»Jene mit den feisten Hamsterbacken wollen wir jagen, den Berufsschiebern gilt unser unnachsichtiger Kampf in erster Linie... Delikte von Beamten und Angestellten werden immer dann das Interesse meiner Dienststelle erregen, falls sich heraus stellt, dass pflichtgemäße Dienste, auf die das Publikum Anspruch hat, von einer Gegenleistung abhängig gemacht werden.«

Aber das Staatskommissariat zeigte wenig Effektivität. Beamte können nun einmal nicht Beamte überwachen. Eine Maßnahme also, eine Einrichtung, die lediglich die Bevölkerung beruhigen sollte. Denn Politiker und Beamte mussten Ende 1947 mit neuen Hiobsbotschaften an die Öffentlichkeit treten.

Ein dritter Hungerwinter drohte. Im Dezember 1947 schon gab es in Duisburg wochenlang kein Fett, kein Gemüse, kein Mehl und kein frisches Fleisch zu kaufen. Als der für Ernährung zuständige Minister Heinrich Lübke sein Versprechen, im Zuge einer Weihnachtssonderzuteilung Bohnenkaffee, Mehl und Zucker an die Bevölkerung zu verteilen, nicht einlösen konnte, weil die Verhandlungen darüber beim Wirtschaftsrat in Frankfurt gescheitert waren, bot er seinen Rücktritt an. Zwei Tage vor Weihnachten zog er seine Demission zurück: Die Notlage auf dem Ernährungssektor zwinge ihn, auf seinem Posten zu verbleiben.

Wie schon zu Beginn des Jahres gab es Hungertote. Allein im Gelsenkirchener Stadtteil Buer starben 1947 an Unterernährung und Schwäche 14 Menschen. Die Säuglingssterblichkeit stieg drastisch an, 544 waren es in der gesamten Stadt, die starben, bevor sie das erste Lebensjahr erreicht hatten.

»Allgemeine Körperschwäche« hieß die neue Volkskrankheit. In Gelsenkirchen waren bereits im Januar dieses Jahres 7.500 Personen unterernährt, in Berlin waren im Februar 16.000 Menschen in akuter Lebensgefahr.

Im Juni 1947 verfassten die deutschen Ärzte eine Resolution zur Ernährungslage:

»Die deutsche Ärzteschaft appelliert an das Weltgewissen, den bereits weit fortgeschrittenen körperlichen Verfall des deutschen Volkes nicht weiter zuzulassen... Die ... bestehende chronische

Wenn man essen wollte wie 1937 ...

Ein „Normalverbraucher-Ehepaar" müßte monatlich über 3000 Mark ausgeben

Hamburg, 24. Nov. (DPD) Ein „Normalverbraucher-Ehepaar" müßte monatlich 3 170,— Mark ausgeben, wenn es sich heute so ernähren will wie 1937. Diesen handgreiflichen Unterschied zwischen Vorkriegs- und Nachkriegszeit hat das Statistische Landesamt der Hansestadt Hamburg festgestellt.

Der etwas wehmütige Vergleich mit der Friedenszeit hat im Statistischen Landesamt noch zu anderen Errechnungen geführt. Im Frieden soll der Durchschnittsmensch täglich 2 863 Kalorien aufgegessen haben, auch wenn er damals davon noch nichts wußte. Will der Normalverbraucher heute die gleiche Anzahl Kalorien verzehren, dann muß er sich eine Schwerarbeiterkarte dazukaufen, die nach den Feststellungen des Statistischen Landesamtes „schwarz" 460 Mark kostet: Aber die Annahme, daß sich auch mit Hilfe dieser Schwerarbeiterkarte ein friedensmäßiges Essen kochen läßt, erweist sich als weit gefehlt. Das Statistische Landesamt weist darauf hin, daß es auf Lebensmittelkarten hauptsächlich „billige" Lebensmittel gibt Brot, Nährmittel oder Kartoffeln — an Zukker, Eiern, Speck, Schinken, Fett und Obst haben wir vor 10 Jahren ein Vielfaches mehr verbraucht als es heute selbst mit allen Zulagekarten möglich sein kann.

Vergleicht man den Verbrauch an Lebensmitteln im Jahre 1937 mit der Jetztzeit, so ergibt sich folgendes Bild: Der Verbrauch an Fett und Fleisch ist um 90 Prozent zurückgegangen, und nur noch ein Fünftel des Zuckers von 1937 wird heute umgesetzt. Bei Eiern, Obst, Kakao und Süßigkeiten nimmt der Rückgang 99 Prozent an. Der Kartoffelverbrauch beträgt heute 60 Prozent, der Brotverbrauch 90 Prozent des Friedensstandes. Nährmittel und Marmelade werden heute mehr gegessen als vor 10 Jahren, und zwar um 30 oder 40 Prozent mehr.

Unterernährung hat bereits zum weitgehenden Abbau der Körpersubstanz des Deutschen geführt und nicht nur seine körperliche Leistungsfähigkeit extrem herab gesetzt, sondern auch seine geistige Spannkraft vermindert und sein seelisches Gefüge verändert. Der hungernde Mensch ist antriebslos, reizbar, überkritisch und untauglich für Aufbau und staatsbürgerliche Betätigung. Die Ärzteschaft warnt vor den Gefahren, die diese unvermeidbaren physiologischen Folgen des chronischen Hungerns in jedem da-

von betroffenen Volk für die übrige Welt, für die Ethik, für die Sicherheit der übrigen Menschheit in sich bergen...«

Ein deutlicher Hinweis also auf die Unberechenbarkeit des hungernden Deutschen.

Und wieder wird die Verbindung hergestellt zwischen Ernährungslage und Politik.

In einer Untersuchung des Ernährungsrates der deutschen Ärzte wurden Belege geliefert: Krankheitsbilder wurden geschildert, die auf Hunger und Unterernährung zurückzuführen waren, Sterblichkeitsziffern genannt. Neben Tuberkulose und anderen Krankheiten hatten vor allem die Hauterkrankungen zugenommen. Sie waren um das Zehnfache gestiegen. Die Sterblichkeit lag dreimal so hoch wie vor dem Krieg. Vor möglichen Folgen weiterer schlechter Ernährung wurde gewarnt:

»*An die Stelle fleißiger Arbeit ist in den deutschen Betrieben ein stumpfes Herumsitzen getreten, unterbrochen von einer minimalen Arbeitsleistung, die unter normalen Verhältnissen in ein bis drei Stunden geleistet wird. Und auch diese Arbeitsleistung ist nur dadurch aufrecht zu erhalten, dass die Arbeiter bedingungslos und skrupellos alle Möglichkeiten der zusätzlichen Nahrungsbeschaffung ausschöpfen...*«

Worauf die Ärzte hier zuletzt hinwiesen, war ein Teufelskreis, in den die deutsche Bevölkerung einzutreten drohte.

Seit September 1946 war die Arbeitsunfähigkeit in Folge Unterernährung ständig angestiegen und stieg 1947 weiter. Nachgelassen hatte die Arbeitsleistung. Zwei Beispiele: 1936 schachtete ein Arbeiter acht Kubikmeter Erdreich an einem Arbeitstag aus. 1946 waren es nur drei Kubikmeter. Um zwei Kubikmeter Mauerwerk an einem Arbeitstag herzustellen, wurden 1936 zwei Maurer und ein Hilfsarbeiter benötigt, 1946 sechs Maurer und zwölf Hilfsarbeiter.

Arbeitskräfte fehlten 1947. Aber nur durch den Export von in Deutschland geförderten Rohstoffen und in Deutschland hergestellten Industriegütern ins Ausland konnten die für den Import von Lebensmitteln benötigten Devisen beschafft werden. Sank die Arbeitsleistung, verringerte sich folglich auch die dadurch erwirtschaftete Lebensmittelmenge, was die Ernährungslage weiter verschlechterte, wodurch wieder die Arbeitsleistung absank.

Eine Schlüsselstellung nahm dabei die Kohleförderung ein. Kohle war das wichtigste Ausfuhrprodukt. Dabei standen Exportleistung und Import in einem krassen Missverhältnis zueinander. Vier Tonnen Kohle mussten gefördert und ausgeführt werden, um für den Erlös eine Tonne kanadischen Weizen einführen zu können. Also mussten – und das erkannten nicht nur die alliierten Behörden, sondern auch deutsche »Ernährungsfachleute« – vor allen anderen die Kumpel an der Ruhr ausreichend ernährt werden, wollte man überhaupt aus dem tödlichen Kreislauf heraus kommen.

Anfang des Jahres 1947 wurde ein Bergmannspunktesystem eingeführt, das die Ernährungssituation der Kumpel an der Ruhr verbessern sollte. Bereits in den Vorjahren war mancherlei geschehen, um den Bergleuten mehr Lebensmittel zukommen zu lassen. Vor Schichtbeginn bekamen die Zechenarbeiter Butterbrote, die sie »Doppelts« nannten (auf dem Foto ist zu sehen, wie diese zube-

reitet werden), bei Schichtende wurde ein Eintopfgericht ausgegeben. Es gab Schwer- und Schwerstarbeiterzulagen, CARE-Pakete wurden verteilt.

Dennoch – als im Februar 480 Kumpel einer Gelsenkirchener Schachtanlage untersucht wurden, hatten 95 Prozent von ihnen Untergewicht, 168 von ihnen waren mehr als 20 Prozent untergewichtig. Das Punktesystem sollte Abhilfe schaffen.

Am 20. Februar begann die erste Verteilung von Bergmannspunkten entsprechend der Leistung der Arbeiter vom 16. bis 31. Januar. Für jede Mark des durchschnittlichen Schichtlohnes eines Monats erhielten die im Bergbau Beschäftigten zehn Punkte,

mindestens aber 50, höchstens 150 Punkte. Bei nicht voller Arbeitsleistung, zum Beispiel Fehlschichten, fanden Kürzungen statt.

Da Lebens- und Genussmittel vor allem denen zusätzlich zugute kommen sollten, welche die schwerste Arbeit verrichteten, wurden Bergarbeiter und Angestellte in acht Klassen eingeteilt.

Nach dieser Regelung erhielt ein Gedingearbeiter unter Tage monatlich 750 Gramm Speck, ein Pfund Bohnenkaffee, 250 Gramm Zucker, zwei Flaschen Schnaps und 100 Zigaretten zusätzlich. Im Übrigen wurden keine Unterschiede zwischen den verschiedenen Gruppen von Betriebsangehörigen im Kohlebergbau gemacht.

Die Abgabe der Lebens- oder Genussmittel erfolgte in den Geschäften gegen Abtrennung der Bezugskartenabschnitte und gleichzeitiger Abgabe von Punkten.

Von den Bergmannspunkten konnten, wenn sie nicht für den Bezug von Lebensmitteln benötigt wurden, auch Konsumgüter »gekauft« werden: Schuhe (50 Punkte), Textilien (einen Wintermantel gab es für 230 Punkte) oder Haushaltswaren (für einen Kochtopf waren 10 Punkte einzusetzen).

Eine Art neuer Währung entstand, eine »Währung«, die höher im Kurs stand als die Reichsmark und für die man auch den Gegenwert »Ware« bekam: Die Schaufenster füllten sich, die Preise waren in »Bergmannspunkten« ausgezeichnet.

Eine solche Maßnahme musste zu Unruhe in der Bevölkerung führen, besonders in der angespannten Lage des Jahres 1947 und vor allem bei denen, die nicht in den Genuss dieser Sonderbewirtschaftung kommen konnten. Eine Anzeigenkampagne in den Zeitungen sollte aufklären und für Verständnis werben. Das Punktesystem wurde ein Erfolg, die Kohleförderung stieg leicht an.

Natürlich wurde mit den Bergmannspunkten auch ein schwunghafter Schwarzhandel getrieben. Ein Kaufmann in Gelsenkirchen ergaunerte 1947 immerhin 201.000 Punkte und wurde zu einer Gefängnisstrafe von drei Jahren verurteilt.

Was gibt es sonst noch aus diesem Jahr 1947 zu berichten?

Statt des bisherigen Bezugsscheinsystems wurden Textil-Punktmarken eingeführt, aber nicht beliefert.

Für Kraftfahrzeuge in der britischen Zone gab es neue Nummernschilder, schwarze Ziffern auf hellblauem Grund, aber kaum Benzin.

Und wie ein Alltagsmorgen 1947 verlief, lassen wir einen Gelsenkirchener Zeitungsreporter berichten:

»Sieben Uhr morgens. Aufstehen. Waschen mit einem Händchen voll flüssiger Seife. Frühstück: Brot mit Salz und zwei gehamsterten Tomaten. Blick durchs Fenster. Eine Portion frischer Rossäpfel auf der Straße. Rasch einkassiert, ehe der Nachbar drangeht... Dringend zum Schuster. Hin. Pech gehabt. ›Heute keine Annahme.‹

Auf dem Heimweg Schlange mit Obstkunden. Es gibt prima Birnen allerletzter Qualität. Gut, dass ich die Karten bei mir habe... Also ran an die Schlange. Als ich drankomme (nach 53

Man kennt seine eigene Heimat nicht wieder

Gelsenkirchener Heimkehrer erzählt seine Eindrücke

Ein Gelsenkirchener der seit langen Jahren zum ersten Male wieder den Boden der Heimatstadt betrat, erzählt uns von seinen ersten Eindrücken, d. h. vor allem von dem, was ihm besonders auffiel:

Ich kam bei Regen an. Im Hauptbahnhofsgebäude bekam ich durchnasse Füße — nachher aber, auf der Straße, war es halb so schlimm.

Gegenüber dem zertrümmerten Hauptbahnhof sind die Straßenbahnhaltestellen Was für ein Geschiebe. Gedränge, Gestoße und Geschrei! Sollte man in all den Jahren nicht doch ein Rezept gefunden haben, wie man diesen Zustand beseitigen kann? Vielleicht durch Schlangenreihen?

Uebrigens: worüber die Menschen an den Haltestellen sprachen? Man machte seine Witze über das Speisekammergesetz. Man schimpfte über die „dicken Bauern", über Schieben und Kompensieren und darüber daß weiß Gott was alles nicht zu haben ist.

Dann ging ich durch die Bahnhofstraße. Herrlich volle Schaufenster. Nur auf Bergmannspunkte!" Soviel Bergleute und soviel Punkte gibt es ganz bestimmt nicht. wie sich da auf Bergmannspunkte anbietet! Und warum gibt man den „Punktlosen" nichts? Ein kritischer Punkt.

In einem Schnellbüfett schütte ich mir ein markenfreies Tellergericht in den leeren Magen: graues Wasser mit Steckrübenschnitzeln. Reicht nicht; ein Teller Graupensuppe mit 50 Gramm Nährmitteln (eine Hausfrau macht die dreifache Portion davon) muß dahinterher. Und jetzt noch einen markenfreien Gemüsesalat dazu: Rote Beten mit schamrotem Runkelgemüse dazu und rings herum als Garnierung Steckrübenschnitzel. Noch nicht satt, ziehe ich weiter. In einem anderen Restaurant kriege ich für 50 Gramm Nährmittel eine ganze Terrine Graupensuppe, mindestens drei Teller voll. Man sieht: das eine geht, aber das andere geht auch. Heute geht eben alles!

Also: ich bin nun satt. Eine dunkle Existenz scheint gemerkt zu haben, daß ich nun ganz gern vielleicht auch noch ein Schnäpschen . . . Aber das gibt es in diesem Lokal nicht. Dezent kommt der Fremdling auf mich zu und empfiehlt sich als Schlepper für ein Lokal, wo man Schnaps, Wein Kaffee alles haben kann. „Mit einem kleinen Aufschlag natürlich", sagt er augenzwinkernd. Ich sehe ihn ungläubig an. „Haben Sie Angst?" meint er. „Brauchen Sie nicht zu haben. Bei uns ist die Luft rein! Nein, ich danke, wirklich.

Zuletzt geriet ich noch in eine Straße, auf der hier und da kleine Menschenknäuel zusammenstanden — gleich hinterm Bahnhof rechts. Vorn an der Straßenecke stand ein Schutzmann und etwas weiter wurde gekungelt: Deutsche und Amis — man sah es an den frischangesteckten Stäbchen, mit denen sich einzelne Personen unauffällig aus den Knäueln lösten. Eine Stunde später saß ich mit einem Freunde in einem Gasthaus Wir unterhielten uns natürlich auch über den Gelsenkirchener Schwarzmarkt. Und mein Freund meinte: „Deswegen braucht man nicht mehr zum Bahnhof zu laufen. Zigaretten kann man schwarz heute in jedem anständigen Lokal haben."

Das wäre es für heute. Vielleicht fällt mir nochmal was auf.

Minuten und 14 Sekunden)...: ›Sind Sie bei uns in die Kartoffelliste eingetragen?‹ Antwort: ›Nein!‹ ›Dann kriegen Sie auch kein Obst.‹ Aha, eine Straßenbahn! ›Haben Sie Kleingeld?‹ Nöh. Ergebnis: für eine Mark Fahrscheine. Beim Blick ins Portemonnaie entdecke ich einen Schirmreparaturschein. Hm, kann man auch mal nachfragen. Nee, noch nicht fertig... ›Vielleicht nächste Woche‹... Was, schon zwölf Uhr? Nun aber rasch zum Mittagessen nach Hause. Es gibt eine Handvoll Salzkartoffeln mit Aussicht auf bessere Zeiten garniert...«

Maisrezepte

Eigentlich war alles ein Missverständnis und beruhte auf einem Übersetzungsfehler. Auf die Frage der für ausländische Hilfeleistungen zuständigen Besatzungsoffiziere, was am nötigsten für die Ernährung der Bevölkerung in der britischen und amerikanischen Besatzungszone gebraucht werde, hatten deutsche Experten »Korn« gesagt und Getreide gemeint.

Der Dolmetscher hatte »Korn« mit »corn« übersetzt und damit Recht getan, was die Engländer anging. Dort bedeutet »corn« durchaus auch »Getreide«. Die Amerikaner allerdings verbinden mit dem Begriff »corn« ausschließlich Mais.

Sie hatten sich gewundert, aber nicht nachgefragt. Die Händler und Erzeuger in den USA hatten sich auch gewundert, hatten sich vor Freude die Hände gerieben, und hatten natürlich nicht nachgefragt, sondern geliefert.

Ende 1946, Anfang 1947 trafen erste Schiffsladungen mit Mais ein, zu einer Zeit, da Deutschland in eine neue Hungerkatastrophe stürzte.

Was wiederum ein gewisser Herr Semler (CDU), seines Zeichens Direktor des Bizonen-Wirtschaftsamtes, in einer berühmt gewordenen Rede im Januar 1948 zum Anlass nahm, die Amerikaner ob ihrer Hilfeleistungen für die Deutschen zu beschimpfen: Aus den USA habe man im Wesentlichen Mais und Hühnerfutter geschickt, und dafür müssten die Deutschen dann auch noch teuer bezahlen.

»*Chicken feed*«, hatte er gesagt, und – kein Wunder – die US-Amerikaner waren tief beleidigt, dieser Ausdruck war verstanden worden. Der Direktor wurde von den Militärgouverneuren entlassen. Aber so weit ist es noch nicht.

Es kam also Mais nach Deutschland. Und man konnte Mais kaufen, Maiskolben, Maiskörner, Maismehl, Maisgrieß, Mais in Dosen und in Tüten…

Als im Ruhrgebiet das Brotgetreide knapp und in Essen die Katastrophenverpflegung in den Backprozess gegeben wurde und die Stadtverwaltung Lautsprecherwagen durch die Straßen schickte, um die aufgebrachte Bevölkerung zu beruhigen, wurde auch Maismehl verbacken. Es gab Maismischbrot zu kaufen, wenn es überhaupt Brot zu kaufen gab. Mit reinem Maisbrot und Maisbrötchen wurde »experimentiert«. Bereits in der dritten und vierten Woche der 99. Zuteilungsperiode (März 1947) war Maismehl an Stelle von Speisekartoffeln zur Verteilung gekommen.

Aber auch dafür, als Ausgleich für fehlende Kartoffeln, stand der Mais bald nicht mehr zur Verfügung »*in Folge Inanspruchnahme der Maisvorräte für die Brotherstellung*«, wie es amtlich hieß.

Mit fünf Pfund Maisbrot, einem halben Pfund Maisgrieß und zwei Heringen pro Kopf sollte die Bevölkerung im Ruhrgebiet eine Woche lang auskommen, was natürlich nicht möglich war.

»Das Goldene Zeitalter« sei im Ruhrgebiet ausgebrochen, lästerten die Zeitungskolumnisten. Und in der »Westfälischen Rundschau« dichtete gar einer:

»*Der Mais ist gekommen.*
Das Brot sieht herrlich aus,
so goldgelb und lieblich,
als wär's ein Eierschmaus.
Wir essen es gerne,
doch wär es furchtbar nett,
wir hätten außer Maisbrot
auch wieder Fleisch und Fett.«

In den Kochbüchern des Jahres 1947 erschienen folgerichtig allerlei Anleitungen, was man mit dem ungewohnten Mais anfangen könnte.

So wurde zum Beispiel angeregt, die Maiskolben einfach in Salzwasser zu kochen, 10 bis 20 Minuten lang, je nach Größe, nachdem man sie von den Hülsen befreit hatte. Dann sollten sie, mit etwas Fett bestrichen, gegessen werden. Woher man das Fett bekommen sollte, wurde nicht gesagt.

Und es wurde ausführlich erklärt, wie man Popcorn selbst herstellen konnte. Hier ein Rezept, direkt aus dem Erzeugerland.

Popcorn (selbst gemacht)

Zutaten: getrocknete Maiskörner, Zucker.

Einen Eisen- oder Kupfertopf sehr heiß werden lassen. Die Maiskörner unter ständigem Rühren in den Topf geben. So lange rösten, bis die Maiskörner platzen. Dabei Vorsicht! Sie »springen« leicht aus dem Topf. Zucker in den Topf streuen. Diesen leicht karamellisieren lassen. Den Mais darin wenden.

Neben solchen, für die deutsche Bevölkerung eher exotisch anmutenden Vorschlägen, gab es auch ernsthafte Anregungen, an denen sich per Inserat auch die Firma Oetker beteiligte.

Maiskuchen

Zutaten: zwei Tassen Maisgrieß, 50 g Zucker, eine Tasse Milch, eine Tasse Haferflocken, eine Prise Salz, ein Teelöffel Backpulver, eine Tasse Rübenkraut.

Zucker in die Milch einrühren. Nach und nach Haferflocken, Salz, Backpulver und Maisgrieß zugeben und daraus einen Teig herstellen.

Eine Springform ausfetten.

Die Hälfte des Teiges einfüllen. Mit Rübenkraut bedecken. Den Rest des Teiges darüber streichen. Bei 200 Grad 30 Minuten lang backen. Der Maiskuchen wird am besten noch warm gegessen.

Maisgrießauflauf

Zutaten: ¼ l Magermilch, zwei Tassen Maisgrieß, 30 g Butter, 50 g Zucker, ein Ei, ein Teelöffel Backpulver, etwas Zitronenaroma.

Man bringt die Milch zum Kochen, rührt den Grieß ein und stellt, wenn alles gut durchgekocht ist, die Masse kalt. Butter oder Fett mit Zucker und dem Eidotter schaumig rühren, den fast erkalteten Maisgrieß dazu geben, ebenso Backpulver und Aromastoff. Eiweiß steif schlagen. Leicht unterziehen. In einer gefetteten Form wird der Auflauf schön braun gebacken. Mit süßer Frucht- oder Vanillesoße servieren.

Maispuffer

Zutaten: ½ l Wasser, eine Tasse Maisgrieß, eine Möhre, ein Stück Sellerie, eine Stange Lauch, ein Esslöffel gehackte Petersilie, Salz, Fett zum Backen.

Wasser zum Kochen bringen. Unter ständigem Rühren den Maisgrieß einstreuen. Zehn Minuten kochen lassen. In eine Schüssel geben. Möhre und Sellerie fein reiben. Lauch in dünne Streifen schneiden.

Das Gemüse mit dem Maisgrieß, gehackter Petersilie und Salz zu einem Teig verrühren. In Fett kleine Puffer backen.

Vom Maisbrot in die Traufe

Ich wußte nicht, ob der Kloß im Hals saß oder im Magen, auf alle Fälle war irgendwo etwas verstopft. Die Kinnladen hatten Muskelkater, solchen Anstrengungen waren sie eben nicht gewachsen. Meine Frau schimpfte über das abgebrochene Küchenmesser, dem kleinen Klaus schmerzte die große Zehe . . . da war ihm eine Doppelschnitte draufgefallen.

Auf dem Tisch sah es so verlockend aus, goldgelb, wie der eierreiche Friedenskuchen, aber nach dem ersten Biß in die feste Masse wußte man: das war kein Brot, das war ein Gegner. — Das ewige Klingeln nebenan machte mich verrückt. Aber wer war schuld? . . . das Maisbrot. Mein Nachbar ist nämlich Zahnarzt, er hat seine Sprechstunden verdoppelt.

„Gibt es denn — hick — gar kein — hick — anderes Brot?" — Auch das noch! Der Schlucken nahm heftige Ausmaße an. Meine Frau versuchte es mit Wasser, auf den Rücken klopfen, tief atmen, sechs Kniebeugen, Arme hochhalten, heißen Kaffee und „Aaaaaah"-sagen. Erschöpft sank ich in die Sofaecke. „Ist dir besser?" — „Ja, danke, meine Liebe, jetzt ist es — hick — nein, noch — hick — nicht." — Früher habe ich immer eine Zigarette geraucht, das half. Aber meine Frau hatte auch keine mehr, so mußte ich — hick — eben warten bis — hick — . . . Es klingelte. „Aaaaaah, guten Tag, mein — hick — Lieber, entschuldige, aber ich — hick — habe . . ." „Macht nichts, macht nichts. Freue mich, dich mal wiederzusehen. — Aber mit deinem „hick" ist ja unangenehm. Da hilft am besten . . . hast du eine Pfeife da? — Großartige Marke, mit Pflaumenmus und Veilchenblättern fermentiert." — Es ist wunderbar, wie eine Erlösung. Tief saugte ich den Rauch ein. Der gute Freund schmunzelte über meine Zufriedenheit. „Na, das ist ne Sorte, was?" — „Also, Karlchen, der Ta — hickhick — bak bekommt mir ausge — hick — Entschuldige, aber mir — hickhick — wird ganz — hick — . . das liegt sicher an den Veilchen — hickhick — blättern." W. Sch.

Grüne Klöße

Zutaten: 150 g Schwarzbrot, 150 g Brennesseln, etwas Wasser, 60 g Maismehl, 60 g Roggen- oder Gerstenmehl, Salz.

Schwarzbrot in Wasser 30 Minuten einweichen. Brennesselblätter fein wiegen. Mit dem Mehl und dem leicht ausgedrückten Brot verkneten. Klöße formen. In Salzwasser gar ziehen lassen.

Mais-Chratzete

Zutaten: eine Zwiebel, ¼ l Wasser, ¼ l Milch, ein Teelöffel Salz, 150 g Maisgrieß, ein Esslöffel Öl.

Die Zwiebel klein schneiden und in einem Topf ohne Fett anrösten. Nach und nach Wasser, Milch und Salz dazu geben. Den Maisgrieß einstreuen und zu einem dicken Brei kochen. Kalt werden lassen. In einer Pfanne etwas Öl erhitzen. Eine dünne Schicht Brei hinein geben. Goldgelb backen, wenn möglich dabei wenden. Mit Esslöffel und Gabel in kleine Stücke zerreißen, wieder anbacken, wieder zerreißen, bis die Chratzete knusprig gebacken ist. Mit dem restlichen Brei in der gleichen Weise verfahren.

Die Menschen im Ruhrgebiet taten sich trotz der zahlreichen Rezepturen schwer mit der Verwendung von Mais, und man war froh, als es hieß, der hohe Anteil von Mais im Brotgetreide werde allmählich wieder abgebaut. Das Missverständnis zwischen Deutschen und Alliierten um den Mais war nicht der einzige Übersetzungsfehler mit »Folgen«. Bei einer anderen Gelegenheit boten die US-amerikanischen Offiziere »Grease« (Fett) aus Heeresbeständen an. Die Deutschen verstanden »Grieß«, dachten Maisgrieß sei gemeint und lehnten dankend ab.

Ein ganzer Haushalt „auf Pump"

Leihanstalt für „Gerätelose" — Eine Einrichtung, die vielen Nutzen bringt

Köln, im Januar.

Millionen von Familien der Westzonen, vor allem Ostvertriebenen und Ausgebombten, fehlt es am nötigsten Hausrat. Rund zehn Millionen Haushalte müssen heute auf Gegenstände verzichten, die früher als unentbehrlich galten. Das, was aus den Kanälen der behördlichen Planwirtschaft kommt, ist nicht mehr als der bekannte Tropfen auf den heißen Stein.

Diesem großen Notstand wenigstens in kleinem Umfange zu begegnen, kam ein junger Akademiker in Bad Honnef am Rhein auf eine gute Idee. Er richtete ein Leihgeschäft ein, in dem man sozusagen einen ganzen Hausstand „auf Pump" haben kann. Kurz oder langfristig, so berichtet die CDU-Zeitung „Neue Zeit" über diese bisher einzigartige Einrichtung, sind hier alle Garten-, Haushalts- und Wirtschaftsgeräte gegen geringe Leihgebühren zu haben. Ob man ein Jauchefaß, eine Waschmaschine oder eine Fruchtpresse, eine Säge oder einen Einkochkessel benötigt, ob man eine Farbspritzpistole oder eine Tabakschneidemaschine braucht, hier kann jedem geholfen werden. Die Leihgebühr für ein Waschbrett beträgt täglich 50 Pfg., für ein Waffeleisen 35 Pfg., für eine elektrische Kochplatte 50 Pfg. Ein Eimer kostet monatlich 90 Pfg., ein großer Topf 2,40 RM. Bei manchen Gegenständen muß ein Pfand hinterlegt werden.

Flüchtlinge und Ausgebombte stellen naturgemäß den Hauptteil der sich ständig mehrenden Kunden. Schon kommen sie auch aus der weiteren Umgebung von Honnef, aus den großen Städten an Rhein und Ruhr und aus dem Norden der französischen Zone, um hier ohne langes Bitten und Betteln das zu bekommen, was für sie sonst unerreichbar bliebe. Natürlich geben alle gern ein Pfand, oft leider freilich mit dem Hintergedanken, es nie wieder einzulösen und so den begehrten Artikel als ihr Eigentum zu betrachten. „Damit mußten wir rechnen. Zum Glück konnte bisher jeder im Leihbetrieb nicht zurückgebrachte Artikel ersetzt werden. Der Nachschub wird auch weiter funktionieren," so hofft der Begründer des Unternehmens.

Ein Großhändler aus Hamburg beliefert den einfallsreichen Mann in Honnef mit Waren aus München, Solingen, Andernach und anderen Städten der Westzonen. Er „kompensiert" sie bei den Fabriken mit freigegebenem Altmaterial, für das man sonst keine Verwendung mehr hat. Wenn sich das Verfahren bewährt, die finanzielle Basis gesichert ist und die Materialfrage auch weiter gelöst werden kann, sollen in allen drei Westzonen ähnliche Geschäfte eingerichtet werden.

Möglichen Einwendungen der Behörden ist dadurch begegnet worden, daß in Honnef nur „nicht handelsübliche" (also „gebrauchte") Ware verliehen wird, die nicht als bewirtschaftet gilt.

Big Dinner in German Style

Die 100. und die 101. Zuteilungsperiode brachte im Frühjahr 1947 einen neuen Tiefpunkt in der Lebensmittelversorgung. So erhielt beispielsweise die Gelsenkirchener Bevölkerung während der 100. Zuteilungsperiode pro Kopf täglich 41,2 Gramm Nährmittel, 339,2 Gramm Brot, 4,9 Gramm Fett, 14,3 Gramm Fleisch, 12,6 Gramm Zucker, 16 Gramm Marmelade, 35,7 Gramm Gemüse, 4,4 Gramm Kaffee-Ersatz, 26,7 Gramm Fisch und 4,4 Gramm Käse. Dabei sind Nachlieferungen aus der 99. Zuteilungsperiode berücksichtigt.

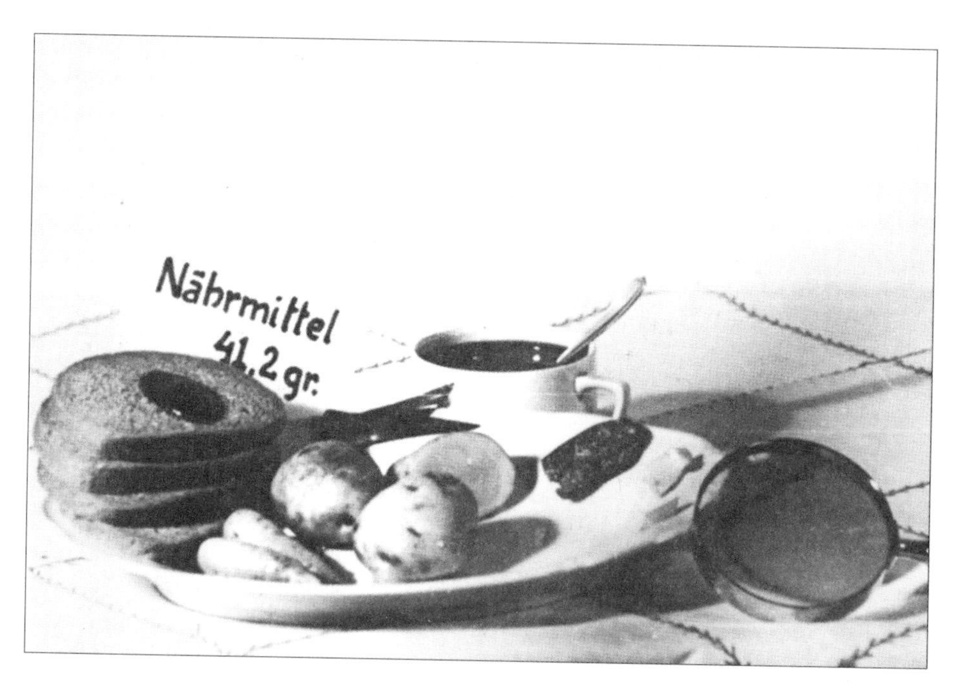

Jeder Gelsenkirchener Normalverbraucher erhielt also 826,8 Kalorien täglich. Die Menschen in anderen Städten waren noch weit schlimmer dran. In Wuppertal gab es täglich nur 650 Kalorien, im Landkreis Konstanz kamen Anfang dieses Jahres 629 Kalorien »zur Verteilung«: Rationen, die den Mindestforderungen des menschlichen Körpers in keiner Weise gerecht wurden und zu schweren gesundheitlichen Schäden führen mussten.

Zur gleichen Zeit notierte der Schwarze Markt übrigens 250 Mark für ein Pfund Butter. Zur gleichen Zeit wurde von den alliierten Truppen ein Teil der in Deutschland produzierten Lebensmittel requiriert für den Bedarf der Soldaten. Und an den Schulen im Ruhrgebiet sangen die Kinder:

»Deutschland, Deutschland, ohne alles,
ohne Butter, ohne Speck,
und das bisschen Marmelade
frisst uns die Besatzung weg.«

In diesen Tagen schwerster Not bekam Oberst Newman, der Direktor der US-amerikanischen Militärregierung für Großhessen, Gäste zum Mittagessen: Senatoren und Abgeordnete aus den USA. Und denen wollte er nun einen »*Begriff von der deutschen Ernäh-*

rungslage« geben, wie er sagte (auf englisch natürlich). Er ließ ihnen ein »Big Dinner in German Style« servieren. Zynismus? Ein Gag? Oder ehrliches Anliegen?

Der (deutsche) Koch wurde angewiesen, pro Person Lebensmittel von etwa 600 Kalorien Wert zu verkochen. Die Speisefolge: Gemüsewassersuppe, Kartoffeltörtchen mit Lauchringen, Schwarzbrotapfelschaum und zum Abschluss eine Tasse Kaffee-Ersatz.

Selbstverständlich ist es uns gelungen, die Rezepte, nach denen dieses Mittagessen zubereitet wurde, in Erfahrung zu bringen. US-amerikanische Zeitungen und Zeitschriften hatten in großer Aufmachung darüber berichtet.

Dabei ist uns allerdings aufgefallen, dass die Kalorienrechnung des, wie gesagt, deutschen Kochs nicht so ganz gestimmt haben kann. Was hier für ein Mittagessen verbraucht wurde, stand den Deutschen oft nur für einen ganzen Tag zur Verfügung.

Gemüsewassersuppe

Zutaten: eine Stange Lauch, zwei Möhren, ein Stück Sellerie, ¼ Kopf Wirsing, ein Stück Liebstöckelwurzel, eine Kartoffel, ¾ l Wasser, Salz, Pfefferersatz, ein Esslöffel klein gehackte Petersilie.

Das geputzte und gewaschene Gemüse (außer der Petersilie) wird durch den Fleischwolf gedreht. In einen heißen Topf geben. Mit kochendem Wasser auffüllen. Würzen.

Die rohe Kartoffel hinein reiben.

Etwa 20 Minuten köcheln lassen. In Tassen füllen. Mit Petersilie bestreuen.

Kartoffeltörtchen mit Lauchringen

Zutaten: 200 g Schweinefleisch, 20 g Margarine, eine Zwiebel, eine Tasse Brühe, Salz, Pfeffer, Majoran, acht Kartoffeln, eine Stange Lauch, ein Teelöffel Paprikapulver.

Fleisch in dünne Scheibchen schneiden und in etwas Fett zusammen mit der klein geschnittenen Zwiebel leicht anbräunen lassen. Mit Brühe auffüllen. Salzen. In der geschlossenen Pfanne zehn Minuten lang dünsten lassen. Mit Pfeffer und Majoran abschmecken. Die frisch gekochten Kartoffeln werden gepellt, der Länge nach durchgeschnitten und mit einem Löffel ausgehöhlt. Mit dem Fleisch füllen. Die Kartoffelreste durch ein Haarsieb in die Fleischsoße streichen, damit diese etwas Bindung bekommt. Das Fleisch mit Soße übergießen. Lauch in Ringe schneiden und in etwas Fett leicht anschwitzen. Mit einer Prise Salz abschmecken. Die gefüllten Kartoffeln mit Lauchringen belegen, mit Paprikapulver bestreuen.

Schwarzbrotapfelschaum

<u>Zutaten:</u> zwei Äpfel, vier Scheiben Schwarzbrot, ½ Tasse Wasser, ein Esslöffel Zucker, ein Teelöffel Zimt, ein Eiweiß.

Die Äpfel werden fein gerieben und mit Zimt und Zucker verrührt. Brotscheiben mit Wasser anfeuchten, mit einer Gabel zerdrücken und mit dem Apfelbrei mischen. Eiweiß steif schlagen und vorsichtig unter die Apfelmasse ziehen. Mit der Masse werden vier kleine Auflaufförmchen gefüllt, die man etwas eingefettet hat. Im heißen Ofen bei 200 Grad ca. 15 bis 20 Minuten überbacken lassen. In den Förmchen servieren.

Also, das hast Du ja heute wieder ganz entzückend gemacht

Na, egal – jedenfalls hab' ich Obst

Sieh, ein echter Fettfleck, die Leute müssen wir uns warm halten...

Tante Lina macht Geschäfte: blaues Fleisch und warme Unterhosen

An einem jener gemütlichen Abende, da Tante Lina in ihrem Ohrensessel thronte, da Kuszmierz und Fabrizius die Köpfe zusammensteckten und sich gegenseitig (der Art ihres Lachens nach zu urteilen, offensichtlich wenig anständige) Geschichten aus ihrem mit Erlebnissen reich gesegneten Leben erzählten, an einem jener Abende, da man es mit einigen Schaufeln Deputatkohle warm im Wohnzimmer gemacht hatte, da auch eine Flasche Wein aus einer von Tante Linas verborgenen Quellen auf dem Tisch stand, an einem jener Abende klopfte es ein wenig zaghaft an die Tür, und die Gesine Hellwig trat ins Zimmer und druckste herum.

»Ob ich dich wohl mal allein sprechen kann?« fragte sie Tante Lina und schaute so sonderbar, dass Tante Lina die beiden Männer in die Küche schickte, was die sich nach einigen anzüglichen Bemerkungen und darauf folgendem Gelächter auch gefallen ließen.

Als Tante Lina der Gesine dann mitten ins Gesicht sah, bekam die erst einmal einen puterroten Kopf und wusste vor Verlegenheit gar nicht, wohin mit den Händen.

»Das ist nämlich so«, fing sie an und hörte auch gleich wieder auf.

»Was ist so?« ermunterte Tante Lina sie.

»Da war diese Anzeige in der Zeitung, weißt du, vor zwei Wochen am Donnerstag«, sagte sie immer noch zögerlich. Und betete dann den Text der Anzeige herunter, den konnte sie schon auswendig:

»Bergmann, verwitwet, 37 Jahre, Vier-Zimmer-Wohnung, mit Sohn, sucht ehrliche, anständige und saubere Haushälterin, welche auch mit Näh- und Gartenarbeit vertraut ist, im Alter von 25 bis 30 Jahren zwecks späterer Heirat, eventuell mit eigenem Kind. Angebote...«

»Ja, und?« unterbrach Tante Lina sie. Gesines Gesichtsfarbe war jetzt tieflila.

Nun musste es heraus.

»Ich habe auf die Anzeige geantwortet: Weißt du, weil...«

»Du brauchst mir nichts zu erklären.«

Der Tante Lina brauchte also nichts erklärt zu werden, aber Ihnen bin ich an dieser Stelle doch einige Erläuterungen schuldig.

Anzeigen, wie die, die Gesine beantwortet hatte, waren in Zeitungen, vor allem aber auch auf Wandanschlägen und Wandzeitungen wie auf dem Foto oben in Ermangelung anderer Kommunikationssysteme zu finden.

Der Hintergrund: ein wohl tiefes Bedürfnis der Menschen in dieser Zeit nach Zweisamkeit und der »Frauenüberschuss«, wie die Statistiker so etwas zu nennen pflegen.

1946 wurden in Westfalen und Lippe 5,8 Millionen Einwohner gezählt, davon waren 3,2 Millionen Frauen.

Der Einsamkeit der Frauen sollte abgeholfen werden. Heiratsinstitute und Ehevermittlungen jeder Art schossen wie »Pilze« aus dem Boden. Heiraten war Trumpf damals.

Besonders bevorzugt von den Damen waren, man höre und staune, Bergleute. Und das hatte vor allem Ernährungsgründe. Liebe geht bekanntlich durch den Magen. Bergleute, heute neuesten Umfragen nach nicht unbedingt gesuchte Ehemänner, waren damals auf Grund von Lebensmittel-Sonderzuteilungen eindeutig im Vorteil. Der Chefredakteur der »Westfälischen Rundschau« in Gelsenkirchen dichtete noch 1947:

»Errötend folgt sie seinen Spuren
und ist vom Deputat beglückt;

das Schönste sucht sie auf den Fluren,
womit sie seine Punkte schmückt.
O zarte Sehnsucht, süßes Hoffen!
Des ersten Kaffees gold'ne Zeit!
Der Zucker macht den Himmel offen,
es schwelgt das Herz in Fettigkeit!
O, dass sie ewig grünen bliebe
die schöne Zeit der Bergmannsliebe!«

Eine andere, bei heiratswilligen deutschen Frauen besonders beliebte Gruppe von Männern waren Angehörige der Besatzungsmächte, wobei US-Amerikaner sich einer eindeutigen Präferenz erfreuen konnten: eine Liebe, die ähnliche, nämlich ernährungstechnische Ursachen hatte; eine Liebe, die aber bisweilen auf Gegenseitigkeit beruhte. Das »deutsche Fräulein-Wunder«, Sie wissen schon...

Das deutsche Fräulein zog es auf wundersame Weise ins Wunderland Amerika. So groß war die Sehnsucht, dass die 21-jährige Doris von Knoblock sich, in eine Kiste verpackt, an Bord eines Flugzeuges schmuggeln wollte, um in die USA zu kommen. Als Proviant hatte sie vier Scheiben Brot und einen Viertelliter Tee bei sich. Und Lore Lorentz sang im Düsseldorfer »kom(m)ödchen«:

»*Das Wandern ist des Müllers Lust,*
jetzt woll'n sie alle rüber:
›*Wir wandern aus, wir wandern aus*‹,
schrei'n sie im Wanderfieber.
Sie haben Deutschland furchtbar satt,
weil sie nicht satt hier werden.
Zum Konsulat, zum Konsulat
zieh'n ganze Mädchenherden.
Denn Eddy schrieb: ›*Ach, komm doch du!*‹
Sie kannten sich sechs Wochen.
Das macht ja nichts, das macht ja nichts.
Sie kommen angekrochen.
Doch unter uns, sie blieben wohl
in Germany viel lieber,

wenn eben nicht, wenn eben nicht –
Na, red'n wir nicht drüber...«

Natürlich gab es unter den vielen, die da nach Amerika wollten, auch die berühmte Ausnahme, das heißt, eine Ausnahme war das gar nicht, sondern...

Dieses »Fräulein« hieß Ursula Bauer, und der wurde eines Tages eröffnet, dass jenseits des Ozeans eine Millionenerbschaft ihrer harre, dazu eine gut gehende Fabrik. Diese Erbschaft konnte aber Ursula nicht antreten, da diese dann deutsches Eigentum würde und damit automatisch der Beschlagnahme verfiele. Es sei denn, sie würde amerikanische Staatsbürgerin. Und wie wird man das? Man heiratet. Als die Sache bekannt wurde, häuften sich bei ihr entsprechende Angebote. Aber das »brave deutsche Mädchen« winkte ab: ihr Herz sei vergeben, und niemand könne von ihr verlangen, dass sie ihr »German Engagement« der Dollars wegen löse.

Soweit diese schier unglaubliche Geschichte. Gesine hatte sich eh für einen Bergmann entschieden, so dass dies auch nur am Rande hierher gehört. Die in der zitierten Annonce gestellten Bedingungen erfüllte sie alle: Sie war 25 Jahre alt, war sauber, und anständig war sie auch, soweit man das in dieser Zeit sein konnte, sie war des Nähens kundig, und da sie aus Ostpreußen kam, verstand sie auch etwas von Landarbeit. Zudem war sie ledig. Kurz bevor sie sich mit ihrer Schwester und deren Kindern einem Flüchtlingstreck angeschlossen hatte, war ihr die Nachricht zugestellt worden, dass ihr Verlobter an der »Westfront gefallen« war. Ende des (viel zu langen, aber wichtigen) Exkurses.

Also Gesine hatte auf die Annonce hin geschrieben, der unbekannte Adressat hatte geantwortet, und nun sollte ein Treffen stattfinden zwischen Gesine und dem hoffnungsvollen Witwer, und zwar am nächsten Tag bereits.

»Und was soll ich nun dabei?« ließ sich Tante Lina mit einer an dieser Stelle durchaus berechtigten Frage vernehmen. »Doch nicht etwa...«

»Nein!« beeilte sich Gesine zu sagen. Das fehlte gerade noch, dass Tante Lina den Witwer auf Freiersfüßen auch nur beäugte, die mit ihrem losen Mundwerk.

»Es ist nur so, dass... Also, die Martha hat gesagt, du hättest so Wäsche...«

»So Wäsche?« echote Tante Lina.

»Du weißt schon, so mit Spitzen und Rüschen und...«

»Ach, du meinst Seidenunterwäsche?!«

»Ja.«

»Ja, der Walter Kaminski, der, den die Nazis ermordet haben, der mochte so etwas. Und schwarz mussten sie sein, die Dessous, da war der wie verrückt...«

Und Tante Lina schmunzelte erst, lachte dann dröhnend auf, wohl weil sie sich an gewisse Erlebnisse erinnerte, lachte wider jede emanzipatorische Logik und sagte schließlich:

»Ja, die habe ich noch!«

»Und ich hab' nur«, fing die Gesine wieder an, »ich hab' doch nur so wollene Dinger, selbst gestrickt, so Liebestöter, und da hab' ich gedacht...«

»Und da hast du gedacht, ich könnte dir die meinen mal ausleihen?!«

Da nickte die Gesine. Tante Lina aber fragte:

»Hast du dir das auch gut überlegt, Mädchen? Gleich am ersten Tag und dann...«

»Man muss mit allem rechnen, weißt du!« sagte die Gesine keck. »Und auch was riskieren, bei der Konkurrenz.«

»Na, du gehst ja ganz schön ran«, meinte Tante Lina kopfschüttelnd. »Aber das musst du selbst wissen, alt genug dafür bist du wohl.«

»Und außerdem habe ich mir Pillen besorgt.«

»Was für Pillen denn?«

»Na – als Verhütungsmittel – aus Amerika!«

»Diese amerikanischen Wunderpillen, die zeig mir mal«, befahl Tante Lina.

Und während Gesine das Zimmer verließ, um die Pillen zu holen, sei für jüngere Leser erwähnt, dass die so genannten »Anti-Baby-Pillen« erst zu einem viel späteren Zeitpunkt »erfunden« wurden.

Also Gesine raus aus dem Zimmer, die Treppe rauf und war schon wieder da mit den Pillen, die sie in einem Döschen aufbe-

Zeichnung: Nebel

Liebe im Ruhrgebiet

„Sieh mal — ich bin zwar nichts und wir haben beide nichts. Und die Wohnungen werden bei diesem Tempo auch die ersten 10 Jahre nicht fertig. — Da könnten wir doch eigentlich heiraten!"

wahrte. Tante Lina beäugte die Pillen von allen Seite, nahm sogar eine Lupe zur Hand, leckte auch daran und fragte dann:

»Sag' mal, was hast du denn gegeben für diese Pillen?«

»Speck und Kartoffeln«, gab die Gesine zu, weil's doch amerikanische Pillen waren.

»Also, erstens sind die Pillen nicht amerikanisch, sondern deutsch. Und zweitens ist das Acetylsalicylsäure, wenn du weißt, was das ist.«

»Ja, gegen Kinder, nicht wahr...«

»Nein«, sagte Tante Lina, »gegen Kopfschmerzen. Das ist Aspirin.«

Und dann musste die Gesine erst einmal einen mehrstündigen Aufklärungsunterricht über sich ergehen lassen, Aufklärung für bestimmte Lebenslagen. Und da war nicht von Bienen und von Blütenstempeln die Rede.

Aber danach war es dann soweit: Tante Lina öffnete ihren Wäscheschrank, und da lagen sie, wunderschöne Dessous mit Spit-

ROMEO UND JULIA 1946

Es waren nur noch wenige Minuten bis zu den unvermeidlichen Sirenenklängen (sprich: Curfew-Alarm). Ich schlenderte gemächlich nach Hause, als ich · vor einem ebenso innigen wie selbstvergessenen Bild betroffen verharrte. Das Bild war eine Szene, eine Liebesszene, und die Szene wurde zum Tribunal: Romeo und Julia 1946.

Der Mond schaute versonnen auf die Glücklichen, und die Pappeln erschimmerten wie sie in seinem bedächtigen Glanze. Romeo hielt Julia innig umschlungen, aber nur mit einem Arm, denn von dem andern baumelte ein Etwas herab, das ich als einen ganz gewöhnlichen Eimer identifizierte. O, dachte ich, Liebenden ist alles recht. Dann nahm ich Julia in Augenschein. Julia lächelte selig zu Romeo auf, aber es verdroß mich, daß sie so andächtig einen kleinen Gegenstand vor die Brust gepreßt hielt. Denn Frauen sollten doch, wenn sie sich geliebt wissen, ganz Gefühl sein.

Doch ich wurde aus meiner poesievollen Betrachtung gerissen: die Sirenen ließen die beiden auseinanderfahren. Ich mußte mich beeilen und ging an ihnen vorbei. Julia hob sich auf die Zehenspitzen, und Romeo küßte Julia. Ich hörte Julia zärtlich sagen: „So, nun mach' es Dir morgen recht, recht warm zu Hause." Und Romeo antwortete gerührt: „Ja, Liebes, weil Du Dich so mit den Kohlen abgeschleppt hast und — laß Dir dafür den Hering gut schmecken."

Nun sage einer, es gäbe Romeo und Julia nicht mehr. Denn was ich sah, war die klassische Liebesszene von 1946. R. T.

zen und Rüschen, seidene Unterwäsche für die Dame aus einer besseren Zeit, wohl verpackt und mit Schleifchen versehen.

Wie sich die Sache dann herum gesprochen hatte, lässt sich nur schwerlich klären. Vielleicht hatte Gesine mit ihren Leihunterhosen geprahlt, die sie allerdings vergebens angelegt hatte, ebenso wie sie sich vergeblich in Ermangelung damals sehr begehrter Nylons einen schwarzen Strich auf die Waden ihrer Beine gemalt hatte. Der verwitwete Bergmann war zu dem Rendezvous gar nicht erschienen. (Gesine hatte für ihr Zusammentreffen einen schlechten Zeitpunkt gewählt, auf der Zeche hatte es eine Schnapszuteilung gegeben.)

Vielleicht hatte auch Fabrizius an der Tür gelauscht und seinen Mund nicht halten können. Auf jeden Fall, kaum eine Woche war es her, dass Gesine ihr Ansinnen an Tante Lina gestellt hatte, da kam wieder ein junges Mädchen, das Tante Lina unter vier Augen zu sprechen wünschte. Und bald war Tante Linas Wäscheschrank zu einer Art Ausleihstation in Sachen Liebe geworden.

Und es gab Erfolge zu melden. Mit Hilfe der ausgeliehenen Dessous sollen tatsächlich etliche Ehen gestiftet worden sein. Es soll auch zu sichtbaren Erfolgen gekommen sein. Die standesamtlichen Mitteilungen der Stadt Gelsenkirchen aus dem Jahre 1948, hier: Geburten, mögen darüber Auskunft geben.

Aber es hat natürlich auch Misserfolge gegeben. Zwei junge Mädchen haben sich nichts als Schnupfen und Erkältung bei der ganzen Sache geholt.

Der Winter 1947 war kalt, und sie hätten besser Tante Linas Rat befolgt und wollene, warme Unterwäsche getragen, als sie eine Zusammenkunft mit zwei Herren aus dem Baugewerbe im Buerschen Stadtwald in einem zwar überdachten, aber ansonsten zugigen Pavillon vereinbart hatten.

Fabrizius wurde mit der Sache befasst, als Tante Linas Wäscheschrankangebot und ihre Waschkraft mit der gestiegenen Nachfrage nicht mehr Schritt halten konnte.

Im Stadttheater wurden »Professor Mamlock«, »Der Strom« von Max Halbe und »Hedda Gabler« gespielt zu dieser Zeit, »Wiener Blut« aber nur an einigen Tagen, was Fabrizius die Gelegenheit verschaffte (nachdem er eine Garderobiere mittels Dosenfleisch bestochen hatte), aus dem Kostümfundus hier mal einen Biedermeierunterrock, dort mal ein Rüschenhemdchen mitgehen zu lassen.

Martha Varenholt und Gesine Hellwig, die fleißig weiter auf Heiratsanzeigen schrieb, arbeiteten das dann um, damit es dem Verleihgeschäft zugeführt werden konnte.

Ja, ein Geschäft war mittlerweile daraus geworden, seit Fabrizius mit im Spiel war. Der hatte klipp und klar in seiner unübertrefflichen Art gesagt, als Tante Lina gestöhnt hatte, weil sie über die Ausleihungen bereits Buch zu führen gezwungen war:

»Wir könnten ja für die Ausleihungen eine Gegenleistung verlangen, nicht wahr, das könnten wir...«

Und legte den an dem Verleihungsgeschäft Beteiligten eine detaillierte Liste vor, gestaffelt nach Verleihdauer und Anzahl der Kostümteile: Eine Garnitur Seidenunterwäsche mit Unterrock und Oberteil ohne Strümpfe sollte pro Tag Ausleihung zwei Eier oder ein Pfund Kartoffeln wert sein.

Schließlich müsse man die Seife zum Waschen selbst kochen oder auf dem Schwarzen Markt für teueres Geld oder Tauschgut erwerben. So sagte er. Und hatte mit diesem Argument Tante Lina überzeugt, nicht ganz, aber es genügte.

Wie man selbst Seife kocht, wollen Sie wissen? Tante Lina hatte dazu wochenlang jeden Fettrest gesammelt, das Fett ausgekocht und fest werden lassen.

Dann werden zweieinhalb Pfund festes Fett mit einem Pfund Seifenstein (gibt es in der Apotheke) und fünf Litern Wasser in einem unglasierten Topf zum Sieden gebracht und etwa eine Stunde lang gekocht. Ein weiterer Liter Wasser wird nach und nach dazu geschüttet. Dabei wird die Seife häufig umgerührt. Das Ganze muss ununterbrochen zwei bis drei Stunden lang kochen. Wird die Masse leimig und ist nicht mehr fettig, streut man 80 Gramm Salz hinein und gibt nochmals zwei Liter Wasser zu. Dann muss die Seife noch einmal eine halbe Stunde lang kochen. Im Kochkessel erkalten lassen, in Stücke schneiden und längere Zeit an der Luft trocknen lassen.

Die Geschäfte mit der Liebe blühten also in Tante Linas Haus. Und Tante Lina hatte das Gefühl, ein gutes Werk zu tun, wenn ihr auch dieses gute Werk doch eigentlich aus tiefster feministischer Seele widerstreben musste. Und Fabrizius, der ansonsten kein Tauschgut hatte, konnte sich in der Gewissheit sonnen, dass auch er mit beigetragen hatte zur Verbesserung der Ernährungssituation.

Den schönsten Erfolg konnten die beiden bei der Frau Karloweit verbuchen, denn dort gelang, was Gesine nicht gelungen war.

Die Frau Karloweit hatte Tante Lina eines Tages auf der Straße angesprochen. Sie habe da so einen Bergmann von der Zeche Dahlbusch kennengelernt, aus Franken sei der. Und sie habe gehört, Tante Lina hätte... Nun ja, das Vier-Augen-Gespräch, wie üblich!

Ein Problem war da allerdings – die Leih-»Gebühr«. Zu Tauschen hatte die gute Frau Karloweit nichts, aber auch rein gar nichts. Oder vielleicht doch?

Die Frau Karloweit war Verkäuferin in einer Verkaufsstelle, von der auch Freibankfleisch vertrieben wurde, das nur an Schutzhundebesitzer abgegeben werden durfte.

Tante Lina kannte dieses Fleisch, kannte auch den Laden und die Frau Karloweit, denn sie hatte es fertig gebracht, dass Uwes Hund Felix (der glücklichste Hund von Gelsenkirchen), eine Mischung aus Pudel und Cockerspaniel (nach Kuszmierz' fachkundigem Urteil), der Tante Lina in den Nachkriegsmonaten zugelaufen war, zum Schutzhund erhoben worden war, obwohl er alles andere, nur das nicht war.

Sie hatte den zuständigen Beamten nur an seine ihr nur allzu gut bekannte Nazi-Vergangenheit erinnern müssen, und alles war »paletti« gewesen.

Nur so genannten »Schutzhunden« nämlich stand monatlich eine Fleischration zu.

Andere, »normale« Hunde mussten von den menschlichen Rationen mit ernährt werden und waren in der Nachkriegszeit vom Aussterben bedroht, da sie bisweilen auch selbst gegessen wurden.

Und damit dieses »Schutzhundefleisch« nicht menschlichen Bedürfnissen zugeführt werden konnte, hatte man es tiefblau eingefärbt.

»Aber die Farbe schadet nicht«, sagte die Frau Karloweit.

»Was den Tieren nicht schadet, schadet den Menschen auch nicht.«

Und fragte, ob man mit Hundefleisch, nein, nicht Hundefleisch, sondern mit Fleisch für die Schutzhunde natürlich, als Gegenleistung für die Ausleihung von Dessous einverstanden wäre.

Man war.

Der Frau Karloweit gelang es, in den geliehenen Dessous den zur Verheiratung anstehenden Bergmann zu ... überzeugen.

Die Ehe wurde glücklich und bereits neun Monate später auch mit Nachwuchs gesegnet.

Aus dem blauen Gegenleistungsfleisch wurden, nachdem ein gehöriger Teil davon für Felix abgezweigt worden war, unter sachkundiger Anleitung von Tante Lina Würstchen hergestellt.

Tante Lina kochte sie in Wasser, Essig und unter Hinzufügung von Zwiebelringen und gab ihnen, Bezug nehmend auf ein berühmtes fränkisches Gericht, das sie aus Nürnberg kannte, den Namen »blaue Zipfel«.

20. Abgabe von Lebensmittelbedarfsnachweisen in Gaststätten. Bei der Abgabe von Speisen in Gaststätten dürfen Lebensmittelbedarfsnachweise (Kartenabschnitte, Reisemarken) nur in Höhe der tatsächlich verwendeten Lebensmittel erhoben werden. Jede darüber hinausgehende Forderung ist unzulässig und strafbar. Andererseits dürfen markenpflichtige Lebensmittel ohne die Abgabe entsprechender gleichwertiger Marken nicht verabfolgt werden. Im einzelnen dürfen folgende Bedarfsnachweise gefordert werden:

1. **Suppen:** Klare Suppen markenfrei, 1 Teller gebundene Suppe 25 g Nährmittel, 1 Suppentopf (gebundene Suppe 2½ Teller) 50 g Nährmittel. Sofern Suppenerzeugnisse an Gaststätten frei zugeteilt werden, sind die daraus hergestellten Suppen markenfrei abzugeben. Für Suppen (auch Suppeneintopf) dürfen Fettmarken nicht gefordert werden.

2. **Fleischgerichte:** Gekochtes Fleisch, 25, 50 oder 100 g fettmarkenfrei, gebratenes Fleisch 25, 50 oder 100 g 5 g Fett, Pfannensachen 25, 50 g (z. B. Deutsches Beefsteak) 5 g Fett, Pfannensachen 100 g 10 g Fett. Mit Fleisch zusammen gekochte Speisen, soweit sie mit Fleisch verabreicht werden, fettmarkenfrei.

3. **Fischspeisen:** Heringe, Marinaden, Räucherfische und Fischvollkonserven fettmarkenfrei, gekochter Fisch ohne Tunke fettmarkenfrei, mit Tunke 5 g Fett. Gebratener Fisch: Fischfilet oder Fischscheiben 10 g Fett, im ganzen gebratener Fisch, z. B. Seezunge, Rotzunge 15 g Fett, Bratheringe 10 g Fett.

4. **Gemüsegerichte** 5 g Fett. Die Forderung von Brot- und Nährmittelmarken für Gemüsegerichte ist unzulässig. Werden Gemüsegerichte als Beilage zu Fisch, Fleisch oder fleischfreien Speisen verabreicht, so erhöhen sich die für diese Speisen vorgesehenen Fettmarken um die für das Gemüsegericht abzugebenden 5 g.

5. **Fettmarkenfreie Gerichte (ohne Fleisch):** Die Verpflegungsbetriebe müssen mindestens 1 fettmarkenfreies Gericht führen gegen Abgabe von Kartoffeln-, Brot- oder Nährmittelmarken. Als fettmarkenfreies Gericht gilt auch der Suppeneintopf.

6. **Nährmittelgerichte:** Teigwaren gekocht 5 g Fett, sonstige nährmittelhaltige Speisen gekocht fettmarkenfrei. Aus Nährmitteln hergestellte, gebratene Speisen je 50 g Nährmittel 5 g Fett.

7. **Kartoffelgerichte:** Röst-, Brat- und Schwenkkartoffeln sowie Kartoffelplätzchen für je ½ Tagesration 5 g Fett. Speisekartoffeln — Salz- oder Pellkartoffeln — (fettmarkenfrei) müssen auch in ½ Tagesmengen angeboten werden. ½ Tagesmenge entspricht $^{1}/_{14}$ der jeweiligen Wochenration.

8. **Tunken.** Für Tunken (mit Ausnahme von 5 g Fett für Tunke zu gekochtem Fisch) dürfen Fett- und Nährmittelmarken nicht verlangt werden.

9. **Salate** sind markenfrei abzugeben.

10. **Nachspeisen.** Nährmittelhaltige Nachspeisen 25—50 g Nährmittel. Bei Süßspeisen (auch Mehlspeisen gegen Abgabe von Brotmarken) im Werte von 50 g Nährmittel dürfen 10 g Zucker gefordert werden.

Brotrezepte

In der Brotversorgung der Nachkriegsjahre gab es, bei freilich ständiger Knappheit, drei große Krisen. Die erste Krise trat ein, als Deutschland in großen Teilen bereits von alliierten Truppen besetzt, aber die Kapitulation noch nicht erklärt war. Die Gründe hierfür sind einleuchtend und bedürfen keiner weiteren Erläuterung.

Die zweite Krise dauerte von März bis August 1946. Zwischen 175 und 250 Gramm Brot kamen in dieser Zeit pro Kopf und Tag an die »Normalverbraucher«, also den überwiegenden Teil der Bevölkerung, zur Verteilung. Ähnlich war die Situation noch einmal im Frühjahr 1947.

Wer sich unter den Grammzahlen nichts vorzustellen vermag, 175 bis 250 Gramm, das sind je nach Dicke der Scheiben etwa vier bis sechs Scheiben Brot. Uns mag das heute »viel« erscheinen, wer isst schon täglich sechs Scheiben Brot. Was wir bei solcher Rechnung vergessen: Es gab eben nur dieses Brot, es gab dazu nur winzige Mengen Fleisch oder Fett, es gab keine Eier, kaum Nährmittel, zu wenig Zucker, Milch, Käse…

Das Brot musste oft als Ersatz für ebenfalls fehlende Kartoffeln dienen. Die Tagesration für die Zeit vom 15. bis 22. Juni 1947: drei Schnitten Brot, 72 Gramm Nährmittel.

»Während auf dem Lande das Brotbacken noch allgemein üblich ist, haben es die Hausfrauen in den Städten meist nicht mehr versucht. Es kann aber heute vorkommen, dass der Bäcker nicht liefern kann, im Haushalt ist aber etwas Brotmehl zur Verfügung…«

So leiten die (unbekannten) Autoren des Buches »Endlich! Das Kochbuch für jetzt«, 1946 erschienen, das Kapitel »Brot- und Kleingebäck im Haushalt hergestellt« ein: mit der Aufforderung »*Also Brotbacken!*«, Brot selbst herzustellen, wenn es nötig wurde. Es war nötig.

Um überhaupt Brot backen zu können, wurden Gerste und Hafer zu Brotgetreide erklärt und durften ebenso wie Roggen und Weizen nicht mehr verfüttert werden. Mais-, Soja- und Hirsemehl wurden mit verbacken. Auch aus Kastanien und Eicheln wurde Mehl gewonnen und dem Brot zugesetzt.

Die Bäcker holten Rezepte aus vorvergangenen Notzeiten aus den Schubladen und backten Mischbrot: Besonders zwei Sorten, die als »Kriegs«- oder »Kartoffelbrot« und als »Kölner Sparbrot« in die Geschichte eingegangen sind.

»Erfinder« des »Kölner Sparbrotes« war ein Mann, den man zunächst einmal nicht mit so profanen Dingen wie Lebensmitteln und Essen in Verbindung bringen wird: Konrad Adenauer.

Als Beigeordneter der Stadt Köln hatte er im Ersten Weltkrieg auch die Lebensmittelversorgung der Domstadt zu organisieren. In dieser Notzeit mussten bisher ungenutzte Quellen zur Versorgung der Bevölkerung erschlossen werden.

1915 entwickelte er mit den Besitzern der »Rheinischen Brotfabrik« ein Rezept für ein Mischbrot, das er sich als »Kölner Sparbrot« patentieren ließ.

Kölner Sparbrot

Zutaten: 400 g Mais, 350 g Gerstenmehl, 100 g Kartoffelmehl (oder Reismehl), 200 g Sauerteig, 100 g Kleie, zwei Teelöffel Dextrin (oder Backpulver), Salz, Wasser, Gewürze (Kümmel oder Koriander, Sonnenblumenkerne u.ä.).

Maiskörner auf einem Backblech im vorgeheizten Ofen bei 200 Grad etwa 30 Minuten lang dörren lassen. Nach dem Abkühlen in einer Schrotmühle mahlen.

Das Maismehl mit lauwarmem Wasser zu einem pappigen Teig anrühren. Gersten- und Kartoffelmehl, Sauerteig, Backpulver, Salz und Gewürze einarbeiten. Dabei soviel Wasser zusetzen, dass ein »fetter« Kloß entsteht. Den Teig etwa eine Stunde ruhen lassen.

Den Teig mit etwas Mehl bestäuben und 30 bis 40 Minuten warm stellen. Ein Brot (oder zwei kleinere) formen. Mit Wasser bestreichen und bei 175 bis 200 Grad im vorgeheizten Ofen 60 bis 90 Minuten backen lassen. Es sollte eine schöne Kruste haben. Und es muss »hohl« klingen, wenn man daran klopft.

Noch ein Tipp: Man kann während des Backens eine Tasse mit heißem Wasser in den Backofen stellen. Das Brot geht dann besser auf. Mit »Schwaden backen«, heißt das bei uns im Ruhrgebiet. Was aber für das folgende Rezept nicht empfehlenswert ist.

Kartoffelbrot

Zutaten: 150 g helles Mehl, 150 g Maismehl, 150 g gekochte und geriebene Kartoffeln, 20 g Zucker, eine Prise Salz, 20 g Hefe, eine Tasse Milch.

Die Hefe mit Zucker und warmer Milch zu einem Brei verrühren und gehen lassen. Das Mehl wird mit den gekochten und geriebenen Kartoffeln vermengt und gesalzen. Die Hefe dazu geben und zu einem festen Teig verkneten. Etwa 30 Minuten gehen lassen. Dann ein längliches Brot formen, auf ein gefettetes Blech legen und ein drittes Mal gehen lassen. Das sollte an einem warmen Ort geschehen und kann gut eine Stunde dauern. Schließlich bei mittlerer Hitze im Ofen braun backen. Ofenklappe öffnen und langsam auskühlen lassen.

Ein solches Mischbrot kostete 1946 im Durchschnitt 36 Pfennig pro Kilo, ein Weizenbrot 40 bis 50 Pfennig (wenn es denn eins gab). Einige Anmerkungen noch zu den Bäckern.

Es waren schon seltsame Praktiken, die da von einigen Vertretern dieses Berufsstandes bekannt wurden, als die Not im Volk am größten war. Im Juli und August 1946 warnte das Ernährungsamt der Stadt Gelsenkirchen nachdrücklich vor Broten mit Mindergewicht. 5,5 Prozent »Schwund« waren 48 Stunden nach dem Backprozess erlaubt, 10 Prozent und mehr aber allgemein üblich.

Auf diese Weise oder durch Zusatz von Wasser versuchten Bäcker fehlendes Mehl zu »ersetzen«.

In Dortmund gingen im Januar 1947 einige Bäckereien dazu über, von den Käufern Kohlen für die Abgabe von Brot zu verlangen. Das kann man verstehen, wenn man weiß, dass die Kohlenzuteilungen den Bäckereien oft nicht reichten, um den Backofen anzuheizen.

Weniger verständlich waren Mehlschiebungen, die allerorts bekannt wurden. Ein Gladbecker Bäcker hatte ganze 7.000 Zentner

Das tägliche Brot

Von Anne Maria Buchholz

Drei Frauen in einer Schlange stehen,
ihre Gespräche um die Ernährung sich drehen.
„Die Kalorien", sagt eine, ‚die kriegen wir;
doch leider und meistens nur auf dem Papier."
Die zweite sagt: „Die Engländer sind schuld,
wir stehen wohl nicht in deren Huld,
denn, träten sie besser für uns ein,
gar manches würde hier besser sein."
Drauf ruhig und sachlich die dritte spricht:
„Ihr irrt alle beide, so ist das nicht!,
Ihr selber seid schuld, was tut ihr denn bloß?
Ihr haltet ja nur die Hände im Schoß!
Ergreifet den Besen und kehrt mit das Haus,
und fegt, was nicht nützet, zur Türe hinaus.
Faßt fest den Besen und säet die Saat,
und bauet ihn auf, den Arbeiterstaat.
Der wird beenden die große Not,
und sichern für immer das tägliche Brot."

verschwinden lassen, vor allem um dadurch Umbauten an seinem Betriebsgebäude zu ermöglichen. »Vitaminbauten« nannte man so etwas. Empörte und hungernde Gladbecker gingen im März 1947 zu Tausenden auf die Straße und protestierten.

In Buer wurde ein Bäcker zu 1.000 Mark Geldstrafe verurteilt, der einem Bergmann 200 Brote gegeben hatte, weil der ihm Ofen und Haus repariert hatte.

Immer wieder wurde auch von »Verdunklungen im Mehlsack« berichtet. War wirklich einmal Weizenmehl an die Bäckereien geliefert worden, so begann dieses nach einigen Tagen »nachzudunkeln«, bis das Brot, das daraus gebacken wurde, nach einer guten Woche eine fast erdbraune Farbe angenommen hatte. Die Bäcker hatten es mit minderwertigen Mehlen und Zusatzstoffen, die den Mehlvorrat strecken konnten, vermischt.

Auf der einen Seite kam es vor, dass in einigen Bäckereien mehr Brot lagerte, als verteilt werden durfte, und vor dem Verkauf verschimmelte: Folgen unnötiger Bürokratie.

Bei anderen Bäckereien hingen tagelang an herabgelassenen Rolläden, hinter leeren Schaufenstern Schilder mit der Aufschrift: »Wegen Mehlmangels geschlossen«. Es gab natürlich auch glückliche Augenblicke. Einen davon beschreibt Betty Schneider in ihrem Buch »Euer Herz betrübe sich nicht« so:

»Am Nachmittag hängen vor den Bäckerläden Schilder, die uns zurufen: ›Ab morgen früh acht Uhr Brotverkauf!‹ Vor allen Bäckerläden hängen sie, rufen sie, laden sie ein, diese Schilder. Fast vermag ich nicht zu schlafen in der Nacht vor lauter Freude. Brot! Und am nächsten Morgen stehe ich mit vielen, vielen in der Schlange, zunächst auf der Straße, dann im Laden, endlich dicht an der Theke. Eine jede Familie bekommt ein großes Brot. Es ist außen goldbraun, innen weiß wie schimmernder Schnee – die Bäckersfrau hat eines durchgeteilt, es uns allen zu zeigen. Brot aus Weizen, aus reinem Weizen Frankreichs…«

Gab es einmal Brot, bildeten sich vor den Bäckerläden der Ruhrstädte endlose Schlangen. Hungrige Menschen standen trotz eisiger Kälte in den Januarwochen des Jahres 1947 stundenlang für ein Brot an. Oft war ihr Warten vergeblich.

Sir Sholto Douglas besuchte das »westliche Hungergebiet« und berichtet, er habe erlebt, wie 500 Frauen und Kinder stundenlang auf einen Brotwagen warteten, der dann nur mit 200 Broten ankam.

»Schlange-Schöningen« wurden die Wartenden mit bitterem Humor von den Menschen im Kohlenpott genannt. Und sie nahmen dabei Bezug auf den Leiter des Zentralamtes für Ernährung, Hans Schlange-Schöningen, dem viele die Mitschuld an der Hungerkatastrophe gaben.

Die Lage war kritisch. War Brot irgendwo im Angebot, wurde dieses auch, soweit möglich, gehortet.

In der Stadt Essen, es war schon die Rede davon, fuhren Lautsprecherwagen durch die Straßen, gaben Aufrufe des Ernährungsausschusses an die Bevölkerung bekannt:

»Essener Bürger und Hausfrauen! Kauft eueren Brotbedarf für heute und morgen. Es ist Mehl genügend vorhanden, die Bäcker können aber nicht das gesamte ausgerufene Brot an einem Tag backen. Es besteht kein Grund zur Beunruhigung...«

Das war am 1. März. Am 22. März hieß es in zwei Aufrufen an die Bevölkerung und die Bäcker:

»Essener Hausfrauen! Im Laufe des heutigen Abends treffen Mehlmengen ein und werden an die Bäckereien weiter geleitet. Am morgigen Sonntag von acht bis zehn Uhr steht in denjenigen Bäckereien, die heute mit Mehl beliefert werden, Brot zum Verkauf. Bei diesem Sonntagsverkauf werden nur Essener Lebensmittelkarten beliefert...«
»Essener Bäckereien! Alle Bäcker, die Mehl vorrätig haben, haben noch heute Nacht zu backen und morgen früh, wie bekannt gegeben, zwischen acht und zehn Uhr zu verkaufen...«

War kein Brot vorhanden, sollten Nährmittel oder Zucker und Keks an die Bevölkerung ausgegeben werden.
Heinrich Lübke, damals Ernährungs- und Landwirtschaftsminister von Nordrhein-Westfalen, versprach »*Besserung in der Brotversorgung*«. Ein besonderer Plan der Reichsbahn sei in Kraft getreten, der den Transport von Brotgetreide und Mais in das Land an Rhein und Ruhr mit Vorrang durchführte.
In Essen und Gelsenkirchen waren Bäckergeschäfte und Brotverkaufsstellen dazu übergegangen, Brot nur noch an Stammkunden auszugeben. Das war zwar unzulässig, wurde aber praktiziert.
Die Mehlzuteilungen blieben weiter knapp und waren regional sehr unterschiedlich. Die Bäcker glaubten so handeln zu müssen, denn immer mehr Menschen aus fremden Städten standen um Brot an. Andererseits fuhren Essener Frauen bis nach Dortmund, um Brot zu kaufen. Was den Zeichner des »Westdeutschen Volks-

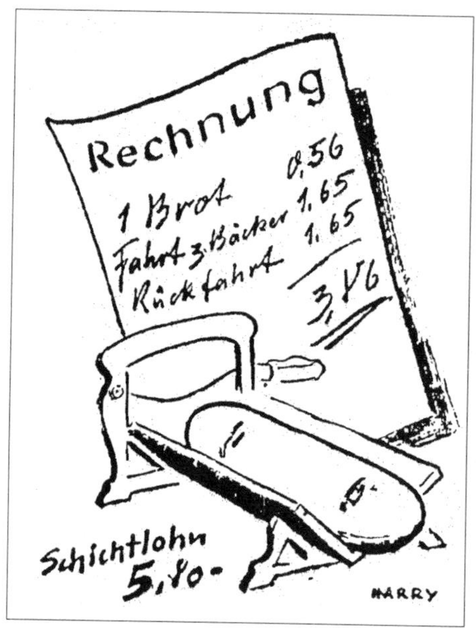

echos« zu zwei Karikaturen animierte. Unter der rechten steht: *»Ich hätte nicht geglaubt, dass eine Sommernacht so schön sein kann. – Ja, aber ich muss immer denken, der Mond sieht aus wie ein Hörnchen aus Weizenmehl.«*

Von der Polizei wurde in jenen Tagen eine Frau aus dem Ruhrgebiet mit einem Koffer voll Brot aus einem Eisenbahnwaggon geholt. Schwarzhandel – vermuteten die Beamten. Aber die Frau konnte nachweisen, dass sie die Brote rechtmäßig auf ihre Lebensmittelkarten gekauft hatte. Sie war 180 km gefahren, um das Brot zu bekommen, da in ihrer Stadt kein Brot zu haben war.

Im Juni 1947, als erneute Kürzungen der Brotration angekündigt wurden, fanden in Norddeutschland und im Bezirk Köln Sitzstreiks der Arbeiter in den Betrieben gegen den Hunger statt. Und Ende Juli ging die Stadtbevölkerung aus dem Ruhrgebiet in Scharen aufs Land, um auf den abgeernteten Getreidefeldern nach vergessenen Ähren zu suchen. Man ging »stoppeln«.

Doch vor das Ährenlesen hatten deutsche Beamte den bürokratischen Akt gesetzt. Man musste dazu bei der Lebensmittelkartenausgabestelle einen Berechtigungsschein beantragen. Ohne Erlaubnisschein wurde man vom Stoppelacker gejagt. Man musste also versuchen, selbst Brot zu backen. Und wo das Mehl nicht reichte, die gesammelten Ähren nicht genügten, musste mit anderen Zutaten gestreckt werden.

Eichelbrot

Zutaten: 250 g Mehl, 250 g Eichelmehl, ein Teelöffel Salz, 20 g Hefe, ¼ l Wasser.

Roggen- oder Weizenmehl mit Eichelmehl und Salz mischen. Hefe mit einer Tasse warmem Wasser anrühren. Mit der Hälfte des Mehls zu einem Teig rühren. Etwa zwei Stunden lang an einem warmen Ort gehen lassen. Dann das restliche Mehl und den Rest warmes Wasser zugeben und alles kräftig durchkneten. Ein längliches Brot formen.

Auf ein bemehltes Backblech setzen. Oben ein paarmal einkerben. Nochmals gehen lassen.

Im vorgeheizten Backofen bei 220 Grad 60 bis 70 Minuten backen. Man kann dem Teig auch Kräutersalz zusetzen und daraus Brötchen formen.

Wie Eichelmehl gewonnen wird, haben wir schon in »Tante Linas Kriegskochbuch« beschrieben: Reife Eicheln werden in einer zugedeckten Pfanne geröstet, bis die Schalen platzen. Schalen ablösen. Kerne zwei bis drei Minuten in Salzwasser kochen. Die so entbitterten Eicheln trocknen, zerkleinern und mehrmals durch den Fleischwolf drehen. Das Mehl sieben.

Apfelbrot

Zutaten: vier Äpfel, drei kalte gekochte Kartoffeln, ein Esslöffel Zucker, eine Prise Salz, ein Teelöffel Zimt, eine Tasse Milch, ein Päckchen Backpulver, 150 g Mehl.

Kartoffeln pellen, Äpfel schälen. Sehr fein reiben. Nach und nach mit Zucker, Zimt, Milch, Salz und dem mit Backpulver vermischten und gesiebten Mehl verarbeiten. Den Teig in eine gefettete Kastenform geben. Im Ofen bei 200 bis 225 Grad etwa 50 bis 60 Minuten backen. In der Form kalt werden lassen.

Heidelbeerbrot

Zutaten: 100 g Heidelbeeren, zwei Esslöffel Zucker, zwei Tassen Haferflocken, zwei Tassen Milch, zwei Tassen Mehl, ein Päckchen Backpulver, eine Prise Salz.

Heidelbeeren zuckern und über Nacht stehen lassen. Haferflocken in der Milch 20 Minuten einweichen. Das mit Backpulver gemischte Mehl und Salz dazu geben, ebenso die Heidelbeeren. Gut durchrühren. In eine Kastenform füllen, die man eingefettet hat. Bei 200 Grad im Ofen etwa 50 Minuten abbacken.

Da es oft keine Hefe und kein Backpulver zu kaufen gab (trotz Dr. Oetker), hier zwei Rezepte, wie man beides selbst herstellen kann.

Backpulver (selbst gemacht)

Zutaten: 40 g Weinstein, 20 g doppelt kohlensaures Natron, 10 g Weizenmehl.

Zutaten sorgfältig miteinander vermischen. Die Menge reicht etwa für drei Pfund Mehl.

Hefe (selbst gemacht)

Zutaten: 500 g gekochte kalte Pellkartoffeln, 20 g Hefe, ein Esslöffel Zucker, ein Esslöffel Mehl, drei Esslöffel Wasser.

Kartoffeln pellen und reiben. Mit Hefe, Zucker, Mehl und Wasser zu einem Brei verrühren. Mit einem Tuch bedecken und warm stellen. Die Hefe ist nach drei bis vier Tagen fertig. Für ein Pfund Mehl benötigt man etwa drei Esslöffel von dieser Hefe.

Die Bild oben stammt von dem elfjährigen Georg Weilse. In der Klasse seiner Oberschule war die Zeichenaufgabe gestellt worden »Was wünscht ihr euch?«. Der Gegenstand seiner Sehnsucht: ein Bäckerladen, in dem es wirklich alles gibt.

Knäckebrot

Zutaten: 200 g Roggenmehl, eine Tasse Wasser, ein Teelöffel Salz.

Mehl mit Salz und Wasser zu einem Teig kneten. Auf einem mit Mehl bestreuten Backbrett dünn ausrollen. Mit einem Strohhalm Löcher in den Teig drücken. Das Knäckebrot wird in rechteckige Stücke geschnitten und auf einem leicht gefetteten Blech im Ofen bei 200 Grad 20 bis 30 Minuten gebacken.

In einem Zeitungsartikel meldete 1946 stolz die Zuckerfabrik Roisch, es sei ihr gelungen, aus Zuckerrübenschnitzeln und Mehl

Zwieback herzustellen. Da wollen wir natürlich nicht hintanstehen. Knäckebrot kann man auch mit Hilfe von Rüben machen.

Rübenknäckebrot

Zutaten: ein Kilo Steckrüben, 100 g Roggenschrot, eine Tasse Wasser, ein Teelöffel Salz.

Steckrüben schälen, waschen und raspeln. Die Rübenraspeln werden auf einem Blech in einer gut geheizten Backröhre unter häufigem Wenden getrocknet. Wenn sie vollkommen trocken sind, kann man sie noch durch eine Kaffeemühle drehen oder mit dem Mörser zerstoßen. Das Kilogramm Runkeln ergibt etwa 100 Gramm Rübenmehl. Mit Roggenschrot, Wasser und Salz zu einem Teig verrühren. Dünn ausrollen. Wer will, kann mit einem Strohhalm Löcher in den Teig drücken. In rechteckige Stücke schneiden. Im Ofen bei 200 Grad etwa 30 Minuten auf einem leicht gefetteten Blech backen.

Steckrübenbrot

Zutaten: 20 g Hefe, ¼ l Wasser, 200 g Steckrüben, 500 g Mehl, ein Teelöffel Salz.

Hefe mit lauwarmem Wasser anrühren. Die geschälten und gewaschenen Steckrüben sehr fein reiben und mit dem Mehl, der Hefe und dem Salz zu einem Teig verarbeiten. 30 Minuten an einem warmen Ort gehen lassen. Nochmals kräftig durchkneten. In eine gefettete Kastenform geben. Abermals gehen lassen. Im vorgeheizten Ofen bei ca. 200 Grad 60 bis 80 Minuten backen lassen. Da das Brot etwas feucht ist, langsam auskühlen lassen. Es braucht dann noch etwa drei Tage, bis es sich gut schneiden lässt.

1948

»Die Militärgouverneure und obersten Befehlshaber der britischen, der amerikanischen und der französischen Zone sind zu dem Zwecke, die Folgen der durch den Nationalsozialismus herbeigeführten Währungszerrüttung zu beseitigen, dahin übereingekommen..., einheitliche Gesetze zur Neuordnung des Geldwesens zu erlassen... Es wird verordnet:
§ 1: Mit Wirkung vom 21. Juni gilt die Deutschmark-Währung...
§ 2: Alleinige gesetzliche Zahlungsmittel sind vom 21. Juni 1948 an:... Die auf Deutsche Mark oder Pfennig lautenden Noten und Münzen, die von der Bank Deutscher Länder ausgegeben werden...
§ 6: Jeder Einwohner des Währungsgebietes erhält im Umtausch gegen Altgeldnoten... desselben Nennbetrages bis zu 60 Deutsche Mark in bar (Kopfbetrag). Ein Teil des Kopfbetrages in Höhe von nicht mehr als 40 Deutsche Mark wird sofort ausgezahlt, der Rest innerhalb von 2 Monaten... «

Das Jahr 1948, in dem Mahatma Gandhi ermordet wurde, in dem in der Tschechoslowakei Kommunisten die Regierungsgewalt übernahmen und der Staat Israel gegründet wurde, stand in Deutschland im Zeichen von Maßnahmen, die zur Gründung eines deutschen Weststaates führen sollten.

Im Januar 1948 legte Großbritanniens Außenminister Bevin dazu einen genauen Zeitplan vor. Er nahm eine Umbildung der Bizonen-Verwaltung in Frankfurt in Aussicht, Wahlen sollten vorbereitet werden, und noch 1948 sollte eine provisorische Regierung auf Trizonen-Ebene, also unter Einschluss der französischen Besatzungszone, gebildet werden, eine deutsche Regierung. Weiter waren eine Währungsreform vorgesehen und Maßnahmen zur Steigerung der industriellen Produktion und des Lebensstandards.

Am 7. und 8. Januar 1948 fand im Gebäude der Militärregierung in Frankfurt eine Konferenz der alliierten Militärbefehlshaber, des US-Generals Clay und des britischen Generals Robertson, mit den Ministerpräsidenten der Bizone, den Vertretern des Wirtschaftsrates und den Direktoren der Bizonenverwaltung statt. Bei dieser Zusammenkunft legte Clay die Pläne zur »*Umorganisation der Bizonen-Verwaltung*« vor (»*lediglich Vorschläge, kein Diktat der Besatzungsmächte*«), zu denen die deutschen Politiker »*Stellung nehmen sollten*«.

Als die Kommunisten die alliierten »Vorschläge« (zu Recht) als »*Fundament einer separatistischen Regierung*« bezeichneten, erklärte Robertson (wider besseres Wissen), das Ziel der beiden Westmächte sei »*ein geeintes Deutschland, regiert von einer geeinten deutschen Regierung, die wirklich regierungsfähig ist*«. Es sei »*jedoch unmöglich, jetzt mit gefalteten Händen weiter untätig zuzuschauen*«.

Am 9. Februar wurden die alliierten »Vorschläge« in die Tat umgesetzt und als »Frankfurter Charta« der Öffentlichkeit bekannt gegeben. Am 1. März 1948 entstand in Frankfurt durch Gesetz der britischen und der amerikanischen Militärregierung die »Bank Deutscher Länder«, der sich am 25. März auch die Länder der französischen Besatzungszone anschlossen. Dadurch war praktisch aus der Bizone eine Trizone geworden, und ein deutscher Schlagertexter lästert:

»Ein kleines Häuflein Diplomaten
macht heut' die große Politik.
Sie schaffen Zonen, ändern Staaten,
und was ist hier mit uns im Augenblick?
Wir sind die Eingeborenen von Trizonesien...
Wir haben Mägdelein mit feurig-wildem Wesien...
Wir sind zwar keine Menschenfresser,
doch wir küssen umso besser...«

Ein »Gassenhauer«, dieser Schlager, jung und alt sang ihn, er wurde in den Rundfunkprogrammen täglich gespielt – ein großer Erfolg!

Als der nordrhein-westfälische Ministerpräsident Arnold den Landtag in Düsseldorf am 5. Februar über die Frankfurter Beschlüsse unterrichtete, kam es zu scharfen Auseinandersetzungen.

Die KPD beantragte Ablehnung der Landesunionbank, Ablehnung des bizonalen Obergerichts, Wiederherstellung der deutschen Einheit und eine Entschließung gegen einen westdeutschen Staat. Über den Antrag wurde auf Grund eines Gegenantrages der SPD, den auch CDU, Zentrum und FDP billigten, nicht abgestimmt.

Gegen die Kommunisten begann ein Propagandafeldzug der anderen Parteien. Angebliche »*kommunistische Sabotagepläne für Westdeutschland*« wurden bekannt gemacht, nach denen die »*Ruhrindustrie lahm gelegt*« werden sollte. Die »Westfälische Rundschau« (SPD) behauptete, es würden von der KPD »*schwarze Listen zum Abkillen*« politischer Gegner geführt.

In Freiburg wurde ein Brief publik, in dem die Firma Merck, Darmstadt, der KPD-Kreisleitung in Freiburg »*dankend*« eine »*Bestellung auf 100 kg Pikrinsäure, rein krist.*« (das ist ein hochwertiger Grundstoff zur Sprengstoffherstellung) bestätigt. Die Bestellung erwies sich später als gefälscht.

Mit Hilfe der Alliierten wurden im Mai 1948 zwei KPD-Zeitungen verboten. Das »Westdeutsche Volks-Echo« musste sein Erscheinen ganz, die Kölner »Volksstimme« ihr Erscheinen für vier Wochen einstellen. Dies waren nur einige der Maßnahmen gegen Kommunisten. Und diese Maßnahmen, aber auch die Propaganda gegen die KPD hatten Erfolg. Das zeigt sich bei den folgenden Wahlen, erstmals bei den Gemeindewahlen 1948.

Am 18. Juni 1948 verkündeten die drei Militärgouverneure der USA, Großbritanniens und Frankreichs das Gesetz über die Währungsreform für die Westzonen. Damit war der Bruch endgültig vollzogen.

Die UdSSR führte in ihrer Zone vom 23. Juni ebenfalls eine Währungsreform durch und blockierte von der darauf folgenden Nacht an die Zufahrtswege von und nach West-Berlin. Es gab zwei Währungen in Deutschland. Westalliierte, Westdeutsche und Westberliner fühlten sich als Verbündete.

Während – wie der Schlager geulkt hatte – »*ein kleines Häuflein Diplomaten*« und einige deutsche Politiker folgenschwere Beschlüsse über die Zukunft Deutschlands fassten, hungerten die Menschen an Rhein und Ruhr. Wieder einmal! Und es gab nicht wenige, die der Ansicht waren, durch den Hunger sollten die Deut-

»Was meinst du Sam, ob wir gemeinsam versuchen, den Karren noch mal flott zu machen? Oder lassen wir ihn ganz ausschlachten...?«

schen gefügig gemacht werden, durch Versprechen einer zukünftig besseren Lebensmittelversorgung sollte ihre Zustimmung erkauft werden zu Entscheidungen über ihr Land, die ohne ihr Zutun getroffen worden waren. Aus einem Kommentar des »Westdeutschen Volks-Echos« vom 9. Januar 1948:

»Wieder einmal scheint es angesichts der politischen Situation notwendig geworden zu sein, die deutsche Bevölkerung für neue politische ›Geschenke‹ reif zu machen, wobei der Hunger nach altbewährter Praxis ein vorzüglicher Helfer ist. Fett- und Fleischmangel setzte ein; der halbe Zentner Kartoffeln ist schon längst verzehrt, so dass die Bevölkerung des Ruhrgebiets im Augenblick tatsächlich nur noch von Brot und Wasser lebt... Auffallend ist, dass solche Lücken in der Verpflegungsdecke immer gerade dann entstehen, wenn irgendein politischer Rummel steigen soll. So war es im Vorjahre, als man uns mit dem Zwei-

»Und wenn auch Bevin zuspricht, der London-Anzug paßt ihm nicht. Westdeutschland kann bei Sturm und Regen im halben Kleid sich nicht bewegen.«

zonenabkommen beglückte, und so ist es heute wieder kurz vor der faktischen Ausrufung eines Weststaates. Die Politik mit dem Hunger hat jede kollektive Garantie des Existenzminimums der Menschen beseitigt. Eine ihrer traurigen Folgen ist die Tatsache, dass auch die Menschen in zunehmendem Maße jeder kollektiven Stellungnahme ausweichen...«

In der 110. Lebensmittelzuteilungsperiode, die vom 5. Januar bis zum 1. Februar 1948 dauerte, erreichte die Ernährungslage vor allen im Ruhrgebiet einen neuen Tiefpunkt.

In Gelsenkirchen gab es für den Normalverbraucher täglich 321,4 Gramm Brot, 35,7 Gramm Nährmittel, 4,4 Gramm Kaffee-Ersatz, 17,8 Gramm Fisch, 7,1 Gramm Fleisch, 2,2 Gramm Käse, 8,9 Gramm Zucker und 16,1 Gramm Marmelade. Eine Ration, die auf wenigen Löffeln Platz findet.

Die Lage war katastrophal. Schon in der 109. Periode waren Fleisch- und Fettmarken nicht beliefert worden. In Dortmund wurden an manchen Tagen nicht einmal 450 Kalorien erreicht.

In einer Gelsenkirchener Zeitung schlug ein Witzbold zum 1. April die Errichtung eines Hungerdenkmals vor:

»Es soll in Gestalt eines riesigen leeren Brotkorbs auf der Plattform des Hans-Sachs-Hauses weithin sichtbar angebracht werden. Der Brotkorb soll an einem etwa zwanzig Meter hohen Dreibein aufgehängt werden. Eine sinnreiche, automatisch zu bedienende Zugvorrichtung an diesem Dreibein wird es gestatten, jederzeit den Brotkorb höher zu hängen.«

Die Gewerkschaften forderten die Einstellung der Kohlenlieferungen. Wieder gab es Demonstrationen und Streiks. In Essen legten 50.000 Werktätige die Arbeit nieder, in Köln streikten die Straßenbahner, in Gelsenkirchen die Belegschaft des Glasproduzenten Delog, aber auch in Bochum, Hagen, Oberhausen, Duisburg, Mühlheim, Dinslaken kam es zu Arbeitskampfmaßnahmen.

In Gelsenkirchen verabschiedeten die in der Gewerkschaft organisierten Betriebsräte eine Entschließung, in der es heißt:

»Die Arbeiterschaft ist ... nicht gewillt, die Misswirtschaft und den Ländereqoismus, der sie zum Verhungern zwingt, länger hinzunehmen. Wir stellen den verantwortlichen Stellen eine Frist bis zum 1. Februar 1948: Sollte bis dahin keine Besserung eintreten, wird ab 2. Februar in Gelsenkirchen jegliche Arbeit ruhen...«

Aber zum Generalstreik kam es nicht. Auf einer weiteren Betriebsräte-Vollversammlung wurde am 1. Februar beschlossen, den vorgesehenen Streik nicht durchzuführen. Ein Mitglied des Hauptvorstandes des Deutschen Gewerkschaftsbundes hielt in einem Redebeitrag einen Streik *»gegenwärtig für unnütz und schädlich«* und meinte, die *»entschlossene Haltung der Gewerkschaften«* vermöge mehr zu erreichen als unbesonnene Maßnahmen.

Die »Ernährungsexperten« bei der Bizonen-Verwaltung in Frankfurt reagierten hilflos. Wie sollten sie auch Verständnis für die hungernden Menschen im Ruhrgebiet aufbringen? Ihr eigener Speisezettel unterschied sich sehr von dem nordrhein-westfälischer

Normalverbraucher. Gegen die Abgabe von 25 Gramm Fett-, 75 Gramm Fleisch-, 400 Gramm Brot- und 100 Gramm Nährmittelmarken pro Woche erhielten sie an jedem Arbeitstag drei Mahlzeiten: vier Scheiben Brot und ein Schälchen Vierfruchtmarmelade mit ganzen Früchten zum Frühstück, zum Mittagessen Suppe als Vorspeise, als Hauptgericht Gemüse der Jahreszeit und Fleisch (ca. 125 Gramm), als Dessert Eis oder Pudding, zum Abendessen wieder eine Vorspeise, als Hauptgang Fisch oder Fleisch und ei-

„Geld oder Leben!!"
„Aber meine Herren — so kurz vor der Währungsreform . . .??"

nen Nachtisch als Abschluss. Dabei lässt sich gut denken und planen.

Ein Fettverzicht anderer Länder der Bizone sollte »*erste Hilfe*« für Nordrhein-Westfalen bringen. Eine befristete »*Buttersperre für Selbstversorger*« wurde verkündet. Der »Reichsnährstand« wurde – nun endlich, drei Jahre nach Kriegsende – aufgelöst. Und schließlich wurde – statt die notleidende Bevölkerung mit Lebensmitteln zu versorgen – das »Nothilfegesetz zur Ermittlung, Erfassung und Verteilung von Lebensmittelbeständen« beschlossen, das im Volksmund »Speisekammergesetz« genannt wird. Grund: der § 7 dieses Gesetzes, der so genannte »Schnüffelparagraph«:

»Alle Haushaltsvorstände sind verpflichtet, Angaben über die an einem Stichtag in ihrem Eigentum oder Gewahrsam befindlichen Bestände an Mehl und Kartoffeln zu machen, sofern diese Bestände für Mehl die Rationen für eine Zuteilungsperiode und für Kartoffeln die zulässige Einlagerungsmenge überschreiten...«

Weiterhin sollten Leiter landwirtschaftlicher Betriebe und solcher Betriebe, die Lebensmittel herstellten, lagerten und verteilten, und Leiter von Gemeinschafts- und Sammelverpflegungen und Gaststätten alle Bestände an Brotgetreide, Mehl, Nährmitteln, Kartoffeln, tierischen und pflanzlichen Fetten, Käse, Fleisch und Zucker melden. Stichtag war der 20. Februar. Wer die Bestände nicht wahrheitsgemäß und nicht fristgerecht meldete, wurde mit Strafe bedroht.

Statt Ernährungsvorsorge also Bürokratie. Schätzungsweise 20 Millionen Fragebogen waren zu drucken, zu verteilen und auszuwerten (bei immer noch herrschender Papierknappheit). Mit der Auswertung – so rechnete ein Rundfunk-Kommentator vor – wären 100.000 Beamte drei Monate lang beschäftigt gewesen. Eine nutzlose Maßnahme, die durch nichts gerechtfertigt erschien.

Trotz solcher Gesetze besserte sich die Lebensmittelversorgung von der 112. Zuteilungsperiode an, wenn auch nur sehr allmählich. Ein solcher Tiefpunkt aber wie im Januar und Februar 1948 wurde nicht mehr erreicht.

Anfang April unterzeichnete US-Präsident Truman das von Senat und Repräsentantenhaus verabschiedete Auslandshilfegesetz. Damit konnte der Marshallplan anlaufen.

Mit einer Vielzahl von Werbeaktionen, mit bunten Plakaten (*»Freie Bahn dem Marshallplan«*) wurden der Plan und die mit ihm verbundenen Erwartungen bei der westdeutschen Bevölkerung publik gemacht. Und es ist zweifellos so, dass die Marshallplan-Gelder sich in gewisser Weise belebend auf die Wirtschaft der drei

Besatzungszonen ausgewirkt haben. Wodurch sich die Lebensmittelversorgung auch unmittelbar verbesserte. Es standen mehr Devisen zur Verfügung. Es konnten Nahrungsmittel importiert wer-

den. Doch ungeteilte Zustimmung fand der Marshall-Plan in der Bevölkerung nicht.

Im Mai 1948 fand eine einmalige Zuteilung von Zitronen statt, aus Holland kam Spinat. Und es wurde Kaffee aus Brasilien eingeführt, ein achtel Pfund sollte pro Kopf der Bevölkerung ausgegeben werden, Kaffee minderer Qualität, »Rio 5« oder »Rio 7« hießen die Sorten, Kaffee, der – schenkt man Geschmackszeugen Glauben – nach dem Genuss einen durchdringenden Geschmack von Karbol auf der Zunge hinterließ, aber immerhin – es gab Kaffee innerhalb der »normalen« Lebensmittelzuteilungsperiode.

Kaffee, den kannte man bis dato nur aus CARE-Paketen oder zu unerschwinglichen Preisen für den Normalverbraucher vom Schwarzen Markt.

Dieser Schwarz-Markt-Kaffee kam aus den Niederlanden oder Belgien und wurde über die Grenze geschmuggelt von gut organisierten Banden. So genannte »Grenzführer« brachten Trägergrup-

Kontrolle! Szene 3. Klasse

Vorher:

Die junge Dame: „Mein Gott, Zonengrenze! Ob der Ami kontrolliert?"

Der flotte Herr: „Nee, meine Dame, der nicht! Aber die deutsche Polizei!"

Die junge Dame. „Was mach ich bloß mit meinem Pfund Kaffee?"

Der flotte Herr: „Wissen Sie was? Totsicherer Trick! Legen Sie ihn ins Gepäcknetz unter meinen Hut."

Tragischer Höhepunkt:

Der Beamte: „Kontrolle, meine Herrschaften! Wer hat was? Tee, Schokolade, Butter, Kaffee . . ." (Eisiges Schweigen): Beamter schnuppert: „Wissen Sie, hier riecht's doch nach Kaffee." Der flotte Herr: „Na, dann schauen Sie doch mal unter den Hut dort oben." Der Beamte lüftet und nickt: „Beschlagnahmt!" Der flotte Herr: „Ja, meine Dame, den sind Sie los!" (Beamter ab) Eisiges Schweigen, Entsetzen . . . . später allgemeine Entrüstung.

Nachher:

Die junge Dame: „Mein Herr, wie konnten Sie! Ich finde keine Worte."

Der flotte Herr: „Aber ich." (Steht auf, öffnet seinen Reisekoffer). „Darf ich Ihnen ihr Pfund zurückgeben, Sie waren meine Rettung, Gnädigste. Ich hatte nämlich 'nen halben Zentner mit."

Beifall und Zischen im Abteil je nach moralischem Rückgrat.

pen über die Grenze, jeweils sechs Mann, jeder mit 60 Pfund Kaffee beladen. Aber bei den immensen Schwarz-Markt-Preisen lohnte sich der Schmuggel auch für »Amateure«. Gegen sie waren Zoll und Polizei nicht so hilflos wie gegen das organisierte Verbrechen. Die Dürener Polizei setzte in Eisenbahnzügen Spezialbeamte ein, »Kaffeeriecher«, die Kaffeeschmuggler am Geruch der mitgeführten Ware ausmachen sollten. Die Schmuggler stellten sich auf den Transport grüner, nicht gebrannter Bohnen um.

Auch bei Grenzkontrollen konnten solche »Amateur-Schmuggler« gefasst, konnten große Mengen Kaffees sicher gestellt werden.

Gegen die Schmuggler wurde rücksichtslos von der Schusswaffe Gebrauch gemacht. Das hatte manchmal tragische Konsequenzen, zumal wenn es Kinder waren, die da schmuggelten. Im

Januar 1948 wurde im Aachener Grenzwald der 14-jährige Sohn eines Zollbeamten (!) durch einen Kopfschuss getötet. Man fand bei ihm ein halbes Pfund Kakao, ein halbes Pfund Kaffee und ein Päckchen Backpulver.

Im Rahmen der ERP-Hilfe (ERP = European Recovery Program, so wurde der Marshallplan offiziell genannt) waren sogar Tabaklieferungen in Höhe von 40 bis 50 Millionen Pfund aus den USA angekündigt.

Ende April 1948 wurde von der Militärregierung das in der Bizone bestehende Brauverbot aufgehoben. Es durfte also wieder Bier gebraut werden, ein Bierersatzgetränk mit einem Stammwürzegehalt von 1,7 Prozent. Dafür wurden den Brauereien bis zu 3.800 Tonnen Gerste monatlich zur Verfügung gestellt. Die Bierabgabe erfolgt nur gegen Brotmarken, eine 50-Gramm-Marke für 1,5 Liter Bier. Den Münchnern schmeckte das dünne Gebräu nicht, sie traten in einen »Bierstreik«.

Bier und Kaffee – wenn das keine deutlichen Anzeichen einer Verbesserung waren!

Am deutlichsten von allen spürten die Bergleute, dass da alles getan wurde, um den Lebensstandard in den Westzonen zu erhöhen, wenn auch aus politischen Gründen, wie von Großbritanniens Außenminister Bevin geplant. Neben Bergmannspunkten, CARE-Paketen und Zusatzverpflegung war durch die Ausgabe von Import-Kaufmarken an die Kumpel ein weiteres Versorgungssystem entstanden.

Durch Abzweigung eines Teils der durch Ausfuhr von Kohlen erwirtschafteten Devisen konnten zusätzliche Wareneinfuhren finanziert werden, diese sollten dem Bergmann zugute kommen. Dies war dann möglich, wenn eine Zeche in etwa ihr Förderungssoll erreicht hatte. Ab 1. Januar 1948 wurden durch die Schachtanlagen nach einem komplizierten Verrechnungssystem monatlich die erwirtschafteten Importkaufmarken ausgegeben, die auf so genannte IK-Einheiten lauteten, dabei entsprachen zehn IK-Einheiten dem Gegenwert von einem US-Dollar. Sie berechtigten zum Kauf ausländischer Lebensmittel und Gebrauchsgüter ohne Abgabe von Bergmannspunkten und ohne Anrechnung auf die Lebensmittelkarten.

Am 12. April 1948 wurde im Ruhrgebiet mit der Auslieferung der Waren auf IK-Marken begonnen. Ein Gedingearbeiter der Essener Zeche »Königin Elisabeth« bekam in diesem Monat 50 IK-Einheiten zugeteilt. Er konnte dafür kaufen: 2 lb (lb = Lybs, eine in den USA und Großbritannien gebräuchliche Gewichtseinheit, die 453 Gramm entspricht) Zucker, ein lb Vollmilchpulver, ein Stück Toilettenseife, ein Badehandtuch, 500 Gramm Schmalz, 200 Gramm Kernseife, 250 Gramm Kakao, 250 Gramm Margarine und 500 Gramm Speck. Insgesamt wurden 45 verschiedene Artikel ausgegeben. So wollte man den Bergmann am Exporterlös seiner Arbeit teilhaben lassen.

Auch diese zusätzliche Versorgung, so glaubte man und so wurde im Zuge der Werbung für den Marshallplan immer wieder behauptet, sei der US-Hilfe für Westdeutschland zu verdanken.

Die USA, das Traumland jenseits des Ozeans, war »in« bei der deutschen Bevölkerung, besonders bei den jungen Menschen. »Man« trug knallig bunte Krawatten, hörte US-Schlager, versuchte sich in Bebop und trank Coca-Cola, wenn man es sich erlauben konnte (die hatten US-Soldaten neben Kaugummi und Schokolade an die Bevölkerung verteilt und so für die Einführung dieser Marke gesorgt).

Wenn im Kino US-amerikanische Filme gezeigt wurden, war der Ansturm ungeheuer. Englische Ausdrücke fanden Eingang in die deutsche Sprache: 1948 begann sich ein deutlicher Trend hin zu einer »Amerikanisierung« abzuzeichnen. Klar, dass dieser Trend sich auch verändernd auf deutsche Essgewohnheiten auswirkte. »Fast food« war gefragt, wenn auch auf europäische Verhältnisse zugeschnitten. Das folgende Rezept haben wir in einem deutschen Kochbuch gefunden, das 1948 erschienen ist:

Hot Combination Sandwiches

1. Art

Zutaten: vier Scheiben Weißbrot, etwas Margarine, ein Ei, ein Esslöffel Mehl, ein Esslöffel Milch, Salz, vier Scheiben dünn geschnittener Käse, ein Teelöffel Paprikapulver.

Die Weißbrotscheiben werden dünn mit Margarine bestrichen. Ei, Mehl, Milch und Salz gut mit einem Schneebesen verschlagen. Kurz in einer heißen Pfanne stocken lassen. Auf die Brotscheiben verteilen. Mit Käse belegen. Mit Paprikapulver bestreuen. Im heißen Ofen überbacken.

2. Art

Zutaten: 100 g Hackfleisch, Salz, Pfeffer, eine Zwiebel, zwei Esslöffel Haferflocken, etwas Fett zum Braten, acht Scheiben Weißbrot ohne Rinde, vier Blatt Salat, eine Tomate.

Hackfleisch mit Zwiebelwürfelchen, Salz, Pfeffer und Haferflocken zu einem Fleischteig vermischen und daraus im heißen Fett vier dünne Puffer braten. Weißbrotscheiben mit je einem Salatblatt belegen. Darüber den Hackfleischpuffer und die Tomatenscheiben geben. Mit Weißbrotscheiben zudecken.

Doch solche Sandwiches konnte sich kaum einer zubereiten. Auch 1948 beherrschten Szenen, wie es das Foto auf der nächsten Seite zeigt, das Straßenbild. Ein »Notfiaker«, mit dem Transporte durch-

geführt wurden. Es gab viele solcher Einmannbetriebe, die mit Schubkarren oder Fahrrad ihre Dienste anboten. Meist waren es Rentner, die versuchten, so ihr Altersruhegeld aufzubessern, das nicht einmal zum Sterben reichte und sie nicht an den Segnungen von Marshallplan und Lebensmittelsonderrationen teilhaben ließ. Sie zogen als Straßenmusikanten durch die Städte oder bettelten.

Einer von ihnen errichtete auf der Bahnhofstraße in Gelsenkirchen einen Schuhputzstand und gab Jung und Alt das erhebende Gefühl, von ihm bedient zu werden. Doch das war vor der Währungsreform, danach sollten ihm die Kunden weg bleiben.

Ebenfalls noch in die Zeit vor der Währungsreform fiel die unter dem Motto »Arbeit und Kultur« stehende erste »Gelsenkirchener Woche«. Was heute zur platten Werbe- und Verkaufsschau verkommen ist, sollte Anfang Juni 1948 »*Zeugnis ablegen vom Gelsenkirchener Schaffen auf materiellem und auf künstlerischem Gebiet*«: Handwerksausstellungen, Kunstausstellungen waren zu sehen, eine Bücherschau. Beethovens neunte Sinfonie wurde aufgeführt... Eine Woche lang wurde gefeiert. Der Lebenssituation zum Trotz. Man wollte sich selbst beweisen und anderen zeigen, dass da schon etwas geleistet wurde an Wiederaufbauarbeit in diesen Nachkriegsjahren, dass man etwas auf die Beine gestellt hatte trotz widriger Umstände und dass es Hoffnung gab auf eine bessere Zukunft.

Wie Tante Lina eine neue Epoche zeitgemäßer Kunst beginnen ließ

Es ist alles meine Schuld. Wäre ich nicht gewesen, hätte Tante Lina... Aber ich muss Alles von Beginn an erzählen. Wobei ich mich nicht auf meine eigene Erinnerung verlassen kann. Was ich berichte, habe ich größtenteils bei meiner Verwandtschaft erfragt.

Erich Lenz aus Berlin, richtiger aus Spandau (dass ihr Wohnort mit Berlin in Verbindung gebracht wird, hören die Spandauer nicht so gerne), war ein Künstler. Er hatte lange Haare und sagte auch von sich selbst, dass er ein Künstler sei, ein Kunstmaler. Und in dieser Eigenschaft bereiste er 1948 das Ruhrgebiet.

Er hielt sich in Bahnhofswartesälen auf, in Wärmehallen, er übernachtete in den Wäldern des Reviers. Und sein Leben bestritt er mit seiner Malkunst. Mehr schlecht als recht.

Tante Linas Bekanntschaft machte er in der Gaststätte Rohmann in Buer, zu der dort eingerichteten Volksküche war er (unweigerlich, wie das Schicksal so spielt) eines Mittags gekommen, um ein warmes Essen einzunehmen.

Und da seine Barmittel erschöpft und seine abzugebenden Lebensmittelmarken aufgebraucht waren, sah er sich gezwungen, der Not gehorchend, eines seiner Kunstwerke in Kalorien umzusetzen. Darüber verhandelte er gerade mit dem Wirt, als Tante Lina, vom langen Anstehen in einer Schlange vor einer Metzgerei ermüdet, die Lokalität betrat, um sich an einem Leichtbier zu laben.

Der Wirt und seine Frau, uneins, ob sie die Zeichnung eines röhrenden Hirsches im Westerholter Wald der einer Gelsenkirchener Trümmerlandschaft mit Förderturm im Hintergrund vorziehen und gegen einen Teller Suppe eintauschen sollten, stritten sich lauthals, was Tante Lina neugierig näher treten ließ. Sie besah sich die übrigen Zeichnungen des Malers Erich Lenz, fand das aufs Papier Gebrachte nicht unbegabt, wenn auch vielleicht etwas zu naturalistisch, und hatte Mitleid mit diesem Mann, der da mit seiner Kunst ums Überleben kämpfen musste.

Und in diesem Moment muss wohl vor ihrem geistigen Auge mein holdes Antlitz erschienen sein. Ja, lachen Sie nicht. Ich war ein wirklich hübsches Kind damals, auch wenn man davon heute nichts mehr sieht, mit blonden Haaren und einer Tolle, etwas mehr als drei Jahre alt, freilich – wenn man Zeitzeugen Glauben schenken darf – von trotziger Lebensart.

Wie gesagt, Tante Lina hatte Mitleid, und durch die ihr zuteil gewordene überirdische Vision hatte sie auch eine Idee und fragte den Erich Lenz:

»Machen Sie auch Porträts? Wissen Sie, ich habe da in meiner Verwandtschaft ein Kind, das würde ich gerne zeichnen lassen...«

»Aber, gnädige Frau«, antwortete Erich Lenz mit ein wenig Arroganz in der Stimme, »natürlich porträtiere ich.«

»Auch farbig in Öl?«

»In Öl nicht gerade, leider – die Preise für Ölfarben auf dem Schwarzen Markt sind zur Zeit nicht zu bezahlen. Der Fettmangel, nehme ich an, und man redet von Währungsreform. Aber als Aquarell oder in Kreide...«

So oder ähnlich muss sich das abgespielt haben, damals in der Gaststätte Rohmann. Auf jeden Fall nahm der Kunstmaler Erich Lenz vorübergehend Wohnung in Tante Linas Haus und ließ sich aus Tante Linas Keller und Küche bewirten. Er aquarellierte dies und das mit Wasserfarben aus einem Schulmalkasten der Vorkriegszeit. Und die »Kreide« – das waren schlichte Buntstifte, aber ansonsten verrichtete der Lenz seine Arbeit durchaus professionell.

Ich hatte ihm Modell zu sitzen. Einmal am Tag eine Stunde, weil ich ein Kind war und weil der gute Lenz seinen Aufenthalt bei Tante Lina möglichst lange auszudehnen trachtete. Im Übrigen hätte er mich auch kaum länger als diese eine Stunde ertragen können.

Nach reichlich 14 Tagen war das Kunstwerk vollendet. Tante Lina fühlte sich in ihrer Einschätzung vom Können des Künstlers voll bestätigt. Es war (und ist noch) eine in Pastelltönen gehaltene Zeichnung eines wunderschönen Knaben, eine Zeichnung, die mit meiner kindlichen Person beträchtliche Ähnlichkeit aufgewiesen haben soll.

Lenz wurde mit einem großen abendlichen Essen und einem kleinen Honorar von Tante Lina belohnt, bevor er sich wieder auf die Reise machen wollte.

Bei diesem Abendessen wurde das Bild, mein Bild, in Abwesenheit des Gemalten dann auch offiziell »enthüllt«.

Es stand auf einer Staffelei neben der Standuhr in Tante Linas Wohnzimmer und wurde nach dem Dessert bei einer guten Flasche Wein von einem schwarzen Tuch befreit, mit dem es bedeckt war.

Tante Lina betrachtete das Bild lange, nahm auch eine Lupe zur Hilfe, um den feinen Strich des Meisters zu studieren, und sagte dann seufzend jene verhängnisvollen Sätze. Sagte:

»Eine solche Begabung und hat es so schwer im Leben und muss hungern...«

Und sagte:

»Es muss sich doch auch für einen Künstler mit einer solchen Begabung in unserer Zeit eine Tätigkeit finden lassen, die lukrativer ist als Porträts zu malen.«

Und der Erich Lenz richtete sich in seiner vollen Größe auf, ein heroischer Künstler, wie er so dastand, und antwortete traurig:

»Wenn ich aber doch nichts anderes gelernt habe und auch nichts besser kann als dieses...«

»Eben das meine ich«, sagte Tante Lina.

Und das muss der Erich Lenz falsch verstanden haben. Oder wollte Tante Lina wirklich...?

Am nächsten Morgen war es, als der Lenz und die Tante Lina beim Frühstück saßen, etwas verkatert noch von den nächtlichen Feierlichkeiten, da kam die Gudrun Hellwig in die Küche und fragte Tante Lina:

»Kannst du mir ein paar Lebensmittelmarken borgen, nur bis zur nächsten Ausgabe? Meine Brotmarken sind schon wieder alle.«

Tante Lina borgte. Und es war wohl Gudrun, die sagte, die seufzend sagte, wie Tante Lina am Abend zuvor geseufzt hatte (und das Pawlowsche Glöckchen klingelte beim Kunstmaler Lenz):

»Ach, wenn man doch nur immer genügend Marken hätte...«

Der Maler schaute sich sinnend die Marken an, bevor Tante Lina diese in den Küchenschrank zurücklegen konnte, und fragte, ob er noch einen Tag länger bei Tante Lina bleiben dürfe, was Tante Lina ohne weiteres gestattete.

Dann nahm er Tante Linas Lebensmittelmarken und verschwand damit in Fabrizius' Zimmer, das er benutzen durfte, solange Fabrizius auf – wie er es nannte – »Hamster-Tournee« war. Schloss sich dort ein und kam erst gegen Mittag des nächsten Tages wieder zum Vorschein, bleich und übernächtigt mit roten Augen. Er hielt Tante Lina ein Stück Papier hin:

»Wie findest du das?«

»Das sind Lebensmittelmarken, das sind meine Lebensmittelmarken.«

Lenz schüttelte den zotteligen Haarschopf und gab Tante Lina ein anderes Stück Papier in die Hand.

»Das sind deine Lebensmittelmarken.«

Tante Lina schaute verblüfft von den Lebensmittelmarken in ihrer einen Hand auf die Lebensmittelmarken in ihrer anderen Hand, wobei angemerkt werden muss, dass sie vielleicht gar nicht so verblüfft war, wie sie tat, wenn stimmt, was ich, wenn auch nicht zu Tante Linas Gunsten, annehme.

»Du hast ...«

Lenz nickte. Tante Lina holte wieder die Lupe, prüfte nun eingehender die beiden Markenkarten, jedes Detail und sagte schließlich:

»Kein Unterschied festzustellen!«

Da strahlte der Kunstmaler Erich Lenz.

Um letzte Sicherheit zu erlangen, wurde Kuszmierz am Nachmittag, unwissend, was er da in der Hand hielt, mit den gefälschten Marken zu Tiemann auf der Hochstraße in Buer zum Einkaufen geschickt, wo man wusste, dass die Lebensmittelmarken misstrauisch einer besonders strengen Prüfung unterzogen zu werden pflegten.

Aber die Marken des Malers Lenz bestanden auch diese Prüfung.

Irgendwann, ein paar Tage später, hat ein glücklicher Kunstmaler Lenz, einer mit einer Zukunftsperspektive, die Tante Lina dann verlassen und ist weiter durch das Ruhrgebiet gezogen. Und man kann Tante Lina den Vorwurf nicht ersparen, dass sie Lenz wohl zu einer Straftat angestiftet hatte, ohne selbst jemals dafür belangt worden zu sein. Denn Erich Lenz wurde natürlich erwischt.

Nachdem er nun Tante Linas Haus in Gelsenkirchen den Rücken gekehrt hatte, verzichtete er auf das Malen appetitlicher Stillleben und fabrizierte fortan kalorienbringende Lebensmittelmarken, selbstverständlich nach eigenen Entwürfen und so »naturalistisch«, dass es fast Monate dauerte, bis man ihm, diesem genialen »Kunstfälscher«, auf die Spur kam.

Der Chef der Polizei gibt bekannt:

Geheimdruckerei gefälschter Zucker- und Fettmarken ausgehoben.

In den letzten Monaten tauchten im Stadtkreis Gelsenkirchen größere Mengen gefälschter Zucker- und Fettmarken zu je 250 g bezw. 62,5 g mit dem Unterdruck Hannover auf. Der Absatz dieser Marken erfolgte regelmäßig zu Beginn einer neuen Kartenperiode durch zwei Männer, in deren Begleitung sich eine Frau befand. Für Marken über ein Pfund Zucker forderten sie 30.— bis 40.— RM, für solche über ein Pfund Butter 160.— bis 170.— RM.

Nach langwierigen Ermittlungen gelang es Kriminalbeamten aus Gelsenkirchen, einen der Verbreiter, dem man den Decknamen „Der Unheimliche" zugelegt hatte, und seine Stiefschwester überraschend festzunehmen. Es handelt sich um Franz Proksch aus Buer-Beckhausen und seine Stiefschwester Karola Kalinowski aus Gels.-Horst. Die weitere Fahndung führte zur Entdeckung der Geheimdruckerei in einem Bauernhause in Steinhude bei Hannover durch hiesige Kriminalbeamte. Die Marken wurden mit einer Maschine neuester Bauart gedruckt. Bei einer Durchsuchung wurden im Schlafzimmer, unter einem Teppich versteckt, noch gefälschte Marken über 6½ kg Butter und in einem Kleiderschrank zwischen Wäsche ein selbst gefertigter Stempel zur Herstellung von Zuckerscheinen mit dem Aufdruck „Z" vorgefunden und beschlagnahmt; außerdem wurden 13 057.— RM, die aus dem Erlös der gefälschten Marken stammten, sichergestellt. Der Besitzer der Druckerei, Siegfried Schäde, und sein Schriftsetzer Ernst Pittroff, die die Marken gemeinsam hergestellt hatten, wurden festgenommen und nach Gelsenkirchen überführt; die Druckerei wurde geschlossen. Sämtliche Beteiligten wurden dem Amtsgericht in Gels.-Buer vorgeführt, das wegen der Schwere des Verbrechens sofort Haftbefehl erließ.

Das Motiv zur Tat war Gewinnsucht übelster Art. Von dem Erlös aus dem Verkauf der gefälschten Marken wollte man die Druckerei erheblich vergrößern. Um hierbei schneller zum Ziel zu kommen, waren bereits Vorkehrungen zur Herstellung von Fleisch- und Brotmarken, sowie von Interzonenpässen getroffen. Das energische Zugreifen der Gelsenkirchener Kriminalpolizei vereitelte die weiteren für das deutsche Volk verderblichen Machenschaften.

Da er die Technik des Metallstechens beherrschte, soll er mit seinen Kenntnissen einer Bande von Lebensmittelkartenfälschern geholfen haben, Druckplatten herzustellen für die Produktion falscher Lebensmittelmarken. Die Marken, die im großen Stil im Ruhrgebiet vertrieben und in einer geheimen Druckerei bei Hannover hergestellt wurden, waren von solcher Perfektion, dass kein anderer Schluss blieb. Aber bewiesen werden konnte das dem Erich Lenz nie.

Erich Lenz stolperte über seine Eitelkeit. Im Bahnhofshotelbunker in Wanne-Eickel erwischte man ihn, als er der Kellnerin gefälschte Lebensmittelkarten anzudrehen versuchte.

Vor Gericht erklärte er Folgendes:

»Ich kam in den Bahnhofsbunker, habe mich an einen Tisch gesetzt und habe meinen Malkasten hervorgeholt. Da ich keine Vorlage zum Malen hatte, sondern nur meine Lebensmittelkarten, habe ich versucht, Lebensmittelscheine zu malen. Ich wollte die Scheine aber nicht in den Verkehr bringen, da ich genau wusste, dass die gemalten Karten sofort als unecht entlarvt würden. Ich habe der Kellnerin lediglich eine Brotmarke vorgelegt, um zu sehen, ob sie die Fälschung erkennen würde…«

Das Gericht glaubte ihm seine Geschichte nicht, obwohl sicher einiges davon durchaus der Wahrheit entsprach, etwa, dass Erich Lenz im Wanne-Eickler Bahnhofsbunker Lebensmittelmarken gemalt hatte. Und es verurteilte ihn zu einer Gefängnisstrafe von neun Monaten.

Für die neue Kunstrichtung des Erich Lenz fanden die Zeitungsjoumalisten einen treffenden Namen. Sie nannten sie »Kalorismus«.

Tante Linas Name wurde in dem Prozess nicht genannt. Aber ein Schatten menschlicher Schwäche liegt, seit ich von dieser Geschichte erfahren habe, auf dem Andenken an meine Tante Lina, die ich immer für einen untadeligen, ja idealen Menschen gehalten hatte, aber den gibt es wohl nicht.

Das Bild, das der Kunstmaler Erich Lenz von mir gezeichnet hatte, existiert übrigens noch. Es hängt neben Sonjas Bett. Und manchmal betrachtet sie es und dann mich und meint:

»Du wirst dem Bild von Tag zu Tag ähnlicher.«

Süße Speisen

Es war nicht alles Zucker, was süß schmeckte – eine Erfahrung, die man in den Nachkriegsjahren oft machen konnte. Weil Zucker viele Monate lang Mangelware war, wurden statt dessen Süßstoff-Tabletten ausgegeben: Saccharin (ein chemisches Produkt, das allerdings im Geschmack nur eine sehr entfernte Ähnlichkeit mit heutzutage hergestellten Süßstoffen hatte).

Bis 1948. Da gab es mit einem Mal so viel Zucker wie noch nie seit Kriegsende. Dafür gab es keine Kartoffeln und kaum Fleisch. Ein Teil der Bevölkerung war mit je 25 bis 50 Kilo Einkellerungskartoffeln versorgt worden, aber diese Mengen hatten nur bis in die dritte Woche der 110. Zuteilungsperiode vorgehalten und waren im Januar 1948 aufgebraucht. Die amerikanischen Lieferungen reichten zur allgemeinen Versorgung der Bevölkerung nicht aus, mit inländischen Lieferungen war nicht mehr zu rechnen.

Von der 111. bis zur 114. Zuteilungsperiode sollte es Zucker statt der versprochenen Kartoffeln geben.

Um im darauf folgenden Jahr nicht noch einmal das gleiche Dilemma bei der Kartoffelversorgung zu erleben, wurden den Landwirten »Zuckerprämien« gewährt: 25 Kilo Zucker für je 100 Doppelzentner Kartoffeln, die im Rahmen des festgesetzten Solls abgeliefert werden mussten; für je 100 Doppelzentner über das Soll hinaus sollte es 50 Kilo Zucker geben. Und als »Vorschuss« auf diese Prämien sollten bis Ende Juni 1948 10 Kilo Zucker je Hektar Kartoffelanbaufläche verteilt werden.

Auch die Milchablieferung wurde mit Zucker prämiert: ein Kilo je Kuh und Monat.

Wie gesagt, auch die Bevölkerung sollte Zucker für die nicht lieferbaren Kartoffeln erhalten. An Stelle von je 1.000 Gramm Kartoffeln 170 Gramm Weißzucker. Allerdings – die Ernährungswirtschaftsbürokratie hatte, wie so oft, nicht funktioniert. Der Zucker war nicht in der erforderlichen Menge vorhanden. Man hatte es für zweckmäßig gehalten, aus dem reichlich zur Verfügung stehenden Zucker Riesenmengen von Bonbons anfertigen zu lassen. Und diese wurden nun verteilt statt des Zuckers, der statt der Kartoffeln ausgegeben werden sollte. »Einkellerungsbonbons« nannten sie die Leute und machten sich ob der Süßigkeiten bittere Gedanken darüber, wie man denn die Statt-Kartoffeln-Bonbons am besten einlagern könnte, und höhnten, es gäbe wohl nichts »*Originelleres als einen Mittagsspeisezettel, bestehend aus zwei Scheiben Brot, einer Tüte Klümpchen* (so werden bei uns die Bonbons genannt) *und einer Handvoll Steckrübenstreifen*«.

Wie auch immer – es gab Zucker im Frühjahr 1948 im Ruhrrevier, und mithin wurden vermehrt Süßspeisen zubereitet, nach allerlei abenteuerlichen Rezepten.

Kaffeekrem

Zutaten: ¼ l Wasser, drei Teelöffel Kaffee-Ersatz, ¼ l Milch, eine Prise Salz, ein Esslöffel Zucker, zwei Esslöffel Grieß.

Von Wasser und Kaffee-Ersatz kocht man einen Kaffee, den man einige Zeit ziehen lässt. Den abgeseihten Kaffee in heiße Milch schütten. Eine Prise Salz, Zucker und Grieß einrühren und alles unter ständigem Schlagen langsam kochen lassen, bis der Grieß weich ist. Vom Feuer nehmen und die Masse bis zum Erkalten mit einem Schneebesen weiter schlagen. In Schälchen füllen.

Die Masse kann man mit einem Klecks Marmelade oder einem Stückchen Kleingebäck, etwa einem Mürbeteigplätzchen, garnieren.

Erbsenschaum

Zutaten: eine Tasse Erbsen, ½ l Wasser, ein Esslöffel Mehl, ein Esslöffel Zucker, etwas Vanille (oder Vanillinzucker).

Erbsen in Wasser weich kochen. Durch ein Sieb passieren. Wieder mit dem Wasser verrühren. Wer keine Erbsen zur Verfügung hat, kann auch nur das Wasser verwenden, in dem Erbsen (für ein anderes Gericht) gekocht worden sind. In das Erbsenwasser werden Mehl und Zucker eingerührt. Noch einmal aufkochen lassen. Dann so lange rühren, bis die Masse erkaltet ist. Einige Stunden stehen lassen. In einer Schüssel die Masse etwa eine halbe Stunde lang mit einem Schneebesen schaumig schlagen. Vanille zufügen. Der feste weiße Schaum kann mit Fruchtsaft beträufelt oder zu Obst gereicht werden.

Pektinschaum

Zutaten: eine Tasse Pektin (das ist ein Ersatz für Fruchtsaft, Pektin kann man statt dessen zusammen mit Wasser nehmen), drei Tassen Wasser, ein Esslöffel Zucker, zwei Esslöffel Grieß.

Pektin mit Wasser und Zucker verrühren. Kochen lassen. Den Grieß einstreuen und nochmals fünf bis acht Minuten kochen lassen. In einer Schüssel mit dem Schneebesen so lange schlagen, bis der Schaum erkaltet ist.

Solche Schaumspeisen sind in ähnlicher Weise auch aus Kartoffeln (sofern vorhanden), Mehl oder Marmelade herzustellen. Freilich – man sollte diese Rezepte nicht allzu ernst nehmen, wie auch die Zeichnung auf der gegenüberliegenden Seite zur 111. Zuteilungsperiode verdeutlichen mag, die dem Buch »Der heruntergekommende Lukull« von Karola Moll entnommen ist.

Götterspeise

Zutaten: ½ l Wasser, zwei Esslöffel Sago, zwei Esslöffel Berberitzen-Marmelade, zwei Esslöffel Schwarzbrotbrösel.

Wasser mit Sago aufkochen lassen, dann kalt schlagen. Die Marmelade mit etwas Wasser verrühren. Den Sagoschaum portions-

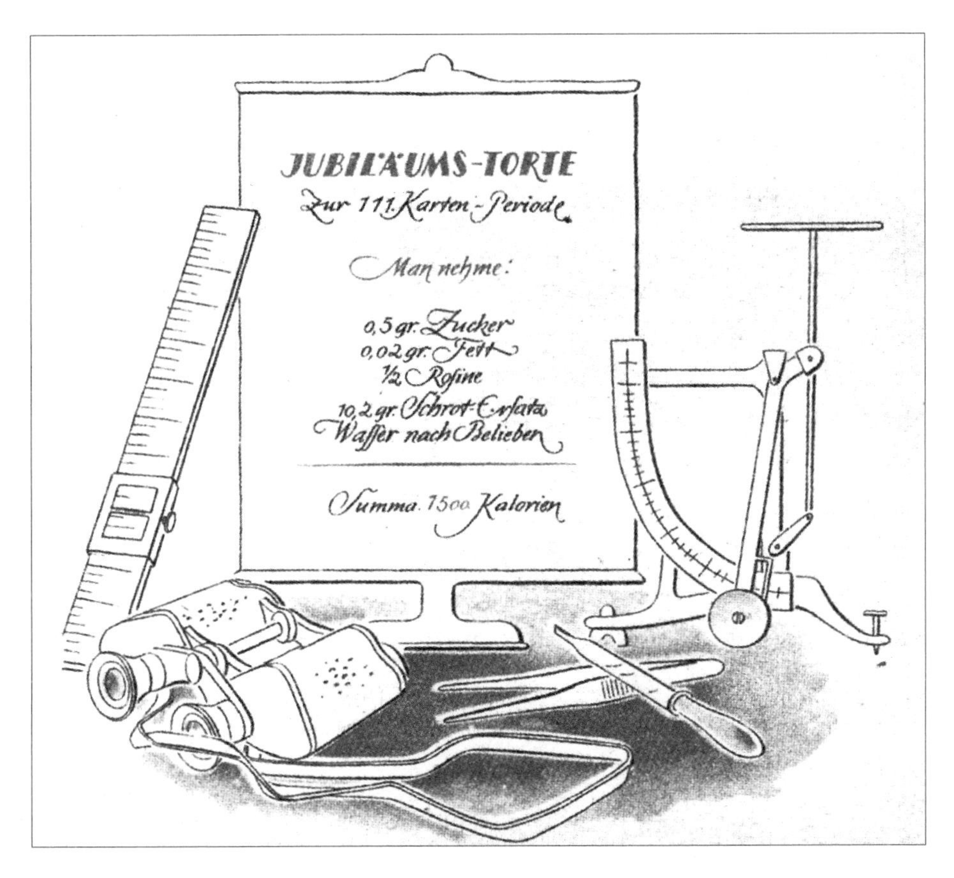

weise in Schälchen füllen, mit Marmeladensoße übergießen. Altbackenes Schwarzbrot zerreiben. Brösel darüber streuen.

Erbsenschmarren

Zutaten: eine Tasse Trockenerbsen, etwas Wasser, eine Tasse Magermilch, eine Tasse Mehl, ein Ei, eine Prise Salz, Fett zum Backen, ein Esslöffel Puderzucker.

Die Erbsen werden mit wenig Wasser weich gekocht und durch ein Sieb passiert. Mit Milch, Mehl, Salz und Ei einen Pfannkuchenteig zubereiten. Mit den Erbsen verrühren. In heißem Fett Pfannkuchen backen, die mit einer Gabel zerrissen werden. Mit Puderzucker bestreuen.

Kartoffelschalenpüfferchen

Zutaten: 500 g rohe Kartoffelschalen, ein Esslöffel Grieß, ein Fläschchen Vanille-Aroma, ein Esslöffel Zucker, ein Teelöffel Zimt (oder Zimtersatz), Fett zum Backen.

Die Kartoffelschalen werden gewaschen (am besten mit einer Wurzelbürste gereinigt) und mit sehr wenig Wasser gegart. Abkühlen lassen.

Die Kartoffelschalen werden durch den Fleischwolf gedreht. Mit Grieß und Vanille-Aroma verrühren. In einer Pfanne kleine Puffer backen, die noch heiß mit einer Zucker-Zimt-Mischung bestreut werden.

Oster-Pudding

Zutaten: ein Ei, zwei Esslöffel Zucker, 250 g geriebenes Schwarzbrot, eine Tasse gemahlene Nüsse, eine Tasse Milch, 50 g Zitronat, etwas Fett.

Das Ei mit dem Zucker schaumig rühren. Nach und nach Brotbrösel, Nüsse, Milch und geraspeltes Zitronat zufügen.

Ist kein Zitronat vorhanden, kann man solches aus Kürbisfleisch selbst herstellen. Dazu werden Kürbisstreifen in 150 g Zucker, etwas Wasser und etwas Essig zehn Minuten lang gekocht. In ein sauberes Gefäß füllen. Die Zuckerlösung sirupartig einkochen lassen und die Kürbisstreifen damit übergießen. Einige Tage ruhen lassen. Kürbisstreifen im Ofen trocken und in Würfel schneiden.

Die Zutaten werden verrührt und in eine Puddingform gefüllt, die man vorher mit Fett ausgepinselt hat. Im Wasserbad 30 bis 40 Minuten kochen lassen.

Apfelklöße

<u>Zutaten:</u> 500 g Äpfel, 20 g Fett, ein Ei, 100 g Mehl, eine Prise Salz, ein Teelöffel Zucker, ein Teelöffel Zimt, Wasser.

Äpfel schälen und in kleine Würfel schneiden. Mit Mehl, Fett, Salz und dem Ei zu einem Teig verrühren. Mit einem Löffel kleine Klöße abstechen, in kochendes Wasser geben, gar ziehen lassen. Noch heiß mit einer Mischung aus Zucker und Zimt bestreuen.

Nachtisch in jeder Form war begehrt, ja, es bestand ein großer Hunger nach Süßigkeiten. Und da kam der Zucker gerade recht. Doch benötigte man für Puddings und ähnliche, meist sonntägliche Überraschungen auch Bindemittel. Und die gab es nicht.

Den Verbrauchern wurde als solches »RK-Mehl« anempfohlen, das aus Roggen hergestellt war. Oder die Verwendung von Nährmitteln, also Haferflocken und Ähnlichem. Aber auch die gab es nur in geringen Mengen.

Als Ersatz für die fehlenden Nährmittel kamen im Februar und März 1948, man lese und staune, Datteln zur Verteilung. »*Sollten zur Verteilung kommen*« – hätten wir auch hier richtiger schreiben müsen. Denn die Produkte aus Übersee waren, bevor sie noch in Bremen ausgeladen werden konnten, bereits auf dem Schwarzen Markt zu kaufen.

Das brachte die Leute im wahrsten Sinne des Wortes auf die Palme. Nahe liegende Vorwürfe wurden an die Adresse der Hafenarbeiter gerichtet. Die Arbeiter antworteten mit einem Proteststreik. Der Bremer Senat gab eine Ehrenerklärung für den Hafen ab.

In den Schaufenstern der Lebensmittelgeschäfte wurde man aufgefordert, sich anzumelden, wollte man Datteln haben.

Die Frauen reagierten empört und »bombardierten« die Zeitungen mit Leserbriefen: Als Sonderzuteilung hätte man die »*seltene Gabe*« ja angenommen, doch als Ersatz für Nährmittel – nein!

»*Weder der hohe Zuckergehalt noch die Eiweiß- und Stärkestoffe der normalerweise nicht zu verachtenden Frucht vermö-*

gen die vielfältigen Verwendungsmöglichkeiten von Mehl, Haferflocken oder Grieß zu ersetzen.«

Die Beamten bei den Wirtschaftsbehörden waren beleidigt. In die Annalen der bizonalen Ernährungswirtschaft hätten die Datteln eingehen sollen, »*weil mit ihnen zum ersten Male wieder seit Kriegsende ein koloniales Produkt auf dem Weißen Markt erscheint...*«

Die meisten Leute warteten eh vergebens auf die angekündigten »*kolonialen Produkte*«. Die Schwarzhändler hatten nur wenig zur »freien Verteilung« übrig gelassen. Hierzu der Kommentar einer Frau:

»*Was soll's! Was hilft mir der leckerste Nachtisch, wenn ich nicht weiß, womit ich den Hauptgang bestreiten soll.*«

Schwarzer Anzug, eignet sich auch als Konfirm.-Anzug geg. Annehmbar. abzugeben. Ang. u. G 32244 an Agent. Wilde, Gelsenk., Wanner Straße 45.

Klavier in gute Hände zu leihen gesucht. Ang. unter G. 32242 an Agent. Wilde, Gelsenk., Wanner Straße 45.

Feldstecher mit Lederetui, 6x vergr., geg. Nützl. zu tauschen. Zu erfragen WR., Buer, Horster Straße 17.

Guterh. H.-Maßstiefel, Gr. 43, gegen guterh. H.-Ueberg.-Mantel, Gr. 50, zu tauschen. Zu erfragen: WR., Buer.

Jede Menge Heu u. Runkeln od. Steckrüben n. Vereinb. zu kauf. od. tsch. ges. Zu erfr. WR., Buer, Horster Str. 17

Ein Posten kleiner Kugellager geg. Angebot abzugeben. Ang. u. G. 1731 an WR., Buer, Horster Straße 17

Kaufmännische Lehrbücher und einen Posten **Violin-Noten** gegen Annehmbares zu tauschen. K. Augustin, Gelsenkirchen, Waldemarstr. 10, pt.

Knaur-Lexikon zu kf. od. geg. Putzger-Geschichtsatlas zu tauschen. Meyer, Gelsenkirchen, Mühlenbruchstraße 64.

Biete fast neues Metallbett, kompl., Oberbett m. Kiss. Suche Akkordeon. Neuhaus, Dtm., Rolandstraße 12½.

Damenstrümpfe geg. Brennmaterial, Kinderbett geg. Brennmaterial. Glaserschrank geg. Brennmaterial. Warmwasserapparat (Vaillant), Gasbackofen gegen versenkb. Nähmasch., Trauring (585) geg. D.-Schuhe, Größe 40, mit Blockabsatz. Staubsauger (Favorit) g. Anzug od. Stoff m. Zutaten, Mantelstoff gegen Anzug, Gr. 1,62—1,65, zu tausch. Zu erfr. ab 14 Uhr b. Holtkamp, Gelsenk., Achternbergstr. 73.

Elektr. Waffeleisen, neu, geg. neue Arbeitsschuhe abzugeb. Ang. u. 1966 an Ann.-Expedition Gebelhoff, Gelsenkirchen, Ringstraße 33.

Schöner Wohnzimmerofen, Gas, gegen Bettumrandung od. Wäsche zu tausch. Zu erfrag. Ann.-Expedition Gebelhoff, Gelsenkirchen, Ringstr. 33.

Gebrauchte Heizkörper zu kaufen oder zu tauschen gesucht. Geboten werd. Elektrogeräte. Ang. u. 1953 Ann.-Exp. Gebelhoff, Gelsenk., Ringstraße 33.

Gasheizofen (3 bis 4 Rippen) zu kauf. od. tsch. ges. Ang. u. 1909 Ann.-Exp. Gebelhoff, Gelsenkirchen, Ringstr. 33.

Fournier - Holz, 50 qm, Spessarteiche, zu verkauf. od. geg. Angeb. abzugeb., sowie Meistergeige zu verkaufen. Angeb. unter 1887 an Ann.-Expedition Gebelhoff, Gelsenkirchen, Ringstr 33.

Kodak-Retinette, Kleinb.-Kamera, f: 4,5, F = 5 cm, geg. Schlafzimm zu tauschc. G. B. 1722 WR., Buer, Horster Str. 17.

Neue Kinderbettmatratze u. D.-Lederschuhe, Gr. 39, n Vereinb. abzugeb. Buer-Hassel, Egonstraße 1, rechts.

Zeltplan, gebr., 6x8 m, zu verkauf. od. tauschen. G. 32 115 an die WR. in Gelsenkirchen, Bahnhofsplatz 9

Gebr. Tiefbau-Puppenwagen m. Matr., evtl. Puppe, geg. bunten Seidenstoff zu tausch. Hudoffsky, Gelsenkirchen, Bulmker Straße 65

Photoapparat, Marke „Goerz", Optik 4,5, mit Compurverschl., zu verkauf. od. geg. Annehmb. zu tausch. G. oder gegen Annehmb. zu tauschen.

Holzkoffer zu kaufen oder nach Vereinbarg. zu tauschen ges. G. B. 1720 an die WR., Buer, Horster Straße 17.

Guterh. elektr. Rechenmaschine, 110—220 Volt, gegen mod. Küche oder Couch zu tauschen ges. Nr. 588 an Schönwasser, Horst, Essener Str. 50.

Guterh. National-Registrierkasse gegen Schreibmaschine zu tauschen gesucht. Ang. unter Nr 603 an Annahmest. Schönwasser, Horst, Essener Str. 50.

Eismaschine zu tauschen od. zu kaufen gesucht. Ang. u. Nr 100 an die Annahmestelle Liederbach, Buer - Erle, Cranger Straße 314.

Tiefbau-Kinderwagen gegen Herd zu tauschen. Zu erfragen: WR., Buer.

Grauer Straßenanzug, Gr. 52, u. schw. H.-Wintermantel m. **Samtkr.,** Gr. 48/50, geg. Annehmb. abzug. Zu erfr. WR., Buer, Horster Straße 17.

Einheits-Kinderwagen mit neuer Matr. geg. Annehmb. zu tausch. G. B. 1702 an WR., Buer, Horster Straße 17.

Gr., led. **Handtasche u. kl. Ledertasche** zu tausch. geg. Annehmb. G. 32203 Agt. Wilde, Gelsenk., Wann. Str. 45.

Klavier zu kauf. ges. o. geg. Annehmb. zu tauschen. G. B. 1695 WR., Buer, Horster Straße 17.

Goethes sämtl. Werke (neu) geg. Brennmaterial zu tausch. ges. Zu erfrag. Ann.-Exp. Gebelhoff, Gelsenkirchen, Ringstraße 33.

Matrosenanzug m. lg. Hose u. Mütze, fast neu, Friedensware, **geg. Puppe od. Puppenwagen** zu tausch. Zu erfr. WR., Buer, Horster Straße 17.

Gutes Radio-Netzgerät (Lautsprecher getr.) geg. 2 Sessel od. Gebot zu tauschen. 32598 Agt. Gelsenkirchen, Wanner Straße 45.

2 P. Off.-Stiefel (Gr. 42/43) zu tausch. oder zu verkaufen. Gelsenkirchen, Boonstraße 59, Part.

Elektr. Eisenbahn zu kauf. od. zu tsch. ges. Heinrich Wollenweber, Gelsenkirchen, Overwegstraße 20.

Klavier für sofort zu mieten ges. Ggf. Kauf nach Vereinb. G. B. 1688 an die WR., Buer, Horster Straße 17.

2 Stores (Marquisette) 150/250 cm, u. 2 neue Bügeleisen geg. Annehmb. abzugeben. Ang. u. G. B. 1693 an die WR., Buer, Horster Straße 17.

Tausche Korbkinderwagen geg. Sessel, 4fl. Gasherd m. Backrohr geg. Elektro-Herd. G. B. 1692 WR., Buer, Horster Straße 17.

Tausche Pferdedünger gegen Brennmaterial. Zu erfragen WR., Buer.

Tausche guterh. **Kd.-Korbwagen** gegen Annehmbares. Zu erfragen WR. in Buer, Horster Straße 17.

Tausche **Ski,** kompl., m. Schuhen, Gr. 45, geg. Anzugstoff od. nach Vereinb. G B. 1706 WR, Buer, Horster St. 17.

Suche Wohnzimmer, biete größ. Posten Brennmaterial und Sonstiges. G. R. 1736 WR., Buer, Horster Straße 17.

Suche **D.-Sportschuhe,** Gr. 37. Biete D.-Pumps, bl. Wildled., Gr. 37. Maßmann, Gelsenkirchen, Hochofenst. 15

Suche Motor, ¼—½ PS, 220 V., 3000 Umdr./Min. E. Suchoki, Gelsenkirchen, Preußenstraße 5.

Suche guterh. **Herd** geg. Annehmb. zu tauschen. G. 32 255 an Agt. Wilde,

Suche die Röhren CY 2, 6Q7 G oder EBC 3 od. EBC 11, 25 A, 6 G o. CL 2 od. CL 4. Biete n. Vereinb. Ang. unt. 30011 WR., Dortm.

Suche guterh. Oelpumpstuhl. Biete Damen-Garderobe (schw. Pelzmantel) u. Nützl. (Wertausgleich) 30009 an WR., Dortmund.

Suche kleinen, br. Küchenschrank. Biete Kohlen. Zu erfr. WR., Buer.

Suche Stahlfedermatr. Biete Brennmaterial. Kühn, Buer, Hugostr. 15.

Suche gr. Reisekoff. Biete neu. elektr. Bügeleisen, 220 od. 110 V. G. B. 1725 WR., Buer, Horst. Straße 17.

Suche guterh. Kd.-Wagen. **Biete** Brennmaterial od. n. Vereinb. Buer-Resse, Middelicher Straße 261.

Suche Motor, 1½—3 PS. Biete Motor, 0,5 oder 0,8 PS, Wertausgl. G. B. 1708 WR., Buer, Horster Straße 17.

Suche H.-Hose, Gr. 1,80. Biete Brennmaterial. G. 32212 Agt. Wilde, Gels., Wanner Straße 45.

Suche Oberbett mit Kopfkissen. Biete 2 Junghühner und Brennmaterial. Zu erfr. WR., Buer, Horster Straße 17.

Suche Wäscheleine g. Sonst. zu tsch. G. 32221 an Agt. Wilde, Gelsenk., Wanner Straße 45.

Suche Paddelboot. Biete Chaiselong., Stahlrohrbett und Tisch. G. 32216 an Agt. Wilde, Gels., Wanner Straße 45.

Biete Kinderschuhe, guterh., Gr. 26 u. 27. **Suche** Kinderschuhe, Größe 30. Ang. u. G. B. 1721 an d. WR., Buer, Horster Straße 17.

Biete geschlossenen Möbelwagen. **Su.** Brennmaterial oder n. Vereinb. G. B. 1705 WR., Buer.

Biete Silber. Suche Couch u. 2 Sessel. Angeb. u. G. B. 1703 an die

Schulspeisungen

Am meisten hatten natürlich die Schwächsten unter dem Hunger zu leiden, die Kriegsinvaliden, die Armen, die Alten, die Kinder. Wieder einmal.

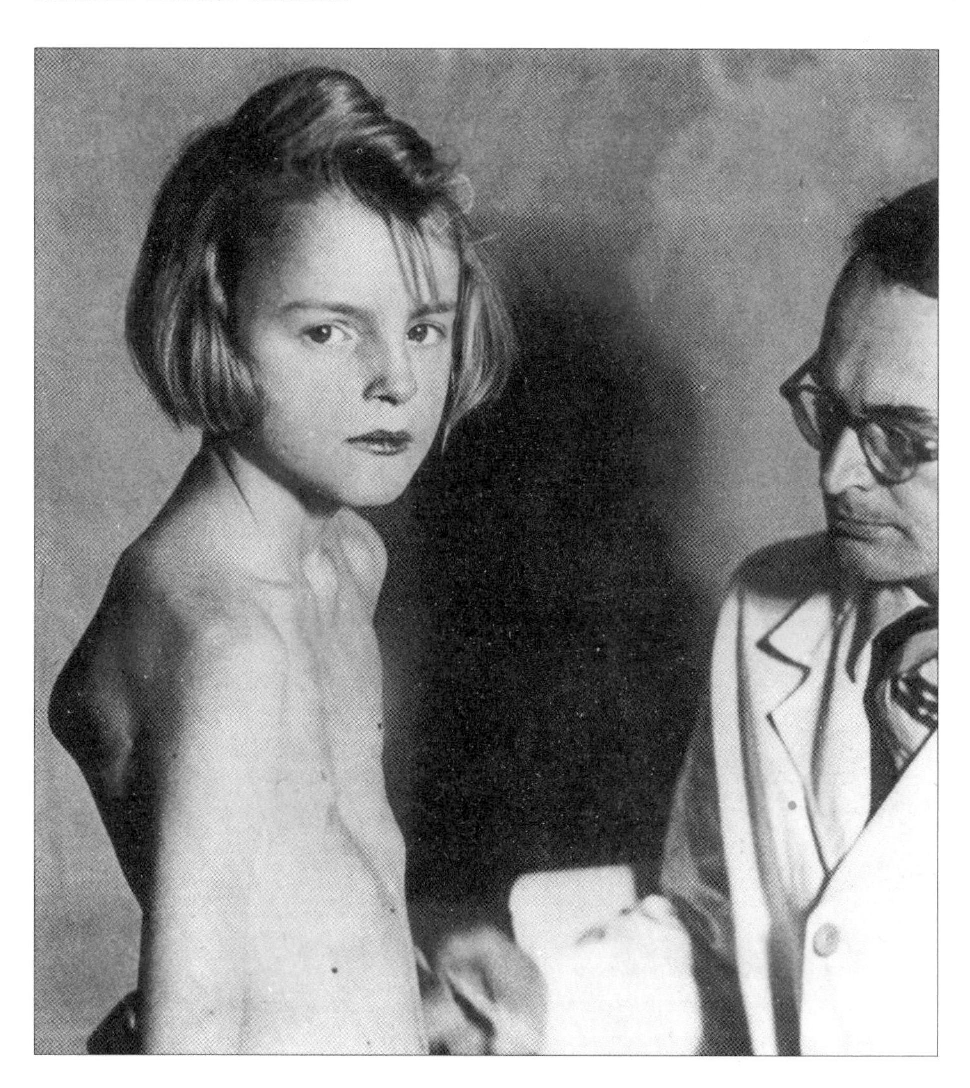

Schon Ende 1945 wurde, um der Unterernährung bei Kindern entgegen zu wirken, auf Anordnung der Militärregierung an allen Schulen der britischen Besatzungszone an fünf Tagen in der Woche eine warme Speise an die Schuljugend ausgegeben.

Die Mahlzeit bestand an drei Tagen der Woche aus 50 Gramm zerkleinerten Biskuits, 15 Gramm Zucker und 20 Gramm Trockenmilch, an den übrigen Tagen aus 30 Gramm Biskuits, 40 Gramm Grießmehl oder Weizenflocken, 10 Gramm Fett und 5 Gramm Salz.

Anlass für diese Maßnahme waren Daten, die über den Gesundheitszustand der Schulkinder bekannt geworden waren. Und diese Zahlen klangen alarmierend. Mehr als die Hälfte der Kinder in den westlichen Besatzungszonen Deutschland waren unterernährt.

Ex-US-Präsident Hoover, Vorsitzender eines von US-Präsident Truman eingesetzten Ausschusses zur »Bekämpfung der Notlage der Welt«, schätzte in einem ersten Bericht 1946 die Zahl der unzureichend ernährten Kinder in Europa auf 20 bis 30 Millionen und sagte:

»*Sollten wir in unserem Bemühen versagen, wird ein Massenexitus die Folge sein.*«

Als Beweis für die Dringlichkeit, Sofortmaßnahmen zu ergreifen, nannte er die hohe Sterblichkeitsziffer in manchen deutschen Großstädten, wobei die Kinder- und Säuglingssterblichkeit besonders erschreckend war.

Bei einer Umfrage und einer ärztlichen Untersuchung an einer Münchener Vorortschule 1946 unter Acht- bis Vierzehnjährigen wurde festgestellt: 65 Prozent der Kinder kamen, ohne gefrühstückt zu haben, in die Schule, die Hälfte hatte kein Pausenbrot bei sich, 55 Prozent waren unterernährt.

Nur 20 Prozent der Kinder konnten als gesund bezeichnet werden, 25 Prozent litten an Krankheiten wie Tuberkulose, Hautinfektionen u. ä.

Ebenfalls 1946 berichtet eine Frau aus Dortmund im »Westdeutschen Volks-Echo«:

»Wir sind gezwungen, unsere Kinder, wenn sie nicht zur Schule gehen, bis mittags im Bett liegen zu lassen. Auf Grund der Ernährung sind die Kinder kraftlos und müde. Wir haben in Dortmund seit sechs Wochen keine Nährmittel, kein Kinderstärkemehl und keinen Pudding gesehen... Wollen Sie einmal unseren Küchenzettel hören? Morgens eine Scheibe Brot mit Eiweißpaste, mittags drei Scheiben Brot mit Tunke, abends eine verdünnte Suppe mit einer Scheibe Brot. Da das Brot jedoch nicht ausreicht, muss ich sehr oft Steckrüben geben. So gehen meine Kinder langsam zu Grunde.«

Obwohl 1946 die Schulkinder an sechs Wochentagen gespeist wurden, konnte das die Not nur lindern, nicht beseitigen. Und es war zu befürchten, dass die Kinder in Folge ständiger Unterernährung bleibende Schäden davon tragen würden.

Die ersten Schulspeiseprogramme reichten also nicht aus, den Hunger zu bekämpfen. Die »Pacifics«, die 1946 an Kinder in der

britischen Zone verteilt wurden, sollten »*dazu dienen, den Schulkindern in den großen Städten ... markenfreie Mahlzeiten zu bescheren*«. Gelsenkirchen bekam im Mai 19.000 solcher Verpflegungspäckchen, die eigentlich für die britischen Fernost-Truppen bestimmt waren, zugewiesen. Auch das neutrale Ausland startete zur Linderung der allgemeinen Not in Deutschland Hilfsprogramme. Aus der Schweiz, von der evangelischen Basler Kirche, kam die so genannte »Schweizerspende«:

»Die Schweizerspende, eine Gabe des Schweizer Volkes an die notleidenden Völker, hilft gegenwärtig vielen europäischen Ländern mit Medikamenten, Werkzeugen, Baustoffen, mit Kinderspeisungen und durch die Betreuung von Flüchtlingen. So werden jetzt auch in Deutschland in einer größeren Zahl der am meisten beschädigten Städte durch die Schweizerspende Kinderspeisungen durchgeführt... Gelsenkirchen wird eine ... Kinderstation erhalten.«

Im Juni 1946 wurde die erste im Ruhrgebiet geschaffene Anlage der Schweizerspende in Gelsenkirchen auf dem Sportplatz an der Rotthauser Straße eingeweiht. Fünf Baracken, »Schweizer Häuschen«, sind dort errichtet worden mit Nähstube, Kindergarten, Schusterei, einer Schreinerei und einer Bücherei für Jugendliche. Und mit einer großen Küche natürlich.

Die Firma Küppersbusch hatte Kochkessel geliefert, hergestellt aus Feldküchen, welche von der Gelsenkirchener Fabrik für den Kriegseinsatz produziert worden waren.

In der Küche wurden täglich 2.000 Essen für Kinder zubereitet. Im September 1946 konnten schon 6.000 Kinder mit Hilfe der Schweizer Speisungsaktion verpflegt werden. Im November 1946 wurden mehrere Waggons Äpfel an Gelsenkirchener Schulkinder verteilt.

Die Zahlen für 1947 und 1948 sind noch eindrucksvoller: Im Juli 1947 wurden 31.400 Liter Suppe und 7.500 Liter Milch ausgegeben. Und die Zoccoli-Aktion wurde durchgeführt: Etwa 55.000 Holzsandalen wurden gefertigt und zur Verteilung gebracht, dabei halfen Gelsenkirchener Jugendgruppen und Berufsschüler.

Im März 1948 waren es 40.300 Liter Suppe. Dazu wurden Röcke, Kleider, Blusen und 961 Jungenhosen gefertigt und verteilt.

Anfang Oktober 1946 begann auch das Hilfswerk des Schwedischen Roten Kreuzes mit einem Programm zur Speisung von Schulkindern. In der Küche der Freiluftschule an der Zeppelinallee in Gelsenkirchen wurden in vier großen (Küppersbusch-)Kesseln zunächst täglich 7.500 Liter Suppe gekocht. Im Mai 1947 wurde dann das angestrebte Ziel erreicht. 14.000 Liter Suppe konnten täglich zubereitet werden. 32.000 Schulkinder waren zur Schwedenkost erfasst. Reihum erhielten sie mehrere Monate hindurch diese Zusatzkost.

Bis zu diesem Zeitpunkt hatte Schweden 250 Tonnen Lebensmittel allein nach Gelsenkirchen geschickt. 3,5 Millionen Näpfe Schwedensuppe sind daraus gekocht worden. Zusätzlich haben die Schweden 9.000 Kilo Lebertran zur Verteilung gebracht und 1.650 Paar Schuhe für die Gelsenkirchener Kinder.

Die Schwedensuppen waren eine Zeit lang in Gelsenkirchen Stadtgespräch. 300 bis 350 Kalorien soll eine Portion Suppe enthalten haben. Was es da zu essen gab, wollen Sie nun wissen? Nun, der Speisezettel war natürlich wenig abwechslungsreich, aber darauf kam es ja auch nicht an. Es gab Nudelsuppe, Gemüsesuppe, Erbsensuppe, jeweils mit etwas Fleisch und Fett, und süße Suppen. Wir haben einige dieser Rezepte für die Schulspeisungen gefunden und wollen sie hier wieder geben, reduziert in den Mengenangaben für den Bedarf einer vierköpfigen Familie.

Kinderfrühstückssuppe

Zutaten: ein Liter Wasser, ein Esslöffel Trockenmilch, ein Esslöffel Zucker, 100 g zerkleinerte Plätzchen oder Biskuits, ein Esslöffel Puddingpulver.

Wasser zum Kochen bringen. Das Milchpulver mit einem Schneebesen einrühren. Zuckern. Die Plätzchenkrümel dazu geben. Das Puddingpulver wird in ein wenig Wasser aufgelöst und untergerührt. Kurz aufkochen lassen.

Nudelsuppe

Zutaten: eine Tasse Suppengemüse, 20 g Margarine, ½ l Magermilch, ein Liter Wasser, eine Tasse Nudeln, Salz.

Das klein geschnittene Gemüse wird in Fett angeröstet. Mit Milch und Wasser auffüllen. Nudeln zugeben. Auf kleiner Flamme gar kochen lassen. Mit Salz abschmecken.

Gemüsesuppe

Zutaten: 50 g Hackfleisch, 500 g Gemüse (entweder Weißkohl, Bohnen und Erbsen oder Möhren, Sellerie und Wirsing), 1½ l Wasser, zwei große rohe Kartoffeln, Salz, etwas Majoran.

Hackfleisch in einem Topf anbraten. Das klein geschnittene Gemüse dazu geben und anschmoren lassen. Mit Wasser auffüllen. Weichkochen lassen. Die Kartoffeln in die Suppe reiben. Mit Salz und Majoran würzen.

Erbsensuppe

Zutaten: eine Tasse Erbsenmehl, 1½ l Wasser (oder Brühe), eine Tasse Selleriegrün, Salz, 20 g Fett, zwei Scheiben Weißbrot.

Erbsmehl in das Wasser einrühren. Die klein gehackten Sellerieblätter zugeben. Einmal kurz aufkochen lassen. Salzen. Die Weiß- oder Graubrotscheiben in Würfel schneiden, in dem Fett anbraten und in die Suppe geben.

Milch-Haferflocken-Suppe

Zutaten: 1½ l Magermilch, eine Tasse Haferflocken, ein Esslöffel Zucker, ein Esslöffel Marmelade.

Magermilch zum Kochen bringen. Die Haferflocken einstreuen und etwa 20 Minuten quellen lassen. Mit Zucker und Marmelade süßen.

Nicht nur die Schweden und die Schweizer halfen. Im Juni traf aus Island eine Lebertranspende ein, die an Kinder in Nordrhein-Westfalen verteilt wurde. Und wie nach dem Ersten Weltkrieg (damals wurden Milchwecken und ein Kakao-Trunk an Schulkinder verteilt) halfen ab 1947 auch wieder US-amerikanische Quäker. Sie schickten die so genannte »Cralog-Spende«. (»Cralog« ist eine Abkürzung für »Council of Relief Agencies Licensed for Operation in Germany«.) Aus dieser Spende erhielten bis in das Jahr 1948 hinein Tausende Kinder jeweils neun Wochen lang viermal wöchentlich eine Speisung. Zwei Gerichte wurden von den Hel-

fern ausgegeben: 24-mal eine Süßspeise, 12-mal eine Schmalzspeise.

Allerdings – es gibt über diese Speisungen auch weniger Positives zu berichten.

Ein Teil der für die Schulspeisungen gedachten Lebensmittel war auf dem Schwarzen Markt wiederzufinden. So wurde 1947 in Münster ein Koch verhaftet, der über sechs Monate hin aus dem Vorratslager der Küche für die Schulkinderspeisungen 16 Zentner Schmalz gestohlen hatte, das er auf dem Schwarzen Markt für 140 bis 160 Mark pro Pfund von Mittelsmännern vertreiben ließ. Bisweilen mischten – so sagte man – auch die Helfer selbst bei solchen Geschäften mit. Dennoch – die Speisungen hatten Erfolg. Im Februar 1947 konnte der Gelsenkirchener Schulrat Pentrop von einer ärztlichen Reihenuntersuchung berichten, bei der monatliche Gewichtszunahmen von bis zu zwei Kilogramm bei Schülern und Schülerinnen festgestellt worden waren.

Der Gelsenkirchener Oberbürgermeister Geritzmann in seiner Grußadresse zum Weihnachtsfest 1947:

»Wir sagen Dank den Wohlfahrtsverbänden, besonders den Hilfswerken der Schweizer, Schweden und Engländer, die schon so lange unermüdlich die großen Notstände lindern und viele Menschen, besonders die Kinder unserer Stadt, vor Siechtum und vorzeitigem Tod beschützten.«

Und als die Schweden und Schweizer im Juni 1948 Gelsenkirchen verlassen konnten, nachdem sich die Ernährungslage zumindest etwas gebessert hatte, gab es ein großes Abschiedsfest. Und das war in anderen Städten wohl genauso.

Das Schweizer, das schwedische Volk, sie haben großzügige Spenden nach Deutschland, besonders ins Ruhrgebiet, geschickt. Ihre Helfer haben in diesen schlimmen Nachkriegsjahren Erstaunliches geleistet und vielen Kindern das Leben gerettet. Die Menschen in Deutschland konnten gar nicht dankbar genug sein für diese Unterstützung.

Freilich vergessen sollte man dabei nicht: Die Banken in der Schweiz, die Industrie dort oder in Schweden haben im Krieg erhebliche Profite gemacht, haben am Krieg verdient. Und ohne Krieg hätte es eine Nachkriegszeit nicht geben müssen. Aber das haben wir schon gesagt. Oder?

Ersatzrezepte

Im Jahre 1948 erschien in der »Westfälischen Rundschau« kurz vor Ostern ein Gedicht mit dem Titel »Das pulverisierte Jahrhundert«:

»Unser Jahrhundert macht sich enorm:
Alles serviert es in Pulverform,
Pulver zum Leben und Pulver zum Sterben,
Pulver gegen zu rasches Verderben,
Pulver für Ernten und Pulver zum Düngen,
Pulver für Damen zum Wiederverjüngen,
Pulver zum Kaffee und Suppe versüßen,
Pulver in Dosen bei nassen Füßen...
Pulverkartoffeln und Pulverspinat,
Pulver zum Würzen für Kohl und Salat,
Pulver aus Milch und Pulver aus Ei.
(Immer noch besser als Pulver und Blei!)
Doch der alles verpulvernde Magen,
der lässt bescheiden und höflich fragen:
Wann gibt es wieder zur Osterfeier
endlich mal richtige Ostereier?«

Worüber sich der Dichter »G. K.« hier lustig macht, war ein Phänomen, eine Erscheinung der Kriegs- und der Nachkriegsjahre. Eine Erscheinung, die in allen Lebensbereichen beobachtet werden konnte: Wo Mangel herrscht, wo dieser Mangel nicht beseitigt werden kann, muss Phantasie, muss Einfallsreichtum helfen, diesen Mangel erträglich zu machen.

1948 erreichten Phantasie und Einfallsreichtum der Menschen (oder war es ihre Lust an Perversion) im zerstörten Deutschland einen Höhepunkt. Ersatzlösungen mussten gefunden werden und wurden gefunden. Ersetzt werden musste das nicht Vorhandene oder das nicht ausreichend zur Verfügung Stehende.

Es war die große Zeit der Ersatzmittel und Falsifikate. Und die Leute übertrafen sich gegenseitig im Ersinnen, im Erfinden immer neuer Ersatzmöglichkeiten. Es gab nichts, was sich nicht ersetzen ließe, es gab kaum etwas, das sich nicht den Bedürfnissen der Zeit gemäß einer neuen Bestimmung zuführen ließe.

Aus SA-Mützen, die im Ruhrgebiet »Aalscheppen« genannt wurden, fertigte man Pantoffeln, aus Gasmaskenbüchsen wurden Gießkannen, aus Granathülsen Milchkannen, Stahlhelme wurden zu Kochtöpfen umgepresst, Tellerminen zu Bratpfannen.

Besonders eindrucksvoll war der Ideenreichtum dort, wo der Mangel am größten war, auf dem Ernährungssektor.

Einiges davon war schon aus der Kriegszeit bekannt und geläufig. Das Milei-Pulver etwa, Nährstoff- oder Nährkrafttabletten.

Wo Bohnenkaffee fehlte, wurde Kaffee-Ersatz aufgebrüht aus Korn oder Eicheln. Wenn Tee nicht importiert werden konnte, wurde »deutscher« Tee getrunken, Mischungen aus Ebereschen-, Linden- und Brombeerblättern zum Beispiel.

K ü c h e n w i n k e für die Verwendung von T r o c k e n k a r t o f f e l n

1. 100 Gramm Trockenkartoffeln entsprechen in ihrem Kaloriengehalt 500 Gramm Frischkartoffeln, sparsamste Schälung vorausgesetzt.
2. Trockenkartoffeln werden kurz kalt gewaschen.
3. Trockenkartoffeln werden am besten in der fünffachen Menge kalten Wassers eine ³/₄ Stunde eingeweicht (nie länger als 1 Stunde!). Also: 100 Gramm Trockenkartoffeln in 500 Gramm (¹/₂ Liter) Wasser.
4. Einweichwasser i m m e r zum Kochen mitverwenden.
5. Eingeweichte Trockenkartoffeln werden wie geschälte Frischkartoffeln verarbeitet zu Salzkartoffeln, Eintöpfen, Suppen, Brei usw.
6. Die Kochzeit von eingeweichten Trockenkartoffeln beträgt 30—45 Minuten.
7. Fehlt einmal die Zeit zum Einweichen, so erhöht sich die Kochzeit um ca. 10 Minuten.
8. Kartoffelreis eignet sich hauptsächlich zur Herstellung von Suppen und Brei.
9. Rote s ü ß e Trockenkartoffeln sind eine Spezialart der gewöhnlichen Kartoffel und nicht etwa aus e r f r o r e n e n süß gewordenen Kartoffeln hergestellt.
10. Rote süße Trockenkartoffeln werden behandelt und verwendet wie gelbe Trockenkartoffeln.

Es gab Trockenfleisch, Trockengemüse, Trockenfisch. »Trocken«-Produkte kamen auch aus den USA nach Deutschland. Besonders berüchtigt waren dabei die Trockenkartoffeln, daumennagelgroße, rautenartig geformte Stücke, die, in Wasser eingeweicht und dann gekocht oder gebraten, einen unglaublichen Geruch von sich gaben.

Im November 1945 erhielten Kinder von drei bis sechs Jahren in der britischen Zone Nährstangen als Sonderzuteilung. Für 25 Gramm Fettmarken wurde 100 Gramm Fettstreckpaste ausgegeben. Als Brotaufstrich wurde Eiweißpaste angeboten. Statt Marmelade wurde im September 1946 Ersatzmarmelade verteilt, so genannte »Karamelade«. Und natürlich fanden sich in den Kochbüchern der Zeit allerlei »Ersatz-Rezepte«.

Deutscher Kakao

Zutaten: vier Rote Bete oder Rübenkraut und etwas Milch.

Rote Bete schälen, grob reiben, in ein Tuch füllen und fest auspressen. Die Raspeln werden auf ein Backblech gestreut. Bei starker Hitze im Ofen so lange braun rösten, bis sie vollkommen trocken sind. In einer Kaffeemühle zu Mehl mahlen. Wie Kakao-Pulver verwenden. Man kann statt des Rote-Bete-Pulvers auch Rübenkraut nehmen. Das lässt man in einem Tiegel karamellisieren und setzt es dann unter Rühren gekochter Milch zu.

Ersatz für Kapern

Zutaten: eine Tasse grüne Holunderbeeren, eine halbe Tasse Wasser, ein Esslöffel Salz, ein Esslöffel Essig.

Holunderbeeren waschen. Das Wasser mit Salz und Essig zum Kochen bringen. Die Beeren darin etwa zehn Minuten lang leicht kochen lassen. Noch heiß mit etwas Flüssigkeit in Gläser füllen und diese fest verschließen.

Eine weitere Möglichkeit ist, die noch festen Blütenknospen von Gänseblümchen, Kapuzinerkresse oder Sumpfdotterblumen zu nehmen. Diese werden »kalt« verarbeitet: Gut waschen, einsalzen und einen Tag lang stehen lassen. Ohne die Salzlösung in kleine Gläser füllen und mit gekochtem, kaltem Essig übergießen.

Tomatenhonig

Zutaten: 500 g Tomaten (es können rote oder grüne sein), 500 g Kürbisfleisch ohne Kerne, ¼ l Wasser, die Schale einer ungespritzten Zitrone, ein kleines Stück Ingwer, 300 g Zucker.

Tomaten und Kürbisfleisch in Stücke schneiden. In Wasser mit Zitronenschale und Ingwer weich kochen. Ein Tuch über einen Topf spannen. Den Kürbis-Tomaten-Brei darauf geben und den Saft ablaufen lassen. Den Saft mit dem Zucker bis zur Gelierprobe einkochen lassen. Heiß in vorbereitete Gläser füllen. Sofort verschließen. Wer den Eigengeschmack des »Honigs« mit anderen Geschmacksrichtungen überdecken möchte, hat dazu beim Kochen des Fruchtfleisches Gelegenheit. So kocht man, um zum Beispiel »Lindenblütenhonig« zu erhalten, die von den Stielen gelösten Blüten der Sommer- oder Winterlinde mit.

Brotkrokant

Zutaten: vier Esslöffel Zucker, eine Tasse geriebenes, trockenes Schwarzbrot, ein Esslöffel Haferflocken, evtl. etwas Fett zum Rösten.

In einer Pfanne den Zucker bräunen. Brotbrösel und Haferflocken zufügen. Alles gut mischen.

Auf ein mit kaltem Wasser abgespültem Holzbrett etwa einen Zentimeter hoch die Masse ausstreichen. Erkalten lassen. Dann in schmale Streifen schneiden.

Zum Überstreuen von Süßspeisen oder Torten muss der Krokant durch eine Kaffeemühle oder den Fleischwolf gedreht werden.

Haltbarmachung von Obst ohne Zucker in Flaschen

— Fortsetzung von „HB" 5

Apfelmus

Äpfel — auch Falläpfel —	waschen,
schlechte Stellen	ausschneiden,
nochmals kurz waschen,	vierteilen.
Mit wenig Wasser	weichkochen.
Durch Sieb oder Durchschlag	streichen,
passiertes Apfelmus	aufkochen
und kochend **heiß** in die vorbereiteten Flaschen	einfüllen.

— s. „HB" 5, S. 20 —

Blaubeeren u. Preiselbeeren

Beeren	waschen, verlesen und
im eigenen Saft — ohne Wasserzugabe —	dünsten
Kochend **heiß**,	randvoll
in die vorbereiteten Flaschen	einfüllen.
Mit **nassem** Cellophanpapier	sofort verschließen.

Cellophanverschluß

In erforderlicher Größe Cellophanpapier	doppelt schneiden.
In kaltes Wasser	eintauchen,
über die Flaschenöffnung	fest rüberziehen und zubinden.

Aufbewahrung:

Flaschen **kühl, dunkel u. stehend** lagern

Praktische Ecke

Mit einfachen Mitteln kühlen!

Nicht in jedem Haushalt besteht die Möglichkeit, mit Hilfe von Eis- und Kühlschränken die Lebensmittel — besonders in der heißen Jahreszeit — vor dem Verderben zu schützen. In der **Jetztzeit** ist es **wichtiger denn je**, die uns zur Verfügung stehenden **Lebensmittel** durch die allereinfachsten Frischhaltungsmethoden **genußfähig** zu **erhalten**.
Vorbedingung für einfachste Kühlhaltung sind:

> Luftig kühle und vor Sonnenlicht schützende Räume - nicht dumpfe Keller -
> Gekochte Speisen müssen vor dem Aufbewahren stets auskühlen!

Die Kochkiste als Kühlkiste

Es eignen sich geräumige, tiefe Kochkisten.

Auf den Boden d. Kochkiste	passenden Napf stellen,
mit kleinen Eisstückchen	gut füllen.
Einen Rost oder ein Gitterblech	darüberlegen,
darauf die	Lebensmittel hinlegen und kühlen.

Den Kochkistendeckel stets geschlossen halten!

Das Ofenloch als Kühlgerät

Feuerungsraum des Ofens	gut auswaschen, trocknen.
Mit Zeitungspapier	auslegen, Kühlgut hineinlegen.

Fleisch zwischen zwei Teller legen!

Zugluft sorgt für Frischhaltung!

Der Steintopf zur Frischhaltung

In den Steintopf	Brot hineinlegen,
mit	feuchtem Tuch zudecken.

Kühlen: durch an der Luft verdunstende Feuchtigkeit

Kühlgut	in Schüsseln legen,
diese in	eine größere
mit kaltem Wasser gefüllte Schüssel	hineinstellen.
Mit	feuchtem Tuch,
dessen Zipfel in das Wasser hineinreichen,	zudecken.

Tuch saugt Feuchtigkeit auf, die an der Luft verdunstet und Wärme entzieht.

Ausgezeichnete Kühlung
für: **Butter, Frischgemüse und gekochtes Gemüse.**

Kühlen: durch an der Luft verdunstende Feuchtigkeit

Gut schließende Gefäße und Flaschen mit	feuchten Tüchern*) umwickeln.

Tücher stets naß halten!

In	Zugluft stellen.

*) Fleisch mit feuchten Essigtüchern!

Zeitungspapier zur Frischhaltung

Frischgemüse in	Zeitgs'papier einwickeln,
auf Steinfußboden oder in offenem Steintopf	kühllegen.

Kühlen: durch Salzlösung

Eine große Schüssel mit	Wasser füllen,
1 Handvoll Salz	auflösen,
1 Päckchen Waschblau	zugeben.
In kleinere Schüssel gelegtes Kühlgut	hineinstellen.

Speisen werden eiskalt!

Kühlen: durch fließendes Wasser

Flaschen mit	Milch, Bier u. ä.
für etwa	10 Minuten
unter das	sacht laufende Leitungswasser legen.

Falsche Schlagsahne

<u>Zutaten:</u> ¼ l Wasser, in dem man Bohnen gekocht hat, zwei Esslöffel Mehl oder Grieß, zwei Esslöffel Zucker.

Wenn man Bohnen kocht, schüttet man das Wasser nicht weg, sondern lässt es über Nacht stehen, damit es geliert. Bohnenwasser zum Kochen bringen, Grieß einrühren und erneut erkalten lassen. Süßen und steif schlagen. Von Wasser, in dem man schwarze Bohnen gekocht hat, bekommt man eine dunkle Schlagsahne, die man mit etwas Kaffee, in dem das Mehl glatt gerührt wurde, verfeinern kann.

Falsche Windbeutel

<u>Zutaten:</u> etwas Magermilch, eine Prise Salz, eine Tasse Mehl, eine Messerspitze Backpulver, ein Ei, ½ l falsche Schlagsahne.

Milch mit einer Prise Salz zum Kochen bringen. Das mit Backpulver vermischte und gesiebte Mehl auf einmal hineingeben und verrühren. Bei schwacher Hitze weiter rühren, bis sich der Teigkloß vom Boden löst. Den Teig in eine Schüssel geben. Das Ei hineinrühren. Auf ein gefettetes Backblech mit einem Löffel Teighäufchen von drei bis vier Zentimeter Durchmesser setzen und bei 200 Grad im vorgeheizten Ofen backen. Man kann den Teig auch in kleine gefettete Auflaufförmchen geben. Die noch warmen Windbeutel aufschneiden, einige Zeit abkühlen lassen und mit Hilfe eines Spritzbeutels mit falscher Schlagsahne füllen.

»*Was wollen Sie haben? Zucker, Butter, Ananas, Rum, Nährmittel, Öl? Ist alles zu haben – als Aromastoff!*« stand als Bildunterschrift unter dem Foto auf der folgenden Seite.

Die Zeit der Ersatzstoffe war auch die große Stunde der Chemiker. Aromastoffe wurden hergestellt und in Massen verkauft. In

kleinen verkorkten Gläschen, Phiolen und Ampullen. Und es gab kaum ein Lebensmittel, dessen Geschmack sich nicht künstlich als »naturidentischer Aromastoff« erzeugen ließ.

Von den Erfahrungen, die in jenen Jahren gemacht wurden, zehrt noch heute eine ganze Industrie. Einige der Betriebe, die solche Ersatzstoffe herstellten, hat der Lebensmittelmangel in der Kriegs- und Nachkriegszeit auch reich gemacht.

Die Chemiker dachten natürlich nicht nur darüber nach, wie man Geschmacksstoffe synthetisch herstellen könnte. Sie wollten mit ihren Ideen auch dort helfen, wo der Mangel am größten und die »Volksgesundheit« bedroht war. Es wurden Verfahren entwickelt, wie man aus Holz Zucker gewinnen könnte.

Auch Eiweiß und Butter konnte man synthetisch gewinnen. Das bräunlich-flockige Eiweiß erinnerte im Geschmack und Geruch, darf man Zeitungsmeldungen glauben, an Kräuterkäse.

Professor von Drigalsky von der Medizinabteilung des großhessischen Innenministeriums bezeichnete die Herstellung künstlichen Eiweißes als »*die letzte Möglichkeit, um die sich rapide ausweitende Tuberkulose wirksam zu bekämpfen*«.

In einem Fettsäurewerk in Witten hätte man 7.200 Tonnen Speisefett synthetisch herstellen können, man hätte dort künstliche Butter oder künstliche Seife produzieren können.

Hätte. Zunächst stand das Werk auf der Demontageliste. Das war 1946. 1947, als das so genannte Produktionspermit (also die Betriebserlaubnis) erteilt worden war, wurde über Kosten diskutiert.

Der Herstellungspreis für ein Pfund Kunstbutter wurde mit drei Mark veranschlagt, »*während der Preis einer gleichen Menge öliger Fette aus Ölfrüchten, die in großen Mengen in den Hafenplätzen Afrikas lagern und dem Verderben ausgesetzt sein sollen, mit Einschluss der Transportkosten nur 20 Pfennig zu stehen käme*«. So die Landesregierung.

Die Befürworter der synthetischen Fettherstellung machten die Gegenrechnung auf: Für die Erzeugung einer Tonne synthetischen Speisefetts seien sieben Tonnen Kohle erforderlich. Für die Einfuhr einer Tonne Naturfett sei die Ausfuhr von siebzig Tonnen Kohle nötig, um die Devisen für die Bezahlung zu erhalten.

Die Menschen an der Ruhr litten weiter Fettmangel. Als dann endlich produziert werden sollte, fehlten die zur künstlichen Speisefett-Herstellung nötigen Basisstoffe Glyzerin und Paraffin-Gatsch (ein Nebenprodukt der Kohlehydrierung). Viele der Werke, die aus Kohle Benzin gewinnen konnten, hatten noch keine Produktionsgenehmigung wieder erhalten.

Nach diesem langen Hin und Her begann die Fettsäureproduktion dann endlich Ende August 1947.

Das Paraffin-Gatsch lieferten Krupp-Benzin und die Zeche Viktoria, allerdings nur 300 Tonnen monatlich, das Wittener Werk konnte die doppelte Menge verarbeiten. Hergestellt wurde zunächst vor allem Seife, um einem dringlichen Mangel mit gesundheitliche Folgen abhelfen zu können.

Bleibt noch von dem schier unglaublich anmutenden Verfahren zu berichten, aus Holz Leberwurst herzustellen.

Diese Höchstleistung deutscher Nahrungsmittelforschung gelang in dem »Zellstoffwerk Wildhausen«, in einem kleinen, scheinbar unbedeutenden Ort, im Sauerland gelegen. In diesem Werk wurde, der Name sagt es schon, Zellstoff hergestellt. Aus Holz. Bei diesem Verfahren entstehen Ablaugen. Diese Ablaugen dienten, mit Gelatine verdickt und mit Pilzbrut geimpft, einem Fadenpilz als Nährlösung. Die Pilze, die nun auf der Nährlösung wuchsen, enthielten Eiweiß.

Eiweiß und Nährlösung wurden getrennt. Das Eiweiß wurde in Kübeln nach Gütersloh transportiert, in einer Lebensmittelfabrik gefärbt, mit Gewürzen und Aromastoffen versehen und in Dosen eingelötet. Als »Protosan«, »*Eiweißnahrung nach Art der Leberwurst*«, kam es auf den Markt, als so genannte »Eiweißpaste«.

Bitte 1 Pfund Holzwurst

Von Krahenpoot

Als wir in der Schule in der Naturkunde-Stunde die Holzkäfer durchnahmen, sagte unser Naturkundelehrer: „Wenn die Menschen so weit sind wie die Holzkäfer und können Holz verdauen, dann hat alle Menschennot ein Ende."

Dieser Naturkundelehrer kannte sich in der Naturkunde ausgezeichnet aus. Die Holzwurst ist nun da. Die Deutschen haben sie natürlich erfunden in ihren Leunawerken, und wo sonst Giftgase gekocht wurden, dampfen die Holzwürste mit Leberwurstgeschmack in der chemischen Retorte des Holzmetzgers.

Unser Naturkundelehrer war trotzdem ein blutiger Anfänger-Optimist. Er kannte nicht die besondere Naturkunde des Menschen. Es wird vermutlich erst dann anders, wenn jeder seine eigene Säge hat und geht an seinen eigenen Leber- oder Blutwurstbaum und sägt sich sein eigenes Trumm Wurst zum Frühstück.

Die Leunawerke liegen im anderen Deutschland und die Holzwurst kommt selbst auf Karten nicht in unsere Zone. Um wieviel besser haben da die Holzböcke ihre Darmfrage geregelt. Sie essen das Zeug einfach zweimal, haben doppelt was davon und auf die Zuständigkeit blasen sie sich was in ihrem Loch, in dem sie alle gemeinsam fressen.

Erwähnt werden sollte vielleicht noch, dass die Leuna-Werke in der sowjetisch besetzten Zone, bereits Jahre zuvor ein Verfahren entwickelt hatten zur Herstellung künstlicher Leberwurst. Was in Wildeshausen bestritten wurde.

Wie dem auch sei – mit solchen Rezepturen können wir Ihnen natürlich nicht dienen. Sie müssen sich zur Herstellung von Leberwurstersatz »normaler« Zutaten bedienen.

Falsche Leberwurst

Zutaten: zwei Zwiebeln, 100 g Hefe, ein Esslöffel Öl, ¼ l Brühe, ein Esslöffel Grieß, ein Esslöffel Semmelbrösel, Salz, ein Teelöffel gehacktes Majoran.

Die klein gehackte Zwiebel mit der Hefe unter ständigem Rühren hellbraun rösten. Brühe zugeben. Grieß und Semmelbrösel einrühren. Würzen. Alles zu einem streichfähigen Brei verrühren. Abkühlen lassen. Den Brei in ein feuchtes Leinentuch geben und länglich wie eine Wurst formen. Kalt stellen.

Falsche Mettwurst

Zutaten: eine Zwiebel, ein Esslöffel Fett oder Öl, drei Tassen Brühe, eine Tasse Graupen, eine Tasse roh geriebener Sellerie, Salz, Pfeffer, ein Esslöffel Tomatenmark.

Zwiebel klein schneiden und in heißem Fett etwas anrösten. Mit Brühe ablöschen. Graupen oder Gerstengrütze dazu geben. Salzen. So lange kochen, bis alles fast weich ist. Roh geriebenen Sellerie, Pfeffer und Tomatenmark einrühren. Nochmals aufkochen lassen. In eine kalt ausgespülte Form füllen und darin kalt werden lassen.

Statt Graupen kann man auch Gerstengrütze oder einfach Getreidekörner verwenden. Diese werden mit Sellerie und Salz gekocht. Man lässt sie lange genug ausquellen und dreht sie halb erkaltet durch den Fleischwolf. Dann die anderen Zutaten dazu geben und verfahren wie oben.

Panhas-Ersatz

Zutaten: 1½ l Gemüsebrühe, Salz, ein Lorbeerblatt, zwei Zwiebeln, reichlich Majoran und Thymian, 350 g Gerstenschrot, Pfeffer, Fett zum Backen.

Brühe mit Salz, Lorbeerblatt, gewürfelten Zwiebeln und klein gehackten Kräutern etwa zehn Minuten lang kochen lassen. Gerstenschrot einrühren. Nochmals etwa 30 Minuten lang kochen lassen. Zwischendurch immer wieder umrühren. Der Brei muss sehr fest werden. Ansonsten sollte man noch eine Kartoffel hinein reiben. Mit Pfeffer abschmecken. Das Lorbeerblatt entfernen. In eine kalt ausgespülte Kastenform geben. Kalt werden lassen. Dann wird der Panhas in Scheiben geschnitten und in einer Pfanne von beiden Seiten in etwas Fett braun gebraten.

Falsche Grützwurst

Zutaten: eine Zwiebel, 20 g Fett, ½ l Gemüsebrühe, ein Teelöffel Majoran, eine Tasse Gerstengrütze, eine gekochte Kartoffel, Salz.

Zwiebelwürfelchen in Fett anbraten. Brühe zugießen. Majoran, Salz und Grütze einrühren. Kochen lassen, bis die Grütze weich ist. Die gekochte Kartoffel zerdrücken und in die Grützmasse einrühren. Noch mal abschmecken. In ein mit kaltem Wasser ausgespültes Gefäß geben. Kalt werden lassen. Dann stürzen und in Scheiben schneiden.

Holz war nicht der einzige Grundstoff, aus dem Wurst gemacht werden konnte.

»*Um die Fleischversorgung in der britischen Zone sicher zu stellen*«, wurde 1947 den Würsten Walfischmehl zugesetzt. Mit dem Mangel leben.

Aus 20 Pfund Kirschkernen konnte man bis zu zwei Liter Speiseöl gewinnen, das eine Haltbarkeit von einem halben Jahr besaß.

Die Bremer Firma »Kaffee Hag« meldete 1947 stolz die Herstellung von »Soja-Nährkost«: von Soja-Brotaufstrich, Soja-Grieß und »Soja-Tosties« als Fleischersatz. Bleiben wir noch ein wenig bei dem Jahr 1947.

Filet Stroganow nach Art des Jahres 1947

Zutaten: zwei Tassen roh geriebene Kartoffeln, eine Tasse roh geriebene Möhren, ein Ei (oder ein Esslöffel Trockenei), 20 g Hefe, eine Messerspitze Nelkenpulver, Salz, zwei Esslöffel Haferflocken, Fett.
Soße:
ein Esslöffel Mehl, ½ l Gemüsebrühe, Salz, Pfeffer, ein Teelöffel Essig, eine klein gehackte Zwiebel, ein Teelöffel Senf, eine klein geschnittene Essiggurke, 10 g Fett.

Kartoffeln, Möhren, Ei, Hefe, Nelkenpulver und Haferflocken miteinander zu einem Teig vermengen. Salzen. Etwa 20 Minuten stehen lassen. Eine Pfanne mit etwas Fett heiß werden lassen, und aus der Masse zwei dünne Pfannkuchen backen. Kalt werden lassen. In kleine Streifen schneiden.

Für die Soße das Mehl in einer heißen Pfanne ohne Fett anbräunen. Die Zwiebelwürfelchen dazu geben. Mit Brühe ablöschen. Nacheinander Gewürze und Gurkenwürfel zusetzen und alles gut sämig kochen. Zum Schluss das Fett hinzufügen. Jetzt die »Stroganow«-Streifen in die Soße geben und etwa 20 Minuten darin ziehen lassen. Servieren im Reisrand oder als Beilage zu Nudeln oder Salzkartoffeln.

Falscher Gänsebraten

Zutaten: drei Scheiben Rouladenfleisch, ein Teelöffel Senf, Pfeffer, Salz, zwei große Zwiebeln, ein großer Apfel, ein Teelöffel Thymian, eine Tasse Brühe.

Die Fleischscheiben (für dieses Rezept wurde oft auch Pferdefleisch verwendet) nebeneinander legen und mit einem Baumwollfaden zusammennähen, so dass es ein Ganzes gibt. Ein paar grobe Stiche genügen. Das Fleisch mit Senf bestreichen. Salzen und pfeffern. Die ganzen geschälten Zwiebeln und den geschälten Apfel (sie sollten etwa gleich groß sein) auf die Fleischscheiben legen, Thymian darüber streuen und wie eine Roulade zusammenwickeln. Mit dem Baumwollfaden zubinden.

In einer Kasserolle in die vorgeheizte Bratröhre schieben. Etwa 50 Minuten schön braun braten lassen, dabei ab und zu mit Brühe übergießen.

Falsche Königsberger Klopse

Zutaten: eine Tasse Grieß, eine Tasse Haferflocken, eine Tasse Wasser, ein Esslöffel Semmelbrösel, ein Ei (ein Esslöffel Trockenei), 20 g Hefe, Salz, ein Esslöffel Öl, eine klein gehackte Zwiebel, ein Teelöffel Majoran, ein Esslöffel klein gehackte Petersilie, ein Teelöffel Kartoffelmehl.

Grieß und Haferflocken mit einer Tasse Wasser verrühren und quellen lassen. Ei (oder Trockenei) und Hefe mit zwei Esslöffeln Wasser anrühren. Salz und Öl zugeben. Diese Mischung und den Grieß-Haferflockenbrei verrühren. Gehackte Zwiebel, Majoran und Petersilie zugeben. Alles gut mischen. Der Teig muss fest sein.

Einen halben Liter leicht gesalzenes Wasser zum Kochen bringen.

Aus dem Teig kleine Klößchen formen, die in Semmelbröseln gewendet und in das kochende Wasser gegeben werden. Von der Kochstelle nehmen und etwa 20 Minuten ziehen lassen. Die Kochbrühe mit angerührtem Kartoffelmehl binden.

Deutsches Beefsteak 1948

Zutaten: 250 g Haferflocken, eine Tasse Wasser, eine Zwiebel, ein Esslöffel Schnittlauch, ein Ei oder Eiaustauschmittel, Pfeffer, Salz, ein Esslöffel Semmelbrösel, etwas Fett zum Backen.

Die Haferflocken mit heißem Wasser verrühren. Mit der klein gehackten Zwiebel, dem klein geschnittenen Schnittlauch und evtl.

einem Ei vermischen. Würzen. Flache Klopse formen. In Semmelbröseln wenden. Auf beiden Seiten in wenig heißem Fett braten.

Falscher Kaviar

Zutaten: ein Esslöffel Grieß, eine Tasse gekochter Kaffee, ein Salzhering mit Rogen, eine Zwiebel, ein Teelöffel Senf, ein Teelöffel Essig.

Grieß in dem Kaffee zu Brei kochen. Kalt stellen. Den Hering wässern, von der Haut befreien und entgräten. Auch vom gewässerten Rogen die Haut entfernen.

Salzhering und Zwiebel durch den Fleischwolf drehen. Die Paste mit Senf, Essig und dem Kaffee-Grießbrei gut mischen. Zum Schluss den Rogen dazu geben.

Falsche Bratheringe

Zutaten: je fünf große rohe und fünf gekochte Kartoffeln, Salz, zwei Esslöffel Mehl, ein Esslöffel Paniermehl, eine Tasse Essig, eine Tasse Wasser, eine Zwiebel, ein Lorbeerblatt, ein Teelöffel Gewürzkörner (Senfkörner, Pfefferkörner, Wacholderbeeren), Fett zum Braten.

Rohe Kartoffeln schälen und reiben. Wie auch die einen Tag vorher gekochten Kartoffeln. Mit Salz und etwas Mehl zu einem Teig verkneten. Daraus »Heringe« formen.

Mit Paniermehl bestreuen und in heißem Fett von beiden Seiten braun braten.

Wasser und Essig mit Gewürzkörnern, Zwiebelringen und Lorbeerblatt kurz aufkochen lassen. In eine flache Form füllen. Salzen.

In diese Marinade werden die noch heißen Bratlinge eingelegt. Mindestens einen Tag darin ziehen lassen. Vorsichtig herausnehmen.

Falscher Reisauflauf

Zutaten: 250 g Erbsen, zwei Esslöffel Marmelade (am besten nimmt man eine »grüne« Marmelade, also von Stachelbeeren oder grünen Tomaten), ½ l Wasser, ½ Päckchen Puddingpulver, ein Teelöffel Kartoffelmehl, etwas Fett.

Erbsen in Wasser weich kochen und durch ein Sieb passieren. Marmelade und Puddingpulver mit dem Wasser verrühren. Zu dem Erbsbrei geben. Ebenso das mit wenig Wasser angerührte Kartoffelmehl. Gut durchrühren und ein wenig stehen lassen.

Eine Auflaufform leicht einfetten. Mit dem Brei füllen und im Ofen 20 Minuten überbacken lassen.

Ersatz musste geschaffen werden für alles nicht Vorhandene. Nicht nur auf dem Ernährungssektor.

Kriegsprodukte wurden friedlichen Zwecken zugeführt, davon war schon die Rede. Die Firma Küppersbusch in Gelsenkirchen, einst auch an der Kriegswaffenproduktion beteiligt, baute aus Hohlkörpern für Seeminen Viehfutternäpfe für die Bauern. Man musste sich nur zu helfen wissen. Die Wochenschau meldete stolz:

»Die Waffenschmieden der Welt produzieren nicht mehr das, was die Menschheit fürchtet, sondern das, was sie braucht!«

Bereits 1946 nahm eine Berliner Strumpffabrik die Fertigung von hauchdünnen Strümpfen auf, die aus Lumpen hergestellt wurden.

Materialschwierigkeiten gab es nicht, da der Verkauf nur gegen Abgabe von einem Kilogramm Lumpen erfolgte.

Da es kein Leder gab, wurden Schuhe aus Aluminium oder aus Igelit, einem neuartigen Kunststoff, hergestellt.

Eine etwas makabre Attitüde bekam der Mangel im Beerdigungswesen. Da Holz als Rohstoff exportiert wurde, also zu schade war, in der Erde zu vermodern, wurden Särge als Klappsärge mehrfach verwendet oder aus Beton hergestellt.

Die Gegenstände unten haben wir im Rüsselsheimer Museum gefunden: Haushaltsgegenstände, die es nicht zu kaufen gab, wurden selbst gefertigt aus Büchsen und Dosen der CARE-Pakete.

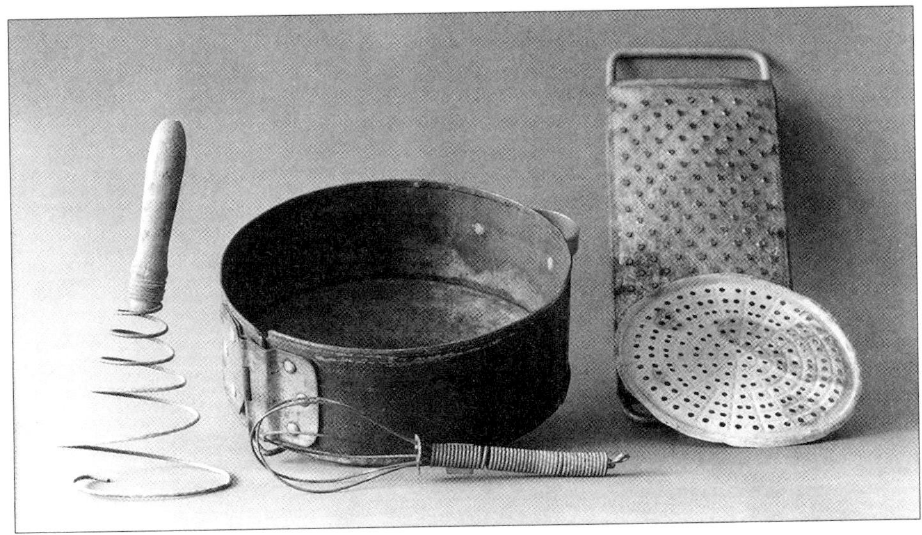

Neues Geld

Am 20. Juni kam dann die Währungsreform. An diesem Sonntag erhielt jeder deutsche Bürger der Westzonen 40 Deutsche Mark – so heißt die neue Währung – im Umtausch gegen die gleiche Menge Reichsmark, später noch einmal 20 DM. Fast jeder Bürger bekam das neue Geld. Denn diese Kopfbeträge wurden an den Stellen ausgezahlt, die auch die Lebensmittelkarten ausgaben, unter denselben Voraussetzungen wie diese. Wer also keine Arbeit hatte, keinen Anspruch auf Lebensmittelmarken, bekam auch kein Geld.

Das neue Geld war in den USA gedruckt worden. 915 Tonnen Banknoten wurden unter scharfer Bewachung nach Frankfurt transportiert und von dort weiter verteilt. Zehn Milliarden DM wurden in Umlauf gesetzt, dazu kamen noch einmal etwa drei Milliarden DM Buchgeld.

Das neue Geld sollte nicht nur die Reichsmark ersetzen, die als Zahlungsmittel nur noch in seltenen Fällen akzeptiert wurde. Es sollte auch die unterschiedlichen Währungen ablösen, die mittlerweile in Umlauf waren, das »Alliierten-Geld«, das die alliierten

Truppen bereits 1945 bei ihrem Einmarsch zur Verteilung gebracht hatten, und das Notgeld, ein Gutschein-Geld, das einige Städte gedruckt hatten, um die leeren Kassen ihrer Kommunen zu füllen.

Die vielen Ersatzwährungen wie Gutscheine, die Kaufleute statt des fehlenden (weil gehorteten) Kleingeldes selbst gemalt hatten, Zigaretten, Tauschscheine, Punkteschecks und Ähnliches sollten vom Markt verschwinden.

Angebot und Nachfrage sollten danach wieder den Preis für Waren und Leistungen bestimmen, eine Spaltung des Marktes wie zuvor in »offizielle« und Schwarzmarktpreise sollte verhindert werden.

In Geschichtsbüchern ist zu lesen, der US-amerikanische Geheimdienst hätte im Herbst 1947 gemeldet, die Sowjets druckten für ihre Zone eine neue Währung.

Was da angeblich ausspioniert worden sein soll, ist ein Märchen, das dazu herhalten musste, Gründe für die einseitig durchgeführte Währungsreform in den Westzonen zu liefern. Die Währungsreform traf die Sowjets unvorbereitet. Als sie für ihre Zone notgedrungen ebenfalls eine Geldreform am 23. Juni 1948 durchführten, waren keine neuen Banknoten gedruckt, die alten Geldscheine wurden überstempelt oder überklebt (und infolgedessen »Tapeten-Mark« genannt).

Alle Tage ist kein Sonntag ...

Gelsenkirchener Bilderschau um die „D"-Mark

Immer hereinspaziert, meine Herrschaften! Sie sehen hier die einmalige Gelsenkirchener Bilderschau rings um die „D"-Mark. Immer hereinspaziert! Noch für die alten Preise! Kinder zahlen die Hälfte. Kleiner, mach dem Onkel vom schwarzen Markt mal Platz. Na, Oma kommense mal ruhig rein und sehnse sich das mal an. Herein, meine Herrschaften! Was Sie hier sehen, Fräulein Ida, das war noch nie da! Achtung, Achtung, eilen Sie, meine Herrschaften, die Vorstellung beginnt!

Bild 1

Hier sehen Sie den schwarzen Markt im Gelsenkirchener Hauptbahnhof am Freitagabend. Eine Pulle Schnaps 2500 Mark, eine Ami 40 Mark. Sehen Sie den jungen Mann da drüben; der hat eben gerade für vier Pullen Fusel 56 000 Mark bezahlt. Stimmung wie im Fasching. Geldkarneval. Taumel vor dem drohenden Erwachen. Verzweifelt stöhnt ein Schwarzmarkthändler angesichts des nahenden Endes seiner Herrlichkeit: „Wollen die uns denn wirklich vor die Hunde gehen lassen?"

Bild 2

Und hier, meine Damen und Herren, werfen Sie einen Blick in die Straßenbahn am Samstagmorgen. Sehen Sie da die verzweifelte Schaffnerin? Kein Mensch mehr hat Kleingeld; denn Kleingeld ist auf einmal Währungsvorschuß geworden. „Haben Sie kein Kleingeld? Haben Sie kein Kleingeld?" „Nicht einen Pfennig, Fräulein!" Erst als die Schaffnerin, wie Sie sehen, drohend das Haltesignal läuten läßt, holt der Fahrgast zwanzig Pfennig aus der Tasche.

Bild 3

So, und hier ein toller Fall: Jemand, der behauptet, kein Brot mehr backen zu können, weil er kein Mehl mehr hätte. Und draußen steht das Volk und wartet auf Brot. Hm ... „Also, wenn Sie nicht umgehend anfangen zu backen", tönt eine amtliche und sehr deutliche Stimme, „dann hat es sich bei Ihnen überhaupt ausgebacken." Und daraufhin beginnt der Schornstein wieder zu rauchen, und zwar so kräftig, daß zum Backen und Verkaufen sogar der Sonntag noch zu Hilfe genommen werden muß. Sehense, meine Herrschaften, wie schön, wie schön!"

Bild 4

Kleiner, nimm den Finger aus der Nase und geh mal auf die Seite die Herrschaften wollen jetzt sehen, wie es am Sonntag auf den Gelsenkirchener und Buerschen Kartenstellen zuging. Meine Herrschaften, es war herzzerreißend! Selbst Schutzleute gerieten außer sich. So ein Gedränge war das den ganzen Tag bis beinahe in die Nacht hinein! Sehense, wie die Leute schimpfen, als wenn se gar kein Geld haben wollten. Sie schimpfen auf das Wirtschaftsamt. Ja, meine Herrschaften, wenn man jahrelang nur den Mangel organisiert hat, wie kann man dann jetzt auf einmal eine solche Fülle organisieren! Das geht doch nicht oder doch?"

Bild 5

Nun, meine Herrschaften, ein ganz trauriges Bild. Ein Beamter am Montagmorgen beim Nervenarzt. Im tiefsten Delirium. Hören Sie, was er in einemfort phantasiert: „Vierzig, achtzig, hundertzwanzig, hundertsechzig. Grand mit Vieren aus der Hand, spielt fünf, angesagt sechs, sieben, achthundertsechzig! Passe! Passe! Passe!" Der arme Mann. Er hat am Sonntag das neue Geld ausgegeben. Jetzt liegt er da in seinem „D"-Mark-Delirium.

Bild 6

Nachdem Sie sich, meine Damen und Herren, von diesem traurigen Anblick erholt haben, zeige ich Ihnen nun ein freundlicheres Bild. Sehen Sie mal her: Hier bietet ein Schwarzhändler den Schnaps schon für 18 Mark Neugeld an und die Amis für 50 Pfennig und den Bohnenkaffee für 35 Mark. Aber, meine Herrschaften, nehmen Sie sich Zeit. Die Sachen werden noch billiger. Gehen Sie sorgfältig mit Ihren vierzig Piepen um. Sie werden staunen, was alles Ihnen dafür geboten wird! Vorsicht, Vorsicht, alle Tage ist kein Sonntag wie der 20. Juni ...

Bild 7

Meine sehr verehrten Damen und Herren! Als letztes zeige ich Ihnen jetzt ein Gelsenkirchener Zukunftsbild. Was Sie auf diesem Bild sehen, das ist der glücklich strahlende Normalverbraucher und mit seiner vierköpfigen Familie 160 Mark Neugeld besitzende Herr Müller. Sein Stammkino hat ihm durch Extraboten einen festen Dauerplatz für sämtliche Filme bis Ende 1950 angeboten. Sein Handwerker hat ihn für zwei Wochen markenfrei zum Essen eingeladen, wenn er bei ihm sofort anfangen darf. Und soeben hat ihm sein Lebensmittelhändler per Dreirad ein Tütchen Pfefferersatz ins Haus gebracht.

*

Damit ist unsere Bilderschau beendet. Hochverehrtes Publikum! Namens der Direktion danke ich Ihnen für Ihren Besuch und Ihre geschätzte Aufmerksamkeit Hoffentlich hat Ihnen dieser aufregende Sommerkarneval gefallen. Und hoffentlich kommen Sie auch über die sommerliche Geldfastenzeit gut hinweg. Vor allen Dingen Du, Du kleiner Mann von der Straße! Paß Du ganz besonders auf Deine Pfennige auf! Und nicht nur darauf! G. K.

Man hört heute auch immer wieder, alle Westdeutschen hätten am Tag der Währungsreform das gleiche Geld bekommen und somit auch die gleichen Chancen für einen Neuanfang gehabt. Das stimmt nicht. Wenn eine Industriefirma pleite macht, muss sie Konkurs anmelden. Wenn ein Staat bankrott ist, wie das Deutsche Reich und in seiner Nachfolge die vier Besatzungszonen, veranstaltet er eine Währungsreform. Der Historiker Rolf Steininger:

»Die Währungsreform war tatsächlich die größte Enteignungsaktion für Bargeldbesitzer in der deutschen Geschichte; sie brachte ungewöhnliche Ungerechtigkeiten mit sich...«

Wer altes Geld, Reichsbanknoten hatte, musste dies auf Konten bei Banken und Sparkassen einzahlen. Alle Bank- und Sparguthaben, auch schon bestehende, wurden in die neue Währung »umgewandelt«. Für 100 Reichsmark sollte es zehn DM geben, tatsächlich waren es aber nur DM 6,50. Zahlungsverpflichtungen (z.B. Mieten) wurden im Verhältnis 1:1 umgestellt, für Schuldverhältnisse (z.B. Bankkredite) musste nur ein Zehntel des Betrages in neuer Währung zurückgezahlt werden.

Der »kleine Mann« wurde wieder einmal um sein Erspartes gebracht. Die Aktien der Unternehmer, die als verurteilte Nazis zum Teil noch in Gefängnissen saßen, behielten natürlich ihren Wert und wurden im Verhältnis 1:1 umgestellt. Und auch wer, wie die

Kaufleute, Sachwerte besaß, war fein heraus und wurde in unvertretbarem Maße bevorzugt.

Am Montagmorgen, am Tag nach der Währungsreform, glaubten die Menschen ihren Augen nicht trauen zu dürfen. Die Schaufenster waren dekoriert mit Waren, die Tage zuvor, teils jahrelang, nicht zu bekommen waren. Die übervollen Läden machten deutlich, bis zu welchem Ausmaß die Marktspaltung in der Zeit vorher gegangen war. Und der Handel nutzte natürlich die Euphorie der Verbraucher über das Angebot solch lange entbehrter Kostbarkeiten zu massiven Preiserhöhungen.

Der Schwarze Markt brach zusammen. Die Bewirtschaftung wurde nach und nach aufgehoben. In der Industrie konnten die Firmen ihr Betriebskapital erhöhen, konnten investieren, neue Maschinen kaufen, rationeller produzieren. Viele Menschen wurden dabei zunächst arbeitslos, aber das kümmerte nur die Betroffenen.

»*Es geht aufwärts!*« hieß es. Und von den schlimmen Jahren nach dem Kriege waren bald nur noch die Anekdoten in der Erinnerung der Menschen übrig.

Hier endet dieses Buch. Weil wir glauben, mit der Währungsreform – der »*Reinstallierung des Kapitalismus*«, der sich die Bevölkerung nicht widersetzte, nicht mit Gründung der Bundesrepublik Deutschland, wird ein Kapitel deutscher Geschichte abgeschlossen. Und es beginnt auch eine neue Epoche der Küchengeschichte. Die »fünfziger Jahre« kündigen sich an und mit ihnen die Fresswelle der Deutschen.

Und Tante Lina? Es hat sich noch viel ereignet in ihrem Leben. Aber das ist kein Stoff für ein Buch. Oder doch?

Register der Rezepte

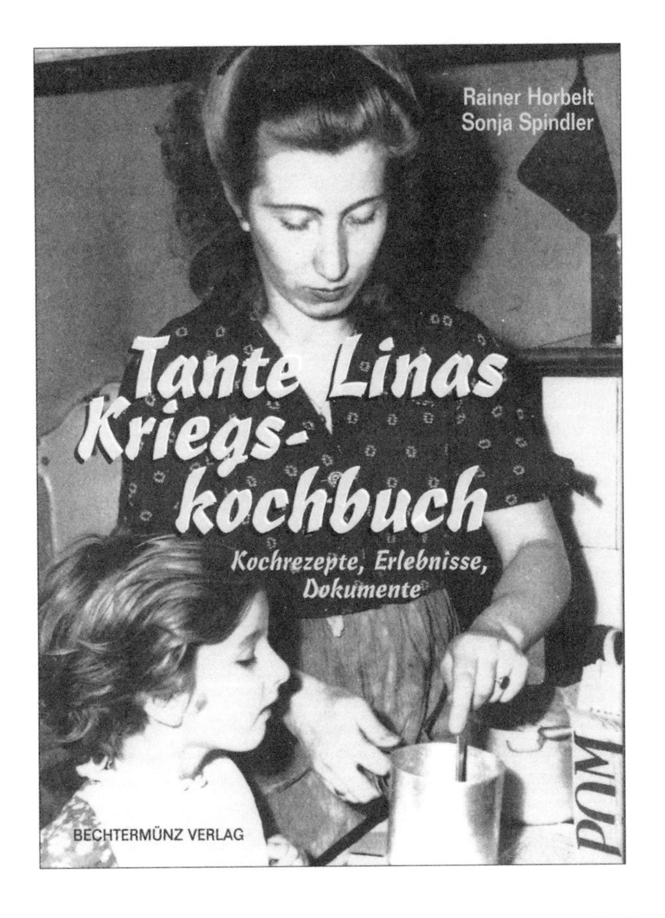

Der erste Band der »Tante-Lina-Reihe«. Jenseits jeglichen Anpassertums bewältigt Tante Lina den Alltag des Zweiten Weltkrieges und behält auch in finsteren Zeiten den aufrechten Gang. In sieben Kapiteln, von 1939 bis 1945 chronologisch geordnet, wird die Lage des Krieges und die damit verbundene Ernährungslage geschildert. Tante-Lina-Geschichten erzählen von einer beispielhaften Mitmenschlichkeit: Wie Tante Lina mit ihrer Nazi-Verwandtschaft umgeht, einen Kommunisten versteckt, zum Hamstern aufs Land fährt oder zur Kriegsweihnacht mit viel Einfallsreichtum ein Festessen zubereitet. Zahlreiche Fotos und Faksimiles machen den »Alltag der Nation« anschaulich. Und über 150 Rezepte liefern Anregungen zum phantasievollen Kochen.